Tack,

**Genom att välja en pocket från Bonnierförlagen
bidrar du till vårt arbete för ett bättre klimat.**

Vi på Bonnierförlagen arbetar långsiktigt för att minska vårt
klimatavtryck och förbättrar löpande alla delar av vår verk-
samhet ur ett miljömässigt perspektiv. Fram till 2025 har
vi som mål att minska våra CO_2e-utsläpp med 25 procent.
De utsläpp vi inte kan undvika klimatkompenserar vi för
i certifierade projekt. Utöver det investerar vi ytterligare
20 procent i kompensationsprojekt.

Alla våra böcker trycks på FSC®-certifierat papper, vilket
garanterar ett miljöanpassat och ansvarsfullt skogsbruk.
Tillsammans med våra leverantörer sätter vi stort fokus
på klimatfrågan och samarbetar för att minska våra avtryck.
Vi överväger alltid den grönare leverantören och det
grönare materialvalet. Det är en nödvändig investering
för framtiden. Vår framtid.

FSC

Offermakaren

Viveca Sten

FORUM

Till Nicole och Pierre
– utan er hade vi aldrig hamnat i Åre!

Prolog

Snön ligger som ett kompakt täcke när Sebbe Granlund svänger in på personalparkeringen vid VM6:an, sittliften mitt i skidsystemet där han har sitt säsongsarbete.

Det är minus tjugo grader, men känns kallare. Trädens kronor är insvepta i rimfrost, Åreskutan syns knappt i snödiset. Den hårda elljusbelysningen skapar ett svartvitt landskap med långa skuggor mot vit snö.

Vintersäsongen i Åre har precis börjat.

Det är bara en kort promenad bort till VM6:an men värmen från bilen försvinner på en minut. Luften isar i näsborrarna när Sebbe låser upp lifthuset. Klockan är lite efter nio, halv tio öppnar systemet och då måste allt vara i ordning. Liftarna har som vanligt öppnat för säsongen i början av december, men än är det få åkare i backarna.

Han trycker på den gröna knappen för att dra igång maskineriet. En hög ljudsignal skär sönder tystnaden, sedan sätter det igång. VM6:an är en av de äldre liftarna, med sittplats för sex personer åt gången. Stol efter stol passerar framför hans ögon.

Sebbe drar fram telefonen för att kolla Snapchat medan liften går. Sätena är täckta av nattens snöfall, han borde gå ut och borsta av dem, men kylan håller honom kvar inomhus.

Det spelar inte så stor roll den första halvtimmen, solen går upp först kvart i tio, innan dess är det inte många ute.

Sebbe släpper mobilen med blicken. En skugga har fångat hans uppmärksamhet, en främmande skepnad i en av liftstolarna, nästan som om någon följt med ner från toppen.

Han försöker se efter, men det är fortfarande ganska mörkt ute.

Stolen närmar sig påstigningsplatsen. Det verkar faktiskt som om det halvligger en person längst ut i hörnet, men något är konstigt, hållningen är skev och hopsjunken.

Den mörka siluetten är stilla fast den nästan är framme.

Sebbe handlar instinktivt. Han trycker på stoppknappen och skyndar ut. Liftstolen blir hängande några meter bort. Den abrupta rörelsen får personen att glida ner ännu längre.

Sebbe blir stående medan hjärnan tar in synen.

Det ser ut som en skyltdocka. Fast ändå inte. De mänskliga dragen är på plats, men varje tecken på liv är utplånat. Ögonbrynen och fransarna är täckta av snökristaller, ansiktet har stelnat i en frusen grimas.

Huden är blåvit med läppar som smalnat av kylan.

Liftstolen gungar till och det räcker för att kroppen ska glida av och falla ner i snön, mitt framför fötterna på Sebbe.

Han stirrar med öppen mun på det stelfrusna liket.

"Fan", viskar han. "Inte du."

Måndagen den 9 december 2019

1

Hanna Ahlander lyckas inte undvika slasket på trottoaren när hon går från tunnelbanan mot lägenheten i Solna. Det våta tränger in i gymnastikskorna och hon svär till när det blir blött i strumpan.

Väskans axelrem skär in och hon flyttar den till andra sidan.

Hon försöker låta bli att tänka på eftermiddagens samtal med sin chef, Manfred Lidwall, men orden ekar ändå i huvudet: *samarbetssvårigheter, ohörsamhet, bristande disciplin.*

Manfred avskyr henne. Det gjorde han mycket klart.

Om hon inte frivilligt söker sig någon annanstans kommer han att göra allt för att bli av med henne. Nu är hon hemskickad för att tänka över saken. Han vill inte träffa henne förrän i januari, efter helgerna.

Det tjocknar i halsen vid tanken på att hon måste lämna sitt jobb på Citypolisen, ett arbete som hon älskar, trots allt som har hänt.

Den regnvåta asfalten suger åt sig ljuset, världen är målad i nyanser av grått och svart. Om femton dagar är det julafton. Det borde vara snö och minusgrader, mjuka flingor som sakta singlar ner från skyn.

Istället gråter himlen.

Det spelar ingen roll, julstämning är det sista som bekymrar Hanna för tillfället. Pepparkakor och adventsljusstakar har hon inte ägnat en tanke de senaste veckorna.

De tunga våta dropparna gör att håret klistrar fast i pannan. Hon böjer på nacken för att slippa regnet i ansiktet, men det tränger in under jackan och får henne att huttra. Hon ökar på stegen för att komma hem, vinglar till när hon trampar snett. De senaste timmarna har hon suttit på en bar och druckit vodkashots medan samma tankar snurrat runt i huvudet.

Varför kunde hon inte hålla käften? Varför kunde hon inte göra som alla andra och rätta in sig i ledet?

Hon borde ha släppt frågan om den misskötta utredningen, den arma Josefin som blev misshandlad till döds av sin make.

Han som råkade vara en kollega inom polisen.

Om hon bara sett åt andra hållet och skött sina egna affärer skulle hon inte ha hamnat i den här situationen.

Kåren har slutit sig och hon är inte längre en del av gemenskapen.

Några hundra meter bort ser hon sin port. På fjärde våningen ligger trean hon delar med Christian. Det lyser i fönstret, det betyder att han är hemma.

Hon längtar efter hans famn men vet inte om hon kan berätta om dagens samtal, att Citypolisen och hennes chef till varje pris vill bli av med henne.

Hon förstår inte hur hon över huvud taget ska kunna uttala det högt.

Skammen överväldigar henne.

Manfred sa att han inte ens orkade se henne längre.

Det är mycket hon inte kunnat dela med Christian det senaste halvåret, men hon klarar inte av att ta i det just nu. Inte ikväll, det får bli en annan gång.

Nu vill hon bara komma hem, hälla upp mer vodka och sjunka ner i ett varmt bad. Stänga världen ute och slippa tänka på allt som gick fel.

Tårarna stiger i ögonen men hon blinkar ilsket bort dem.

Hon ska låtsas som om allting är som vanligt, åtminstone ett litet tag tills hon hunnit smälta situationen. Framtiden får hon fundera på i morgon.

Med en suck knuffar hon upp porten och går uppför trapporna till sitt våningsplan. Hon tvekar utanför ytterdörren, stryker bort en tår som ändå tränger fram.

Sedan sticker hon nyckeln i låset och vrider om.

2

När Hanna kommer in i lägenheten är det första hon ser en svart rullbag som står i hallen.

Hon släpper ner sin egen väska på hallmattan och hänger upp den våta jackan. Har de fått besök? hinner hon tänka innan hon ser att det är Christians, den som han brukar använda när han ska resa bort i några dagar.

"Hallå?" ropar hon halvhögt. "Jag är hemma."

Hon sparkar av sig skorna och går in i det kombinerade köket och vardagsrummet.

Alla ytor blänker som vanligt. De har precis renoverat och Christian har lagt ner mycket tid på val av färger och material. Det var hans idé, Hanna hade utan vidare kunnat leva med den gamla inredningen ett tag till. Men det har blivit snyggt, det måste hon medge. Den grå stenskivan går ton i ton med köks-skåpen. Det svindyra trägolvet ger en extra finish.

Förutom att det känns som om hennes mäklare till sambo har stajlat deras hem inför en av hans lägenhetsvisningar.

Hanna öppnar skafferiet och letar efter något att dricka. De har ingen vodka, men hon hittar en rödvinsflaska och häller upp ett stort glas. Tårarna bränner i halsen men hon sväljer och sväljer. Hon vill inte gråta mer över jobbet. Ingenting går att ändra på.

Sedan får hon syn på sin spegelbild i ugnsluckans glas. Hon ser hemsk ut. Det blöta håret ligger platt över huvudet, mascaran har smetat ut sig under ögonen. I vanliga fall brukar hon inte använda särskilt mycket smink men idag önskar hon att hon åtminstone haft lite läppglans på de nariga läpparna.

Med glaset i handen går hon in i badrummet och sköljer av ansiktet. Sedan vrider hon på kranen till badkaret för att tappa upp ett varmt bad. Hon tar ett djupt andetag innan hon fortsätter till sovrummet för att säga hej till Christian.

Det enda hon vill ha är en kram.

Han ligger ovanpå det lila överkastet, fullt påklädd, och fipplar med mobiltelefonen. När hon kommer in ser han upp och fast de varit tillsammans i fem år reagerar hon på hur attraktiv han är.

Det pirrar till i maggropen, som det alltid gör.

Christian uppfyller alla maskulina normer. Han har markerad käklinje, tjockt ljusbrunt hår och en pojkaktig charm som han vet att utnyttja. Han är en stjärnmäklare som älskar sitt jobb och varje ny försäljning. På sikt vill han öppna sin egen byrå. Hans livsglädje är smittsam, tillsammans med honom verkar framtiden alltid ljusare.

Trots att hon inte vill berätta om sin hemska dag längtar hon efter hans tröst, hon vill krypa in i hans famn och storgråta. Känna hans värme och höra honom säga att det ordnar sig.

Allt kommer att bli bra igen.

Christian reser sig från sängen med mobilen i handen. Men han rör henne inte, han varken kramar henne eller lyfter handen för att stryka hennes kind. Inte heller säger han ett ord om hennes rödsvullna ögon eller att hon liknar en dränkt katt.

Någonting är fel.

Christian är nervös, inser hon. Käkarna är spända, han verkar stålsätta sig när han öppnar munnen.

"Vi måste prata", säger han med stramt tonfall. "Det här funkar inte."

Det tar ett ögonblick innan orden sjunker in. Ändå förstår hon inte.

Hanna försöker läsa hans ansiktsuttryck, men minen är sluten och främmande.

"Vad menar du?" säger hon.

"Vi två. Det funkar inte."

Inget vettigt svar dyker upp i skallen. Tungan är tjock och oformlig, den vill inte samarbeta.

Istället fånstirrar hon på glaset i handen. Paniken väller fram och fyller bröstet som en klibbig smet.

"Vad säger du?" stammar hon till sist.

"Du och jag kan inte vara tillsammans mer."

"Varför inte då?"

Det är en idiotisk fråga.

"Du är omöjlig att leva med", säger han.

Hanna kämpar fortfarande med att ta in det han säger. Det har inte varit bra mellan dem på länge, det måste hon erkänna, men alla par bråkar ibland, det hör till. Det borde han också fatta?

Det har visserligen varit skitjobbigt hos polisen den senaste tiden och hon vet att hon har låtit sig påverkas. Ilskan över den orättvisa behandlingen har följt med henne hem. Hon har varit sur och tvär på kvällarna, eller bara stupat i säng, men så farligt har det väl inte varit?

Eller?

"Är jag omöjlig att leva med?" upprepar hon.

"Vi gör bara varandra olyckliga", säger han och går förbi henne och ut i hallen.

Hanna snubblar efter.

"Det blir bättre så här", fortsätter han.

Rösten är fylld av trötthet, men det är ändå bättre än det kalla och vassa i början.

Christian sträcker sig efter rullväskan i hörnet.

Med ens hatar hon den där väskan.

"Vad då bättre?" härmar hon igen, som om hon inte klarar av att formulera en enda självständig mening.

Är det verkligen hon som står här och svamlar helt osammanhängande?

Christian suckar.

"Vi bråkar bara nuförtiden. Vi har inte haft sex på månader.

Det är ingen idé att vi håller på mer. Du är missnöjd, och det är jag med. Vi har det bättre utan varandra. Det är tråkigt, men så är det."

En stark overklighetskänsla kommer över Hanna. Lägenheten ser ut som vanligt. Ytterplaggen hänger på sina galgar, skorna är prydligt uppställda. Precis som de var när hon gick hemifrån i morse, innan allting föll samman på jobbet.

Ska även hennes privatliv slås i spillror nu? På en och samma dag?

Hon ser honom dra handen genom det ljusbruna håret, samma hår som hon har smekt så många gånger efter att de älskat med varandra. De hör ihop, det måste han förstå?

Om han går har hon ingen. Då blir hon alldeles ensam.

Stanna! skriker det i henne. *Jag kan ändra mig.*

"Jag älskar dig", viskar hon.

Christian står stilla. En skugga far över hans ansikte, en nästan mikroskopisk rörelse, men Hanna hinner uppfatta den sekundsnabba skiftningen. Hon förstår, fast han inte sagt ett enda ord.

"Du har träffat en annan?"

Han tvekar, sedan nickar han utan att se på henne.

Han kunde lika gärna ha gett henne en käftsmäll. Christian har själv pratat om det flera gånger under deras fem år tillsammans, att man kan förlåta allt utom otrohet.

De skulle aldrig bli sådana som gick bakom ryggen på varandra. Deras kärlek var stark och ärlig.

"Jag tänker bo hos en kompis i veckan, så att du får tid att flytta ut", säger han och drar upp handtaget på rullväskan.

"Flytta ut?"

Hanna ser sig sakta om, fastnar med blicken på den snygga soffgruppen i skinn som Christian fyndat från en visningslägenhet. Vid det breda fönstret med utsikt över Råsundasjön står sammetsfåtöljen. Där brukar hon sitta och läsa med benen uppdragna under sig. Ullpläden som hänger över armstödet fick hon i julklapp.

Hon blinkar och inser att det är Christian som äger lägenheten. Han hade precis köpt den fina trean när de träffades. Hon bodde i en sunkig etta som hon hyrt i andra hand sedan hon gick ut Polishögskolan.

Valet var enkelt den gången.

Men det har varit *deras* hem. Nu vill han kasta ut henne på gatan, bara så där.

Hanna rätar på sig.

"Du kan inte göra så mot mig."

Rösten darrar och hon hatar att hon inte kan behärska sig.

"Var ska jag bo?"

Christian har åtminstone vett att se skamsen ut.

"Krångla inte nu", muttrar han. "Det är min lägenhet. Det är jag som har betalat nästan alla räntor och amorteringar."

För att du har tjänat mycket mer pengar, vill hon invända, men vet att det vore meningslöst, trots att de har varit överens om fördelningen.

En polislön kommer man inte långt på.

Christians mobil ringer. Han trycker bort samtalet men inte fortare än att Hanna hinner uppfatta namnet på displayen.

Valérie. Hon känner ingen Valérie. Och vad är det förresten för namn?

Sedan förstår hon allting.

"Du ska åka hem till henne? Det är där du ska bo medan jag flyttar?"

Christian dröjer en sekund för länge.

"Ja", säger han kort och vänder sig mot ytterdörren.

Den bortvända ryggen får allting att brista.

Christian tänker sticka, utan att de ens har pratat klart. Han har precis släppt en bomb och kan inte offra fem fucking minuter på att lyssna på henne.

"Se på mig", skriker Hanna. "Du kan åtminstone se på mig!"

När Christian vänder sig mot henne igen rör sig högerarmen av egen kraft.

Hanna lyfter glaset och slungar vinet rakt i hans ansikte. En kaskad av blodröda droppar rinner över pannan och kinderna. Stora, mörka fläckar bildas på kläderna.

Hon gapar utan att riktigt förstå vad hon just gjort.

"Du är för fan inte klok", fräser Christian.

Han torkar tinningen med handen utan att det hjälper.

"Se till att du är ute senast på söndag. Jag vill ha tillbaka nycklarna, hör du det?"

Han smäller igen dörren medan Hanna faller ner på knä.

Hon är så chockad att hon inte ens kan gråta. Det är svårt att andas.

Sedan hör hon det plaskande ljudet när badkaret svämmar över inne i badrummet.

Tisdagen den 10 december

3

När polisinspektör Daniel Lindskog gör sig i ordning för dagen sover både Ida och bebisen under det mintgröna täcket i dubbelsängen. Ida ligger på ena sidan, hennes långa mörka hår är trassligt och utspritt över kudden. Alice ligger på rygg och snusar med halvöppen mun.

Daniel blir stående vid sängkanten med blicken fäst på sin dotter. Kärleken till Alice har öppnat ett rum i hjärtat som han inte kände till. När han rör vid hennes pyttesmå fingrar händer något. Han blir en annan, en man som kan gå genom eld och vatten för sitt barn.

I trettiosex år har han levt utan att förstå vad villkorslös kärlek innebär. Det finns ingenting han inte skulle kunna göra för hennes skull.

Samtidigt är stillheten en lättnad. Alice har varit vaken många gånger i natt. Även om de bor i en rymlig trea är den tröstlösa kolikgråten hos en liten bebis svår att undkomma. Efter de första månaderna är alla utmattade.

Daniel har grus i ögonen och bly i kroppen när han skruvar på duschen. Det skållheta vattnet räcker inte för att komma i gång, först när han vrider om till iskallt får chocken honom att vakna.

Han drar på sig ordentligt med kläder, jeans och en tjock mörkblå ylletröja ovanpå skjortan. Som polisinspektör behöver han inte bära uniform, men varma kläder är ett måste så här års. Man vet aldrig när man behöver gå ut i kylan. Det är därför han har skägg sedan några år, det skyddar faktiskt hakan en aning. Dessutom är det rätt snyggt, även om han inte skulle säga det högt.

För att inte väcka Alice avstår han från frukost. Han kan ta en kopp kaffe på polisstationen, har aldrig varit särskilt hungrig på morgonen. Det är bättre att Alice får sova för då sover också Ida. Hon har fortfarande svårt med omställningen, är omtumlad av att ha blivit mamma och osäker i sin roll. Att Daniel är borta på dagarna gör inte saken bättre.

De har haft flera ordentliga gräl, som egentligen handlat om småsaker, fast de aldrig bråkade förut.

Daniel får ofta skuldkänslor. De hade inte tänkt skaffa barn, inte så snabbt i alla fall, efter bara ett halvårs förhållande. När Alice blev till hade de knappt hunnit lära känna varandra ordentligt.

Ida talade om abort, men Daniel fylldes av glädje vid tanken på att bli pappa. Han har längtat efter det i åratal.

Ida är tio år yngre. Hon var en cool skidlärare, på en helt annan plats i livet, när de träffades en lördag på Bygget, Åres mest populära uteställe.

Minnet gör honom fortfarande mjuk. Den kvällen var hon full av liv, så söt att han inte kunde slita blicken från henne. De dansade hela natten och han fick följa med henne hem.

Förälskelsen var omedelbar och starkare än allt han känt förut.

Ida fick honom att leva upp, hon drog med honom på tokiga skoterutflykter och picknickar på fjället. Hon är uppvuxen i trakten och bekant med de flesta. Med Ida började han känna sig som hemma i Åre fast han redan bott där i två år.

Ett barn med Ida skulle vara fantastiskt. Det var hans första reaktion när hon visade upp stickan med de två blå strecken. Han ville det så gärna och målade upp deras gemensamma framtid i ljusa färger.

Nu, när hon är så trött och utmattad, kommer skulden smygande.

Daniel lämnar tyst lägenheten och tar trapporna ner till porten. Han skrapar bilrutorna noga. Vindrutan är täckt av ett tjockt lager iskristaller, en dryg decimeter snö har lagt sig på taket. Det tar nästan tio minuter och vid det laget är han varm på gränsen till svettig.

Han bor egentligen på gångavstånd från jobbet, på sommaren tar det inte mer än en kvart att gå, men idag är det minus nitton grader och becksvart. Om en kvart ska han möta kollegan Anton Lundgren, de ska till Duveds skola och hålla föredrag. Det är också en del av polisarbetet i glesbygden, att informera och samverka. Anton är den han jobbar mest med, en glad och rättfram kille från trakten. När Daniel på kvällarna skyndar hem till Ida och Alice brukar Anton köra ett av sina otaliga styrketräningspass.

Åre är en liten station, med bara tre utredare och sju poliser i yttre tjänst när de är fullt bemannade. Själv tillhör han formellt Östersund, även om han sitter ett par dagar i Åre.

Daniel startar bilen och undrar om det har varit mycket liv på byn under natten.

Förmodligen inte, det blir nog värre på torsdag, natten till lucia, då skolungdomarna festar loss. Fast så länge det är ortens tonåringar som röjer brukar situationen sällan urarta. Det är turisterna som håller hans kollegor sysselsatta. Säsongen har inte dragit igång än men snart väntar krogbråk och våld i taxikön, eller folk som muckar gräl inne på hamburgerrestaurangen. En och annan skidstöld och rattfylla hör också till vardagen.

Det har börjat snöa ymnigt när Daniel lämnar parkeringen några minuter före sju för att köra till Åres polisstation.

4

Ett ihållande, skärande ljud väcker Hanna ur sömnen.

Det tar några sekunder innan hon inser att det fruktansvärda låtet kommer från mobilen. Hon famlar efter den på sängbordet och ansträngningen får vita blixtar att skjuta genom huvudet.

Vaga bilder av stora mängder alkohol gör sig påminda, hur hon kröp ner i sängen med en flaska och drack tills hon slocknade.

Äntligen slutar oljudet och Hanna sjunker tillbaka mot kudden. Sedan börjar det om. Hon sträcker ut en hand och lyckas äntligen få tag i telefonen.

"Hallå", kraxar hon.

"Väckte jag dig?" säger hennes storasyster Lydia hurtigt.

Lydia är tio år äldre. Hon är framgångsrik advokat, har två orimligt väluppfostrade barn och är lyckligt gift med en lika framgångsrik man i finansbranschen som tjänar äckligt mycket pengar.

Hanna tycker om sin storasyster men orkar inte riktigt med henne. Lydia är en ständig påminnelse om allt deras föräldrar förväntar sig av sina barn. Det där som Hanna aldrig kommer att kunna leva upp till.

"Vet du vad klockan är?" fortsätter Lydia, som är tidigt uppe varje morgon i den stora villan på Lidingö.

Hanna kikar dimmigt på displayen. Elva på förmiddagen. Det spelar ingen roll. Hon har ändå inget jobb att gå till.

Christian har lämnat henne.

Chocken kommer tillbaka i samma sekund som hon tänker orden. Magen drar ihop sig i kramp.

Allting gör ont.

"Jag håller på att bli sjuk", pressar Hanna fram.

Hon *är* sjuk, på sätt och vis. Det är ett stort värkande hål där hjärtat borde sitta.

Hon kan inte låta bli att hulka till.

Lydia må vara hurtfrisk och framgångsrik, men hon är varken döv eller okänslig. Hon hör direkt att något är fel.

"Vad är det som har hänt?"

"Inget", viskar Hanna.

Hon har inte tänkt berätta hur det ligger till. Hon är van att stå på egna ben. Hennes situation är ändå ingenting jämfört med de misshandlade och utsatta kvinnor hon möter i jobbet.

Men hon är så ledsen. Hon känner sig eländig och misslyckad. Om hon berättar sanningen för sin syster blir det på riktigt.

"Vad har hänt?" upprepar Lydia.

Hanna fulgråter i luren.

"Hanna?"

"Christian har stuckit", snyftar hon till slut. "Och dessutom har jag inget jobb längre. Min chef skällde ut mig igår och sa att jag måste söka mig en annan befattning."

Det sista bara kommer. Snoret droppar på det ljusblå påslakanet. Hon kniper ihop ögonen men tårarna spiller ändå över.

"Jag måste flytta ut senast på söndag."

Hon försöker torka ögonen med en flik av täcket utan att det hjälper.

Lydia ger ifrån sig en knappt hörbar flämtning.

"Var är Christian?" säger hon.

"Hos sin nya tjej. Valérie."

För en gångs skull saknar till och med Lydia ord.

"Oj", säger hon till sist. "Vilket svin."

Hanna gråter ännu mer.

"Det kommer att ordna sig", säger Lydia efter en liten stund.

Hon låter mjukare på rösten, mer som storasystern som läste saga för Hanna i barndomen än powerkvinnan som intervjuas i affärstidningarna.

"Du fixar det här, gumman, jag vet det", lägger hon till.

"Vad ska jag göra?" viskar Hanna. "Hur ska jag försörja mig?"

Det knackar på dörren på andra sidan luren och en djup mansröst mumlar ett par ord som inte går att uppfatta.

"Jag har tyvärr ett möte nu", säger Lydia till Hanna. Den vanliga effektiva och lite stressade rösten är tillbaka. "Jag ringer dig efter det. Låt mig tänka en stund."

"Säg inget till mamma", viskar Hanna. "Lova det."

I deras familj är rollerna sedan länge utmejslade. Lydia är den duktiga och framgångsrika som föräldrarna skryter med för vännerna i Spanien. Hanna är sladdbarnet som de helst talar tyst om. Hon har alltid gjort dem besvikna. Hennes bohemiska livsstil och så småningom karriärvalet fick de högborgerliga föräldrarna att sätta rödvinet i halsen.

Det enda som gjort mamma riktigt belåten var förhållandet med Christian.

Nu är det över.

Hanna lägger bort mobilen och drar täcket över huvudet. Christians svek är ofattbart. Hur kan han bete sig så här mot henne? Efter fem år tillsammans?

Tanken på att han är hos sin nya tjej gör det ännu värre. Igår vaknade Hanna och Christian i samma säng. Nu är han borta för alltid.

Dessutom har hon ingenstans att bo. Stockholms bostadsmarknad är en djungel. Det finns inga lediga hyreslägenheter, bara svindyra bostadsrätter som kostar miljoner. Pengar hon inte har och aldrig kommer att få.

Hon kan inte låna av mamma och pappa. Bara tanken på att ringa dem och berätta är omöjlig.

Hon som kallas "deras lilla misstag" har aldrig kunnat göra något rätt.

Hon kunde inte behålla Christian och har inte råd att skaffa en egen bostad vid trettiofyra års ålder.

Vad ska hon ta sig till? Vart ska hon ta vägen?

5

Lydia ringer en timme senare, precis som hon lovat.

Hanna ligger fortfarande kvar i sängen. Gråten har till slut ebbat ut, hon stirrar apatiskt upp i taket. Hon borde ta en dusch, hämta en Treo mot huvudvärken, försöka äta frukost.

Hon klarar inte av att röra en muskel.

"Nu gör vi så här", säger Lydia mjukt, i en ton som om hon talade till ett barn. "Du åker till vårt hus i Åre och vilar upp dig i några veckor."

"Åre?" mumlar Hanna.

Där tillbringade hon och systern alla vinterlov med föräldrarna. Men Hanna har inte varit tillbaka sedan hon gick ut gymnasiet, trots att hon alltid älskat att åka skidor.

Vissa minnen gör fortfarande ont.

Lydia fortsätter i rask takt:

"Under tiden ska jag ta reda på vad som gäller för din och Christians bostadsrätt. Han kan inte bara kasta ut dig, det kommer jag inte att tillåta. Det finns något som heter sambolagen. Dessutom tänker jag ta ett snack med din arbetsplats."

Lydia får allt att låta så enkelt.

"Vi var uppe i Åre förra helgen", fortsätter hon, "men på annandagen ska vi iväg på den där kryssningen jag nämnde. Huset kommer att stå tomt minst till slutet av januari."

Lydia och hennes man Richard byggde ett stort hus utanför Åre för ett par år sedan, i ett område som heter Sadeln. Hanna har aldrig varit där, men Lydia har stolt visat bilder på den eleganta inredningen.

Bara soffan kostade förmodligen mer än vad Hanna tjänar på tre månader.

"Det blir perfekt", säger Lydia.

Hanna tvivlar på det. Men hon har inte några alternativ. Hon har ingenstans att ta vägen och inget jobb att gå till. Inte har hon särskilt mycket pengar heller.

"Jag har bokat en flygbiljett åt dig."

Lydia väntar inte på Hannas reaktion.

"Flyget går halv fyra i eftermiddag. Sedan har du en plats på flygbussen från Östersunds flygplats, den stannar i Åre Björnen. Det tar bara tio minuter att gå därifrån till huset, eller också kan du ta en taxi."

Systerns handlingskraft får Hanna att känna sig ännu mer förlamad. Hur ska hon kunna åka bort, hon som inte ens pallar att duscha eller klä på sig? Än mindre ta ett flyg till Åre.

Hon orkar inte ens vara tacksam. Det är en ansträngning bara att hålla i mobilen, handen darrar fast hon ligger ner.

"Just det", säger Lydia. "Det kommer en taxi och hämtar dig kvart i två. Du är redan incheckad."

"Jag har inte råd med en taxi till Arlanda", invänder Hanna.

Lydia är som en ångvält när hon sätter igång. Hennes inställning, att allt går att fixa, är överväldigande. Som om hon har en mental lista i huvudet där punkt efter punkt prickas av.

Som om det alltid blir bättre bara man *gör* något.

"Den är förbetald, oroa dig inte för det."

Hon släpper fram en belåten liten fnysning.

"Då så", avslutar Lydia, "Situationen är under kontroll."

Ingenting är under kontroll.

Men Hanna har varken energi eller förmåga att förklara det. Inte heller orkar hon stå emot Lydia.

"Tack", viskar hon matt.

"Det finns massor med mat i frysen, du kan ta vad du vill.

Låna skidutrustning också, vi har så mycket extra prylar att vi skulle kunna öppna skiduthyrning."

Lydia småskrattar åt sitt eget skämt.

"Ring mig när du har kommit fram så jag vet att allting har gått bra. Nu måste jag sticka. Jag ska träffa en viktig klient på hans kontor och kan inte komma för sent. Juletider, allt måste bli klart före helgerna. Du vet hur det är."

De lägger på och Hanna försöker smälta samtalet.

Lydia tänker skicka henne till Åre för att slicka såren. Det mesta är ordnat, Hanna behöver bara ta på sig kläder och packa en väska. Taxin är snart här.

Åre.

Hon ser Åreskutan framför sig, lika tydligt som om hon stod vid det mäktiga bergets fot. För Lydia var det självklart att bygga sitt efterlängtade fritidshus just där, i de jämtländska fjällen. Hanna har också alltid älskat platsen, men aldrig återvänt på samma sätt. Den har påmint för mycket om barndomen, särskilt åren då hon var ensam med föräldrarna efter att Lydia flyttat hemifrån.

Nu har hon inget val. Om hon inte åker till Åre har hon ingenstans att ta vägen. Hon vill inte ringa sina vänner och be om hjälp, de har fullt upp med sina egna liv, särskilt så här före jul. Hon skäms för mycket och klarar inte av att berätta om allt som hänt.

Hanna kryper ihop i sängen. Hon längtar efter Christian så att hon håller på att gå sönder.

Känslan av att vakna tillsammans med honom på morgonen. Tryggheten i att leva med en annan person.

Vara två.

När hon vänder sig om i sängen kan hon fortfarande känna doften av honom på kudden.

Om hon bara kunde vrida tillbaka klockan och göra det bra igen.

6

Dörren är stängd till skolans samtalsrum där Amanda Halvorssen ska ha sitt utvecklingssamtal med klassens mentor, Lasse Sandahl. Han är huvudlärare på Ekonomiprogrammet på Jämtlands gymnasium där hon går sista året.

Han måste vara försenad, de skulle ses klockan fyra. Hon hoppas att han kommer snart. Skolan ligger i Järpen och bussen hem till Åre går tjugo i fem.

Eftersom hon fyllde arton i september har hon ingen förälder där. Det är första gången och ganska skönt. Mamma är jobbig med sina ständiga utläggningar om Amandas skolarbete. Hon lägger sig i det mesta, vill alltid ha reda på vart Amanda ska och vem hon umgås med. Det är som om hon inte kan fatta att Amanda faktiskt är myndig. Att hon bestämmer själv.

Det är därför hon inte har berättat om Viktor.

Hon vet precis vad mamma skulle säga ifall hon fick höra om hennes nya kille. Viktor med sitt dåliga rykte skulle inte uppskattas hemma.

Amanda slår sig ner på en bänk utmed väggen i den vitmålade korridoren och drar fram mobiltelefonen ur fickan. Hon kollar frisyren i den blanka displayen, det nyfärgade svarta håret räcker henne precis till axlarna. Som vanligt har hon sotat ögonen och använt mörkrött läppstift, ett nytt och lite för dyrt som hon köpte för några dagar sedan.

Hon går in på Snapchat och slöskrollar lite. Ebba, hennes bästa vän, har skickat flera snaps och ett meddelande fast de skildes åt för mindre än en kvart sedan.

Varför kommer inte Lasse?

Hon är ensam i korridoren, de flesta av de nästan fyrahundra eleverna har gått för dagen. Amanda är hungrig och vill hem. Dessutom fryser hon, det är svalt inomhus så här års. När kylan kryper under minus tjugo är det svårt att hålla värmen i den stora skolbyggnaden.

Det hörs steg från trappan, sedan kommer Lasse Sandahl gående. Som vanligt har han jeans och en ungdomlig tröja, trots att han har fyllt trettiofem.

"Ursäkta att jag är sen", säger han andfått. "Jag fastnade på rektorsexpeditionen."

"Det är okej", mumlar Amanda.

Lasse låser upp och hon följer efter in i rummet med mossgröna gardiner. Ett runt bord står i mitten, omgivet av tre stolar klädda i svart tyg.

Hon drar ut en och sätter sig mittemot Lasse, inte för nära.

"Ja du, Amanda", säger han. "Hur tycker du att det har gått den här terminen? I vår är det dags för studenten, snart slipper du träffa mig och de andra lärarna varje dag."

Han ler överdrivet, som vanligt tänker Amanda att han har gula tänder.

Hon ler tillbaka för att hålla honom på gott humör.

"Det är väl okej", säger hon med en axelryckning.

Betygen är så där, hon orkar inte plugga på kvällarna fast hon vet att hon borde.

Lasse rotar runt i sin slitna portfölj och tar fram några papper.

"Hur tyckte du att det gick på nationella provet i engelska i fredags?" frågar han.

Amanda petar lite på det mörka nagellacket som börjat flagna på ena tummen. Hon hade svårt att koncentrera sig på frågorna, fast hon visste att det var viktigt. Natten innan hade hon legat vaken i timmar medan hon grubblade.

Vad ska hon göra?

Tankarna tumlade runt, runt utan att hon kom fram till ett

svar. Hon vet att hon borde prata med en vuxen om det hon varit med om, men allting är så komplicerat.

Hon är rädd för vad som ska hända om sanningen kommer fram.

"Vad säger du, Amanda?"

Lasses röst drar henne tillbaka till verkligheten.

"Förlåt?"

"Du har verkat ganska ofokuserad på senare tid. Är det något som tynger dig som du vill tala om?"

Ironin i frågan får Amanda att haja till.

Han är den sista hon skulle anförtro sig åt.

Innan hon hinner reagera flyttar Lasse stolen en smula närmare. Han sträcker ut sin hand och lägger den över hennes.

"Jag är här för att hjälpa till."

Den ligger kvar lite för länge, hon hinner känna hans svettiga handflata mot huden innan hon drar sig undan.

"Allt är bra", försäkrar hon. "Jag har nog bara jobbat lite för mycket istället för att plugga."

Diskret försöker hon luta sig tillbaka på sin egen stol så att avståndet mellan dem blir större.

"För att tjäna julklappspengar", drar hon till med.

"Jag fattar", säger Lasse och bläddrar i sina papper. "Men frånvaron ser också ut att ha ökat. Det är inte så fett."

Lasse vill gärna uppfattas som en kompis fast han är mycket äldre än sina elever. Han använder uttryck som låter larviga när de kommer från hans mun.

"Jag har varit förkyld också", ljuger Amanda. "Flera gånger. Det blir säkert bättre till vårterminen."

Lasse går igenom hennes olika lärares utlåtanden medan Amanda försöker se ut som hon lyssnar och bryr sig.

I början, när han blev mentor för hela klassen, tyckte hon att han var snygg och cool. Det var många som gillade hans lite flörtiga stil, hans sätt att få en att känna sig sedd och utvald. Han var inte som de andra lärarna.

Hon pillar bort ännu mer nagellack från tummen, nu är det nästan ingenting kvar.

Äntligen är de klara. Klockan är drygt halv fem, hon kommer behöva springa till bussen.

När de reser sig tar Lasse några steg mot henne. Han lägger armen om hennes axlar, hon kan inte skaka av sig den utan att det blir för demonstrativt.

"Jag hoppas att du kommer till mig om du behöver prata", säger han. "Jag skulle verkligen bli besviken annars."

Det går inte att avgöra om det är ett erbjudande eller något annat, något som kan kosta henne.

Lukten av gamla cigaretter och kaffe i hans andedräkt hänger mellan dem.

Amanda nickar, ler stelt och sneglar mot dörren. Det finns inget fönster, ingen kan se in.

Hon vill bara komma därifrån så fort som möjligt.

7

Klockan är kvart över sex när flygbussen stannar i Björnens centrum och släpper av Hanna.

I Stockholm var det barmark, här är det djupaste vinter.

Allting är vitt.

Hanna har rest till Åre som en zombie, koncentrerat sig på att sätta en fot framför den andra och inte sagt ett ord i onödan. Ändå är hon helt utmattad, som om hon sprungit ett maratonlopp. Bröstkorgen värker av sorg och hon hatar sig själv som har förstört allting.

GPS:en i mobilen leder henne bort från det lilla centrumet med lägenhetshus, liftanläggningar och skiduthyrning. Hon går över en bro, förbi arenan för längdskidspår och mot det mer avsides Sadeln, som det nya området döpts till.

Det knarrar under skosulorna, annars är det overkligt tyst. Snöflingorna dämpar alla ljud, världen är insvept i ett vitt täcke. Kylan får hennes fingrar och tår att domna.

Efter tio minuter kommer hon till infarten. Murar med skifferbeläggning reser sig på vardera sida om vägen. Där står mycket riktigt "Sadeln" utskrivet med blänkande kopparbokstäver.

Det känns påkostat men också otillgängligt. Som om bara personer med legitima ärenden är välkomna, inga andra ska göra sig besvär.

En brant uppförsbacke tar vid. När Hanna kommer upp på krönet drar hon efter andan.

Det är mäktigt och så ... stort.

Husen breder ut sig på vida sluttningar, granskogen tycks aldrig ta slut. Trots mörkret kan hon uppfatta den moderna fjällarkitekturen, breda torvtak och generösa balkonger, stora glasfönster som ramar in utsikten. Tomterna och byggnaderna är mycket större än i Björnen, här finns rymd och oändlig utsikt.

Nedanför Sadeln vilar Åresjön i frusen dvala.

Det känns lite som en spökstad, även om den snart ska vakna när säsongen drar igång på allvar. Tystnaden är kompakt, husen mörka och tomma med gardinerna fördragna i fönstren. Adventsljusstakarna och utomhusbelysningarna lyckas inte jaga bort ödsligheten i det vidsträckta landskapet där inte en människa syns till.

Hanna traskar vidare med ryggsäck och väska. Tio minuter sa Lydia, men hon har säkert gått i minst femton vid det här laget.

Hon borde ha tagit en taxi, men vill inte göra av med mer pengar än nödvändigt. Inte när framtiden känns så osäker.

När hennes chef, Manfred Lidwall, kallade in henne på sitt kontor igår och omsorgsfullt stängde dörren förstod hon vad som väntade.

Hon hade varit arg och besviken så länge, hade protesterat och satt sig på tvären eftersom ingen gjorde något. Ändå ville hon inte tro att det var hon som skulle bli straffad. Hon hoppades i det längsta att de högre cheferna skulle öppna utredningen igen. Att de trots allt tänkte sätta dit deras kollega, Niklas Konradsson, mannen som misshandlat en kvinna till döds. Hon hette Josefin, men ingen bryr sig om henne. Alla har slutit upp runt Niklas.

Och nu var det Hanna som blev ställd mot väggen, anklagad för samarbetssvårigheter och bristande teamkänsla.

Manfred bad henne inte ens sitta ner i besöksstolen. Han bara stod där med kylig blick och armarna i kors. Rösten var frän när han sa åt henne söka sig bort från Citypolisen, annars tänkte han se till att hon blev omplacerad någonstans där hennes karriär garanterat skulle gå i stå.

Han tog upp fler saker. Hur trött han var på hennes bristande respekt, att hon var *så* nära att bli anmäld för tjänstefel och att ingen av kollegorna ville jobba med henne längre. Hennes raseriutbrott förra veckan, då hon anklagat honom för att vara både inkompetent och korrumperad, hade varit droppen.

Manfred uttryckte sig på ett sätt som Hanna inte trodde att en överordnad fick göra. Förmodligen skulle han aldrig ha sagt så om de inte varit ensamma i rummet, men mellan fyra ögon kunde han kosta på sig att gå till personangrepp.

Hanna försökte tänka att han var en skitstövel, men tog ändå på sig skammen.

De ville inte ha henne längre.

Hon hade mer eller mindre fått sparken.

Hon fortsätter gå på vägen där snön ligger hårt packad. Det finns inga trottoarer, bara höga snövallar som kantar vägbanan. Hon stannar till för att orientera sig och inser att Lydias hus måste vara den stora byggnaden ett hundratal meter längre fram.

Det är svårt att inte gapa.

Det är enormt, ett massivt timmerhus med två flyglar och dubbel takhöjd. Det ligger högst upp i backen, utan grannar som kan se in. Kolossala glaspartier med vacker spröjs är vända mot utsikten, fasadbelysningen skapar en särskild gloria som förhöjer det exklusiva intrycket.

Lydia skojade om att de tagit i. Det är ingen överdrift.

På något sätt har Hanna föreställt sig en vanlig fjällstuga, men den här skapelsen i glas och mörkt trä har få beröringspunkter med normen i de svenska fjällen. Byggnaden för snarare tankarna till en *mountain lodge* i amerikanska Aspen eller ett exklusivt *chalet* i Schweiz.

I Sverige ska man hålla en låg profil, inte öppet skryta med pengar och ägodelar, men Lydias ställe gör allt annat än det.

Ett rytande motorljud bryter tystnaden.

Hanna hinner knappt uppfatta ljuset från strålkastarna innan den mörka SUV:en kommer dånande i kröken på den smala vägen. Hon minns vagt en trettioskylt vid infarten, men den här bilen tar ingen sådan hänsyn.

I en sekund står hon som fastfrusen. Bilen kommer alldeles för fort, den höga motorhuven tornar upp sig framför Hanna.

Lacken blänker olycksbådande nära.

Det är ingen tvekan om att den kommer att krossa henne.

Instinkten tar över och hon kastar sig huvudstupa mot närmaste snövall. Lyckligtvis ger den efter och hon tumlar bort från vägen i ett moln av snö.

Bilen sveper förbi med bara centimeter till godo. Det är ren tur att hon hinner dra in foten innan bakhjulen dundrar förbi.

Hanna ligger på rygg och det bultar smärtsamt i bröstkorgen. Hon vågar knappt känna efter om hon kan röra alla kroppsdelar, har hon klarat sig utan skador?

Prövande sätter hon sig upp, allting verkar helt även om hon smällde i höften när hon slängde sig åt sidan.

Hon stirrar efter fordonet som redan försvunnit. Föraren måste ha sett henne. Ändå stannade han inte för att se hur det gick.

Idiot.

Var det en man som satt bakom ratten? Det är svårt att veta, allt gick så fort. Varken bilmodellen eller registreringsnumret hann hon uppfatta, bara att den var lika svart som mörkret som nu omger henne igen.

En galning var det i alla fall, det var nära att han körde på henne.

Hon kunde ha dött.

Hon är så chockad att en snabb impuls att ligga kvar drar genom kroppen. Hon skulle bara kunna somna här på marken, då skulle hon åtminstone slippa ta itu med allt som hänt.

Hon orkar inte mer. Hon har snö överallt och det isar innanför jackan där den redan har börjat smälta. Känseln i tårna är borta.

Christian skulle få ångra sig om hon hittades här i morgon.

Sedan tar hon sats och kommer mödosamt på benen igen. Hon försöker borsta av sig det värsta innan hon tar väskan och pulsar den sista biten upp till huset.

Ytterdörren ligger på baksidan, förmodligen för att inte störa utsikten. Hon måste passera den separata skidentrén för att komma fram till huvudingången.

Hanna famlar med koden till det hypermoderna lås som Lydia låtit installera. Hon fryser så våldsamt att hon knappt kan stå still.

Aldrig har hon känt sig så liten och övergiven. Tanken på att Christian faktiskt lämnat henne dunkar i bakhuvudet.

Äntligen får hon upp dörren och stiger in. Doften av timmerhus sveper mot henne. En fläkt av något tröstande från barndomen, en sprakande brasa, choklad med vispgrädde. Lydia som läser en saga med Hanna i knäet.

Lättnaden över att komma in i värmen får henne nästan att börja gråta.

Onsdagen den 11 december

8

Klockan är över tolv när Hanna lämnar sängen och släpar sig till köket i sin gamla slitna pyjamas.

Det är inget fel på Lydias gästrum. Det finns fyra stycken på souterrängplanet och tre har breda dubbelsängar. Hanna har valt det som ligger i det östra hörnet, med inredning i brända färger och storslagen utsikt över Åresjön.

Trots komforten har sömnen varit ryckig, flera gånger har hon vaknat av att hon gråtit i sömnen.

Barfota tassar hon fram till Nespressomaskinen och trycker på knappen för extra starkt kaffe. I frysen hittar hon bröd och massor av andra matvaror. Det svämmar över av kött, fisk och grönsaker i olika frysförpackningar. Det finns till och med hembakade bullar. Kylskåpet bjuder på marmelad och Kalles kaviar och andra pålägg som håller länge. En kartong ägg står på översta hyllan. Självklart finns det ägg fast ingen är där.

Lydia sa att huset var välutrustat. Hanna måste le åt sin välorganiserade syster.

När hon gjort i ordning två smörgåsar sjunker hon ner vid matbordet och sätter på tv:n för att slippa tystnaden. Hon stirrar ut genom de höga fönstren som sträcker sig från golv till tak. Det är mulet och snöar lätt. Ovanför Renfjället mittemot avslöjar en knappt synlig ljuskrans var solen har gömt sig. Nedanför ligger Åresjön som knyter ihop bergssidorna i dalen.

Hon följer sjön med blicken tills den böjer av i väster mot Duved. Bortom bergen ligger Norge, det är bara sex mil dit.

Hon tvingar ner den ena mackan och slänger den andra i sophinken. Kaffet går ner, men får inte huvudvärken att försvinna.

På köksbänken står den tomma rödvinsflaskan från igår, den hon snodde från vinkylen när hon kom fram på kvällen. Hanna kan tillräckligt mycket om vin för att förstå prisnivån, den kan inte ha kostat under tvåhundra spänn.

Hon gör en ny kopp kaffe och tar fram mobilen, börjar bläddra bland gamla bilder på Christian. Efter en stund fastnar hon vid de hon tog förra sommaren, när de hälsade på mamma och pappa i spanska Guadalmina där de haft hus i decennier.

Hon tog många bilder på den resan. Oftast på altanen där de brukade ta en drink på eftermiddagarna. Christian bar vit skjorta med uppkavlade ärmar nästan varje dag. Medelhavet bakom hans rygg var lika blått som hans ögon, solen förvandlade det ljusbruna håret till guld.

Pappa och Christian brukade spela en runda golf varje förmiddag och hon misstänkte att Christian lät honom vinna ibland.

Föräldrarnas uppenbara förtjusning över sin "svärson" fick henne nästan att ignorera det faktum att de hellre frågade efter honom än henne. Ingen av hennes andra pojkvänner hade lyckats framkalla den där nöjda minen hos mamma.

Inte hon själv heller, om hon ska vara ärlig.

Christian är allt det som hennes mamma och pappa älskar. Han är också uppvuxen i en av Stockholms bättre förorter, har en akademisk examen och föräldrar som bor kvar i en fin villa. Likheterna med hennes egen uppväxt är skrattretande.

Förutom att Hanna aldrig har känt sig hemma i den miljön. Hon har alltid varit den felande länken.

Hon passade aldrig in, var inte som söta populära Lydia som hade höga betyg och en ström av väluppfostrade pojkvänner som artigt hälsade på hemma.

Först med Christian kände Hanna sig speciell. Dessutom älskade hon sina föräldrars reaktion när hon äntligen kom hem med en man som uppfyllde kraven.

Det var så skönt att för en gångs skull ... duga i deras ögon.

En liten hare kommer skuttande över tomten, alldeles ensam. Hanna följer den med blicken. De tydliga fotavtrycken bryter snötäcket, de större bakfötterna perfekt nersatta framför framtassarna.

Den verkar lika ensam och övergiven som hon.

9

Amanda och Ebba sitter utanför skolan och röker. Det är gråmulet och svinkallt. Ebba försöker njuta av sin cigg fast bänken de sitter på förvandlar låren till isbitar.

Hon känner hur nikotinet sprider sig i kroppen.

Luften är fylld av lätta snöflingor.

"Det är så jävla oskönt", fräser Amanda efter ett häftigt bloss. "Hur fan kan man göra så mot någon i vår ålder?"

Ebba sneglar på sin vän.

Det är inte första gången de pratar om det. Amanda har sagt att hon tänker avslöja hela historien. Berätta hur det ligger till så att alla får reda på sanningen.

Hennes ögon flammar under den röda mössan, den som matchar halsdukarna de köpt tillsammans.

Ebba har aldrig sett Amanda så uppstressad. Det gör henne orolig. Det är inte rätt att tiga, det förstår hon. Samtidigt är hon rädd för konsekvenserna.

Vad ska hända om allt kommer ut?

"Ska du inte snacka med din mamma om det?" föreslår Ebba.

"Hon skulle bli skitsur. Jag vet precis vad hon kommer att säga."

Amanda slänger fimpen på marken och stampar på den. Hårt, så att det bara blir bruna smulor kvar i snön.

"Din pappa då?" föreslår Ebba.

Amanda fnyser.

"Du vet väl hur pappa är. Om det finns minsta risk för att det kan gå ut över hans politiska karriär så kommer han att tiga ihjäl det."

När Amanda jagar upp sig är det svårt att argumentera. Hon har mycket hetsigare temperament än Ebba, är alltid den som retar sig på orättvisor eller säger ifrån till lärarna.

Amanda bryr sig inte om vad folk tycker. Hon tänker på ett sätt som Ebba aldrig vågar göra. Hon kan säga vad som helst.

Amanda ligger inte vaken på kvällarna och oroar sig som Ebba gör.

"De ska fan inte komma undan med det här", säger Amanda och sveper ut med handen i en häftig rörelse.

Ebba sitter kvar och ser hur det blixtrar om hennes bästa vän.

"Vi måste gå in", säger hon. "Vi har matte om tre minuter."

Hon nickar mot ingången till skolans ljusgula byggnad. Jämtlands Gymnasium! står det på en skylt ovanför porten. Ebba har alltid undrat över det där utropstecknet.

Hon reser sig med en klump i magen. Är orolig för sina föräldrars reaktion, om de får reda på vad hon och Amanda har sysslat med.

Hon önskar att hon aldrig gått med på hela grejen, att hon sagt nej från första början.

"Vad tänker du göra?" frågar hon.

Amanda svarar inte.

10

Vattnet i badbaljan är precis lagom ljummet när Daniel försiktigt sänker ner Alice för kvällens bad.

Hon sprattlar lite som hon alltid gör i början innan hon nöjt slappnar av med hans vänsterhand som stöd under ryggen.

Han står på knä på det vita badrumsgolvet med den rosa baljan placerad mitt i duschen. Det här är deras lilla stund. Daniel försöker alltid komma hem i tid för att bada sin dotter.

Det är en av de stora fördelarna med placeringen här uppe, att det är regelbundna scheman och få större brottsutredningar. Även om han ibland kan längta efter ett högre tempo saknar han inte sin gamla arbetsplats på narkotikaroteln i Göteborg. De stundtals tröstlösa försöken att hantera alldeles för många parallella utredningar. Känslan av att varje uppklarat brott omedelbart följdes av två nya. Gängbråken och skjutningarna som aldrig tog slut.

Han är ändå norrlänning, uppvuxen i Sundsvall. Atmosfären i Åre är en välkommen påminnelse om hans ursprung. När han lämnade Sundsvall var det storstadskänslan i Göteborg som lockade, men han kom snabbt underfund med baksidan.

Han tvålar in Alice som gurglar belåtet. Det fina ljusa håret är lent mot handflatan när han sköljer av det lilla huvudet. Till sist tvättar han naveln med pekfingertoppen.

Han önskar att hans mamma Francesca fått träffa Alice. Det har gått tio år sedan bilolyckan och han har lärt sig leva med förlusten. Innan Alice föddes kunde det gå dagar utan att han tänkte på sin mamma, ibland veckor.

Numera är hon med honom i tankarna nästan varje dag.

Han var bara tjugosex när hon dog. Hon bodde kvar i Sundsvall, en vanlig promenad för att handla mjölk blev det sista hon gjorde. Föraren smet från platsen. Trafikolyckan är fortfarande ouppklarad, ett sår som inte läker. Daniel jobbade i Göteborg och for hem som bedövad för att ordna med begravningen.

Han brydde sig aldrig om att underrätta sin pappa. Varför skulle han bry sig om att Francesca var död när han varit så ointresserad av henne i livet?

Pappan fick henne att flytta från Italien men lämnade dem efter bara några år när Daniel fortfarande var liten. Som ogift mor var skammen för stor. Hon flyttade aldrig tillbaka till Italien utan blev kvar i Sverige.

Daniel har ingen relation till sin italienska släkt och kontakten med hans svenska far är obefintlig. Han bor i Umeå, är omgift och har nya barn, en flicka och en pojke. Daniel har bara träffat dem några få gånger, under ett av sina sällsynta besök som så småningom upphörde i tioårsåldern.

Sveket sitter kvar, djupt och infekterat. Han har många gånger lovat sig själv att bli en annan sorts pappa.

Han ska aldrig överge Alice, vad som än händer.

Hon ska inte heller behöva vara rädd för honom, så som hans egen mamma var för sin far, den koleriske morfadern som Daniel aldrig har träffat.

Han är uppvuxen med historier om sin morfars raserianfall. Francesca brukade berätta hur pappan exploderade och hur resten av familjen fick ta skydd tills han hade lugnat ner sig. Det lät lättsamt men verkligheten måste ha varit betydligt mer påfrestande. Att växa upp med en man som styrde familjen med sitt humör kan inte ha varit roligt.

Daniel har lovat sig själv att hans eget eldfängda humör, det som han stundtals kämpar med att kontrollera, inte ska gå ut över Alice.

"Hur var det på jobbet idag?"

Ida står i dörröppningen med nyfönat hår. Hon verkar glad,

Daniel smet tidigt och kom hem redan vid fyra. Hon har kunnat ta en tupplur och till och med hunnit julpynta i köket.

Nu liknar hon sig själv igen, ser mer ut som den snygga skidläraren han träffade på Bygget för ett drygt år sedan än en utmattad småbarnsmamma.

Han rycker på axlarna.

"Det var inget särskilt. Några genomgångar på länk med Umeå. I morgon blir det Östersund som vanligt."

Rent tekniskt är han stationerad på Grova brott i Östersund men hans chef är okej med att han jobbar från Åre tre dagar i veckan. Även om han tillbringar mycket tid i bilen är han glad för upplägget. Det ger honom en chans att rota sig i Åre. Det är här han hör hemma nu, tillsammans med Ida och Alice.

Hans flickor.

Han lyfter upp Alice och sveper in henne i en stor handduk som Ida håller upp.

"Vad tror du om lasagne till middag?" säger han. "Med hemmagjord tomatsås?"

Daniel gillar att laga mat, han har alltid tyckt om att stå i köket. Han brukar skämta om sitt italienska arv, hans passion för pasta och parmesanost.

"Det låter gott", ler Ida.

Hon sträcker ut armarna och tar Alice ifrån honom.

"Lilla skruttan", kuttrar hon mot flickan. "Kom till mamma."

Daniel ger henne en puss i pannan.

I den här stunden, när Alice ler sitt tandlösa leende mot dem, kan han knappt komma ihåg varför det blivit så mycket tjafs och bråk mellan dem den senaste tiden.

Torsdagen den 12 december

11

Amanda står framför spegeln i Ebbas sovrum och försöker fatta ett beslut.

Hon väljer mellan den ribbade gula toppen från H&M och den röda som hon beställde på nätet. Det är kvällen före lucia och den röda passar bäst med jultemat, men hon får snyggare bröst i den gula.

Hon granskar sig noga från olika vinklar, ser missnöjt på rumpan och drar till sist på den gula tröjan.

Ebba är redan i badrummet och fixar sminket. Aviciis sista album spelar i bakgrunden. En mansröst sjunger "SOS" och Amanda tar några danssteg medan hon ler mot spegelbilden. Hon ser inte så tokig ut. Nu ska det bli fest och hon har verkligen sett fram emot den här kvällen.

Hon tänker på Viktor och ler en extra gång.

De har hängt ihop ett tag, fast i smyg. Han kommer inte att slå någon igen. Särskilt inte henne. Viktor har varit öppen om sitt förflutna, svurit på att allt var en olycka och hon tror på honom.

Dessutom är han fantastisk på att kyssas och får henne att tänka på annat. Hon behöver honom nu, kan inte hela tiden gå och tänka på det som hände förra veckan.

Hon har lovat sig själv att släppa det, åtminstone för några timmar. Hon känner sig fortfarande smutsig, kan inte låta bli att grubbla om kvällarna och ångrar att hon tog emot pengarna.

Om hon hade råd skulle hon betala tillbaka varenda krona.

Det goda humöret är på väg att dunsta bort. Amanda rättar beslutsamt till toppen, tvingar undan de mörka tankarna och går till badrummet där Ebba står framför spegeln. Hon är i full färd med att borsta mascara på fransarna. En stor gin och tonic står bredvid handfatet.

Amanda tar glaset och dricker några djupa klunkar. Det mörka viker undan. Spriten gör henne varm i kroppen, det känns mycket bättre.

Ikväll ska de bara ha kul. Hon dricker igen.

Ebbas föräldrar och lillebror har åkt till Stockholm för ett födelsedagsfirande, de är borta hela helgen. Amanda undrar om päronen känner till festen.

Förmodligen inte. Men det är inte hennes problem.

Ebba nickar åt glaset.

"Lämna lite åt mig", säger hon. "Snart kommer de andra."

Till våren tar de studenten, det här är deras sista luciavaka. Amanda är dödsless på plugget men hon gillar kompisarna. Det är de som hållit henne kvar det här året. Annars hade hon nog hoppat av, trots mammas ständiga tjat om att läsa vidare.

"Flytta på dig", säger hon med ett leende och klämmer in sig framför spegeln.

Hon sveper undan det korpsvarta håret och tar fram en lika svart eyeliner som hon omsorgsfullt applicerar längs med frans-raden.

"Wille messade att han har fått tag i en hel del", säger Ebba medan hon kollar sin ögonskugga och duttar lite mer i ena ögonvrån.

"Nice", nickar Amanda.

De har gått i samma klass som Wille sedan lågstadiet. Alla tre har vuxit upp i byn. Wille är den som har bäst kontakter. Inte för att det är svårt att få tag i dricka, men han kan fixa det som smakar bäst och är billigast. Dessutom skulle Mackan ta med sig öl och röka. Viktor också. De har båda äldre syskon som ställer upp och köper ut mot betalning.

Det pirrar till när Amanda tänker på Viktor.

Ebbas mobil plingar.

Hon håller upp telefonen så att Amanda kan läsa meddelandet:

Nu är vi framme. Kram mamma
PS. Inget festande hemma!

"Blir hon inte skitarg om hon får reda på att du haft folk här ändå?" frågar Amanda och fortsätter att sminka sig.

Ebba flinar och rättar till sin svarta topp som ska vara offshoulder men envisas med att åka upp.

"Det är lugnt", säger hon. "De kommer inte tillbaka förrän söndag kväll. Gott om tid att städa."

Hon dricker ur sitt glas och blinkar åt Amanda.

Utanför fönstret är det becksvart. Det har snöat hela eftermiddagen.

Amanda lägger på ännu mer mascara.

Ikväll ska de ha fett kul. Hon tänker inte vara rädd eller orolig, det får vänta till i morgon.

Nu ska hon bara festa som fan.

12

Hanna ligger på soffan i vardagsrummet, klockan är nästan halv åtta på kvällen. Hon har kravlat sig dit med ännu en flaska vin, har mest druckit och dåsat sedan igår eftermiddag och plågat sig själv med tankar på vad hon borde ha gjort eller sagt för att få Christian att stanna kvar hos henne.

Hon är beredd att göra vad som helst för att få en andra chans.

När hon kom hem i måndags trodde hon att katastrofen på jobbet var det värsta som kunde hända.

Mobilsignalen får henne att rycka till.

Under ett hjärtslag hoppas hon att det är Christian, att han har ångrat sig och insett att det faktiskt är henne han älskar. Att de kan vrida tillbaka klockan och låtsas som om de senaste dygnen aldrig har hänt.

Sedan minns hon hur hon lämnade lägenheten och inser samtidigt vem det är som ringer.

Det är mamma.

Hanna vill inte prata med någon, särskilt inte med mamma Ulla. Har Lydia berättat om Christian fast hon lovade att låta bli?

"Hallå?" säger hon med skrovlig röst.

"Älskling", säger mamma på det där sättet som betyder att Hanna har gjort bort sig igen.

Skuldkänslorna blommar upp medan Hanna letar i minnet. Vad har hon glömt den här gången?

"När kommer ni ner över nyår?" säger hennes mamma. "Du lovade att mejla mig era flyguppgifter."

Hanna hade totalt glömt bort att hon och Christian ska flyga ner den trettionde för att fira nyår i Guadalmina.

Genom åren har hon försökt undvika Spanien så mycket hon kan, det enda som gjorde det uthärdligt var när Christian började följa med. Hans charm fick mamma och pappa att släppa det eviga tjatet om att hon borde lämna poliskåren och skaffa ett bättre betalt jobb med högre akademisk status. Ett som de kunde skryta om inför sina vänner vars barn är advokater, revisorer eller läkare.

"När landar ni?" säger mamma. "Ni hyr väl en egen bil, det blir svårt för mig och pappa att skjutsa runt er annars."

Hon skrattar till, som för att ta udden av sin egen kommentar. I bakgrunden hörs cikador. Förmodligen sitter hon på terrassen där de har planterat citronträd i stora lerkrukor.

"Du anar inte hur ofta vi är bortbjudna de närmaste veckorna", fortsätter hon. "Det är så roligt med alla festligheter inför julen."

Hon sänker rösten en aning, som om hon har något extraordinärt att berätta. Mamma låter alltid en smula andlös, nästan flickaktig på ett sätt som alla utom Hanna verkar finna förtjusande.

Hon fortsätter med uppenbar stolthet:

"Kan du tänka dig, vi har blivit inbjudna till borgmästarens *Christmas party* den tjugotredje december. Alla kommer att gå dit. Jag måste köpa en ny klänning."

Hanna mår lite illa.

Hon vet inte vad som är värst, att berätta för mamma att det är slut mellan henne och Christian, eller att behöva åka dit och hälsa på dem utan honom som skyddsbarriär.

Hon kommer aldrig kunna erkänna att hon blivit uppmanad att lämna sitt jobb i Stockholm.

Den enda trösten är att Lydia inte verkar ha berättat hur det ligger till.

"Jag jobbar", ljuger Hanna och försöker låta nykter. "Kan jag ringa dig i morgon?"

Utan att bry sig om Ullas protester lägger hon på.

Den välbekanta klumpen i halsen är tillbaka. Hon vill inte slungas in i barndomens minnen, men de kommer ändå.

Mamma var fyrtioett och pappa femtiotvå när hon föddes. De ville aldrig ha mer än ett barn och Lydia uppfyllde alla förväntningar. De var en fulländad trio tills Hanna, tio år senare, spräckte idyllen.

Hanna är uppvuxen med historien om den svåra graviditeten, har hört den om och om igen under barndomen. Hur mamma gick upp så mycket i vikt och höll på att dö under förlossningen. Att Hanna bara skrek de första månaderna och gjorde alla utmattade.

Efter systerns födelse fick mamma tillbaka sin figur utan besvär. Andra gången var det en annan sak.

Hanna kommer fortfarande ihåg hur mamma varje morgon och varje kväll ställde sig på vågen i badrummet. Hon kan ännu höra de eviga frågorna: Ser jag smalare ut i den här klänningen? Vilken färg får mig att se slankast ut? Putar magen ut i den nya kjolen?

Det hjälpte inte att Hanna försäkrade sin mamma att hon var vackrast i världen. Som barn försökte hon hela tiden trösta och beundra för att kompensera skadan hon trodde att hon orsakat.

Det var Hannas fel att mammas skönhet gått förlorad.

Hon äger själv ingen våg, har lovat att aldrig köpa en. Hon vill inte tänka på sin vikt, klär sig helst i bylsiga tröjor och löst sittande kläder fast hon är smal av naturen.

Hanna borrar ner ansiktet i kudden och blundar hårt. Det enda hon ville var att göra mamma glad.

Och att mamma skulle älska henne lika mycket som hon älskade Lydia.

Systern har sagt att Hanna kan stanna i Åre minst en månad. Hon får hitta på en ursäkt för att inte flyga ner till Spanien. Tanken på att resa dit ensam är omöjlig. Hon kommer inte att kunna hantera föräldrarnas besvikelse över det spruckna förhållandet.

Sist de var i Spanien tog mamma upp frågan om hon och

Christian skulle gifta sig. Hon kom med den ena vinken efter den andra, påminde om att Hanna faktiskt var trettiofyra och att man inte ska vänta för länge med att skaffa barn. Hon som alltid vägrat hjälpa Hanna med pengar hade ingenting emot att bekosta en stor bröllopsfest.

Christian skulle bli en fantastisk pappa.

Det upprepade mamma flera gånger, på det där sättet som skulle verka skämtsamt men skar i Hanna som ett vasst rakblad.

Tårarna är nära när hon tänker på det sista.

Mamma hade helt rätt. Christian kommer att bli en underbar pappa, bara inte åt Hannas barn.

13

Musiken dånar i alla rum, festen är i full gång. Amanda sitter i soffan och röker en cigarett. Hon undrar hur Ebba ska förklara det här när föräldrarna kommer tillbaka. Amanda skulle aldrig våga bjuda hem klassen om hennes föräldrar inte var hemma. Mamma skulle bli tokig, även om ingenting blev förstört.

Skrattsalvor hörs från köket. Det låter som Viktor.

Hon reser sig och går dit, är sugen på att dansa och hångla lite.

Viktor och Wille hänger mot diskbänken. Den sista timmen måste de ha gått loss ordentligt. Båda är så packade att de knappt kan stå upp. De kollar på henne med ofokuserade blickar och drar fylleskämt. Några tomma hopknycklade burkar ligger på köksbordet och golvet är kladdigt av utspilld öl.

Killarna är helt inne i sin konversation och skiter i henne. Amanda blir sur. Hon är på väg därifrån när Viktor sträcker ut handen för att få henne att stanna.

Amanda skakar av sig hans arm.

Hon är också packad, men inte så mycket att hon tänker hångla med honom när han håller på så där.

Hon rynkar pannan när han måste ta stöd mot en stol för att inte falla omkull.

"Fan, vad du är full", fräser hon och drar ner den korta gula tröjan som åkt upp över magen.

"Fan, vad du är full", härmar han fast han sluddrar så mycket att han knappt kan avsluta meningen.

Han sträcker sig efter henne och drar henne närmare. Han är förvånansvärt stark, trots berusningen.

"Varför är du förbannad?"

Amanda vrider undan huvudet när Viktor försöker kyssa henne.

"Kom igen. Jag gillar ju dig."

Han tror att han låter romantisk men fattar inte att han skriker. Hon vrider demonstrativt bort ansiktet. Inte för att det hindrar honom, han fortsätter gapa med munnen mot hennes öra.

Greppet är för hårt, hennes kind trycks mot hans bröstkorg så att hon knappt kan andas.

Hon försöker skaka av sig hans händer men han släpper henne inte. Istället kramar han hårdare medan ena handen söker efter hennes rumpa.

"Sluta."

Amanda kämpar för att komma loss.

"Lägg av, Viktor!"

"Hon vill ju inte", säger Wille och rapar ljudligt.

Äntligen släpper Viktor taget.

"Förlåt då", säger han och rycker på axlarna som om ingenting har hänt.

Amanda ger honom en förintande blick. Hon går tillbaka till vardagsrummet för att leta efter någon annan att snacka med.

Viktor är en jävla idiot. Om han uppför sig så där tänker hon inte vara med honom mer.

14

Festen har börjat spåra ur. Det är långt efter midnatt. Soffan har fått ett brännmärke och det luktar starkt av cigarettrök i hela huset. I ena soffhörnet sitter ett par och grovhånglar.

Amanda sitter ensam i trappan. Det var inte så här hon hade föreställt sig kvällen. Ebba är försvunnen och Viktor skiter hon i. Om han vill uppträda som en idiot får han skylla sig själv. Hon tänker inte tigga och be om att få vara med honom.

Hon går upp till övervåningen för att leta rätt på Ebba. Höga stönanden hörs från det stora sovrummet, det som är Ebbas föräldrars.

Det låter som Mackan, klassens coolaste kille. Amanda gissar att det är Emily som är kvällens utvalda. Hon har hängt efter Mackan hela höstterminen. Hon var ganska packad tidigt på kvällen.

Amanda ser sig om. Ebbas rum är tomt, precis som hennes brorsas. Hon går till badrummet och hittar Ebba på golvet. Hon sitter med ryggen mot den blåkaklade väggen och har huvudet lutat mot knäna. Det bruna håret har fallit fram och döljer ansiktet.

Det luktar kräks. En rosabrun fläck på toalettringen stinker.

Stackars Ebba.

"Hur är det?" frågar hon och faller på knä bredvid kompisen.

"Inte bra", viskar Ebba. "Jag är full."

Hon måste kasta sig mot toaletten igen. När hon spyr fastnar lite i håret, men Ebba verkar inte märka det. Hon sjunker ner t igen och jämrar sig.

"Borde du inte gå och lägga dig?" säger Amanda och stryker Ebba över ryggen.

"Snart", mumlar Ebba. "Jag måste bara vila en stund."

Tårarna börjar rinna.

"Mackan är med Emily", mumlar hon. "Jag hatar honom."

Amanda suckar. Hur kan Ebba falla för Mackan när han är ett sådant svin? Han kan få vem som helst och utnyttjar det. Minst hälften av tjejerna i deras årskurs vill vara med honom.

Som på beställning hörs höga ljud från sovrummet.

Plötsligt orkar Amanda inte längre.

Hon borde stanna kvar och trösta Ebba, få henne i säng och hjälpa till att städa upp i röran. Istället reser hon sig. Hon är less på fulla klasskamrater och lukten av öl och spya. Hon hade längtat efter den här kvällen men ingenting blev som det var tänkt.

Dessutom kan hon inte låta bli att fortsätta grubbla, precis som hon gjort hela veckan sedan hon förstod det hemska som pågår. Hennes fulla klasskompisar känns plötsligt barnsliga och naiva, de fattar ingenting.

De svåra tankarna går inte att hålla ifrån sig och det blir ännu värre när ångesten blandas med ilskan över Viktor. Varför måste han vara så oskön just ikväll?

Hon vill hem och sova i sin egen säng, försöka hitta en lösning på hela skiten.

Egentligen vill hon berätta allt för mamma. Få en kram och höra henne säga att det ordnar sig. Fast hon vet vad mamma skulle säga om hon fick reda på sanningen.

Vad Amanda har sysslat med tillsammans med Ebba.

"Du, jag drar nu", säger hon. "Jag kan hjälpa dig att städa upp lite senare, i helgen. Förresten är jag totallack på Viktor. Han är helt fuckad ikväll."

Ebba nickar svagt.

"Mmm", mumlar hon med ansiktet vänt mot golvet.

"Vi ses i morgon", säger Amanda.

I morgon är en överdrift. Klockan är nästan ett på natten. Om sex och en halv timme är det uppställning i skolan för luciafirandet. Både Ebba och Amanda ska vara tärnor i tåget. Hon hoppas att Ebba ska hinna nyktra till innan det börjar, annars kommer hon att få skäll av musikläraren. De har övat på julsångerna sedan oktober.

Amanda går ner till hallen och letar efter sin jacka i röran av ytterkläder på stengolvet. Hon drar på sig mössan och bootsen. Det är svinkallt ute.

Hon dröjer ett ögonblick med handen på dörrhandtaget. Genom fönstret ser hon att det har börjat snöa, stora vita flingor som vinden driver fram. Bussarna har slutat gå och promenaden hem tar fyrtio minuter.

Snabbaste vägen är via E14 men det brukar inte vara smart att gå där. Bilarna kör så fort.

Ska hon ändå stanna kvar och sova över?

Hon sneglar mot köket. Genom dörröppningen skymtar hon Wille, Viktor syns inte till. Musiken spelar lika högt som tidigare fast ingen dansar längre. Cigarettröken blandas med lukten av något annat och sötare.

Viktor dyker upp, han vinglar förbi på väg mot gästtoaletten.

Han har så bråttom att han inte hinner stänga. Det låter när kisstrålen träffar toalettskålen, förmodligen stänker det utanför.

Jävla pucko.

Amanda gör en äcklad min och vänder sig om.

Hon hör att Viktor kommer ut men struntar i honom. Hon vill inte se honom mer.

"Ska du gå?" ropar han.

Amanda svarar inte.

Plötsligt står han framför henne och blockerar ytterdörren.

"Kom igen, Amanda."

Han försöker kyssa henne men den här gången är hon beredd.

"Rör mig inte."

Han har haft flera timmar på sig att göra det bra mellan dem igen. Istället har han hängt med Wille och druckit bärs. Fast han låter faktiskt lite nyktrare nu, inte lika borta som förut.

"Vad är det med dig ikväll?"

Viktor ser irriterad ut när hon vänder sig bort.

"Varför är du så grinig?"

"Ska du säga", fräser Amanda.

Han gör ett nytt försök att omfamna henne och hon knuffar undan honom. Det är inte meningen att ta i så mycket men hon är starkare än hon tror.

Han är packad och oförberedd.

Viktor tappar balansen och far in i väggen. Han landar tungt på stengolvet och svär till, högt.

Amanda stirrar på honom.

Han verkar riktigt förbannad, ansiktet förvrids.

Hon vet inte om hon ska säga "förlåt" eller "skyll dig själv".

Munnen blir torr av stress.

Viktors blick är hård när han börjar resa sig.

"Vad fan håller du på med?" utbrister han. "Bitch!"

Tonfallet skrämmer henne. Viktor har aldrig låtit på det viset mot henne. För första gången undrar hon om det där han gjorde mot tjejen i Umeå var en olycka.

Om han skulle kunna göra det igen?

När han kommer mot henne vet hon inte om det är för att kramas eller slå.

Amanda kastar upp ytterdörren och rusar ut i natten. Viktor skriker efter henne men hon fortsätter springa.

Fredagen den 13 december

15

Det är mörkt i sovrummet när Lena Halvorssen väcks av sitt alarm.

Hon famlar med handen för att stänga av det. Klockan är sex på luciamorgonen. Det går trögt att tvinga igång kroppen men ungarna ska till skolan och hon har sin första patient kvart över åtta.

Harald sover fortfarande. Hon knuffar på honom, men han grymtar bara. Skäggstubben är mer grå än svart, dubbelhakan syns där den vilar mot det uppdragna täcket.

Lena suckar och svänger benen över sängkanten. Genast är Ludde där och viftar på svansen. Hon böjer sig ner och klappar den svarta jaktlabradoren innan hon drar på sig morgonrocken. Det är dags att väcka tvillingarna. Mimi och Kalle delar fortfarande sovrum fast de har fyllt nio. Tanken är att en av dem ska överta Amandas rum när hon flyttar hemifrån. Till våren tar hon studenten och så mycket som hon och Lena har bråkat de senaste åren lär det inte dröja.

Lena blir stående i dörröppningen till barnens rum. De är fina där de sover med rosiga kinder. Sängarna står i vinkel, två blonda kalufser sticker upp vid huvudändorna. Kalle är den lugna, han är blyg och försiktig, en liten tänkare. Mimi är djärvare, hon talar först och tänker sedan. Det är hon som hittar på bus och Kalle som hakar på.

Lena önskar att hon fick behålla dem i den här åldern. Hon vill inte att de ska växa upp och bli griniga tonåringar. Hon var bara tjugotre när Amanda föddes, inte en erfaren mamma, och det har hon fått äta upp.

Hur hon ska orka med två pubertala tonåringar på en gång, med hormoner som sprutar åt alla håll, fattar hon inte.

Hon sneglar åt Amandas rum. Hennes äldsta dotter tar alltid god tid på sig i badrummet. Ska hon väcka henne först? Nej, hon kan inte ta den fajten utan en kopp kaffe. Det kommer bli en kamp att få upp henne efter festen hos Ebba. Lena hörde inte när Amanda kom hem men det blev garanterat sent. Förmodligen har hon bara fått några timmars sömn, det är tveksamt om hon ens har hunnit nyktra till.

Lena gör sig inga illusioner om att luciavakan skulle ha varit alkoholfri.

Trots en snabb dusch är klockan halv sju när Lena är klar. Hon skakar liv i Mimi och Kalle. Harald borde också gå upp, fast han ligger fortfarande som död i sängen. Sammanträdet i kommunfullmäktige måste ha hållit på till sent igår kväll, hon hörde inte när han kom hem heller.

Lena tar mental sats för att öppna dörren till Amandas rum. Hon trycker ner handtaget och kikar in, ropar "Amanda" med sin mjukaste röst. När hon inte får någon reaktion öppnar hon dörren ordentligt.

Rummet är tomt, sängen orörd.

Ilskan flammar upp direkt. Jäkla unge. Om hon ska sova borta måste hon skicka ett sms, det ingår i dealen. Hon får inte bo över hos en kompis utan att meddela det, inte ens hos Ebba.

Lena går in till sovrummet och väcker Harald.

"Amanda är inte hemma", säger hon utan att hålla tillbaka irritationen i rösten.

"Va?"

Harald ser sömndrucket på henne, men reser sig på ena armbågen så att det randiga påslakanet halkar ner. Grå hårstrån sticker fram på bröstet.

"Amanda", upprepar Lena. "Hon måste ha sovit över hos Ebba utan att säga till. Jag blir tokig när hon gör så här."

Hon sjunker ner på sängkanten medan hon sträcker sig

efter mobilen för att skicka ett argt sms till dottern.

Harald klappar henne på handen. Han är fredsmäklaren i familjen, men också den som låter Lena ta diskussionen när barnen inte lyder.

Ludde har följt efter in i sovrummet och tittar längtansfullt på sängen. Han är strängt förbjuden att hoppa upp.

"Ta det lugnt nu", säger Harald. "Det är lucia, du vet hur det brukar bli. Förmodligen somnade hon hos Ebba innan hon hann messa. Hon går säkert direkt till skolan."

Haralds röst får Lenas frustration att dämpas. Han är bra på det där, att lugna omgivningen. Det är därför han är en duktig ordförande i kommunstyrelsen, trots en bräcklig politisk koalition.

Han får folk att känna sig trygga.

"Du har nog rätt", säger hon och skriver ett snällare mess än hon tänkt från början:

Har du sovit hos Ebba? Glöm inte luciatåget ☺

Harald drar henne intill sig och hon lutar huvudet mot hans axel. Hans hud är fortfarande sömnvarm, kroppen luktar gott fast han inte duschat än.

"Hon är bara arton", säger Harald. "Kommer du inte ihåg hur det var i den åldern?"

Det gör hon faktiskt. Harald och hon gick i samma klass på gymnasiet, har känt varandra i en evighet, även om de inte blev tillsammans förrän våren då de tog studenten.

Lena ger honom ett motvilligt leende, Harald har den effekten på henne. Han är nästan alltid på gott humör. Det är hon som överreagerar, precis som vanligt. Hon gör ofta det med Amanda och därför hamnar de gärna i bråk. Ibland förstår hon inte ens varför, hon kan bara inte styra det. Med tvillingarna är det annorlunda. Hon har mycket mer tålamod med sina yngsta fast hon älskar alla tre lika mycket.

"Kom", säger hon och reser sig från sängen. "Det finns lussekatter och kaffe i köket. Och pepparkakor."

Harald lyser upp. Han älskar både kakor och bullar, särskilt hennes hembakade.

Lena lägger undan mobilen. Hon får försöka ringa Amanda på förmiddagen mellan två patienter.

Varför ska hon alltid oroa sig så mycket?

16

Lena har tagit hand om en ond rygg i starkt behov av hennes vana naprapathänder. Hon har femton minuter till nästa patient. Det ska räcka för att fräscha till mottagningsrummet, tvätta av britsen med desinfektionsmedel och dricka en kopp svart kaffe. Åtminstone om hon är snabb.

Istället drar hon fram mobilen för att se om Amanda har hört av sig.

Mobilskärmen är tom. Hon har inga nya sms.

Lena väger telefonen i handen. Klockan är halv tolv, lunchtid. Luciatåget i skolan borde vara avklarat för länge sedan. Även om Amanda har lektioner har hon haft flera raster då hon kunnat svara.

Lena knappar in ett nytt meddelande:

Vill bara veta att allt är OK? Kram mamma

Sedan trycker hon på "sänd".

Det gnager i henne, den där eviga mammaoron som aldrig riktigt släpper. Harald brukar le åt det. "Amanda är myndig, hon har fyllt arton. Hon kan göra vad hon vill", säger han.

Det är dags för Lena att släppa taget.

"Inte så länge hon bor hemma", svarar hon alltid.

Så länge Amanda sover under hennes tak vill hon veta var dottern håller hus.

Hon blir stående och stirrar på mobilen, kan inte riktigt förklara varför hon är så orolig. Åre är en trygg plats, ett bra ställe att växa upp på. De vanligaste brotten är trafikskador och fulla turister som råkar i bråk när de har festat för mycket.

Men saker kan hända. Bilolyckor inträffar överallt, även

i lugna orter. Med all snö som kom i natt var sikten dålig. Om Amanda var på väg hem sent på kvällen kan hon ha blivit påkörd.

En bild av en medvetslös kropp i ett dike flimrar förbi i Lenas medvetande.

"Sluta", mumlar hon för sig själv.

Borde hon ringa Harald och kolla om Amanda har hört av sig till honom istället? Ibland gör hon det när Lena är på krigsstigen. Hon slår Haralds nummer men kommer bara till telefonsvararen. Han sitter väl i möte som vanligt.

Hon har inte tänkt ringa Amanda men gör det i alla fall, fast dottern hatar att hon ringer under skoltid. Signalerna går fram en efter en tills samtalet kopplas ner.

Hon har naturligtvis lektion. Eller också har hon helt enkelt struntat i skolan och fortsatt sova hemma hos Ebba. Det finns en naturlig förklaring.

Det knackar på dörren och en kvinna i fyrtioårsåldern tittar in. Det är Cia, en av hennes regelbundna patienter. Hon har en axel som krånglar och får behandling med ultraljud.

"Får jag komma in?" frågar Cia.

"Visst", nickar Lena och lägger undan telefonen. "Välkommen."

Oron jagar i kroppen men hon tvingar sig att le.

Allt är i sin ordning. Det måste det vara.

17

Harald Halvorssen slår ihop anteckningsboken med en liten smäll. Han sitter bakom sitt skrivbord, ekonomichefen har precis lämnat rummet efter en budgetgenomgång.

Det var ingen munter berättelse. Det finns alldeles för många hål för att pengarna ska räcka. Den politiska koalitionen med fyra partier innehåller starka viljor som alla drar åt varsitt håll.

Situationen är inte ny i Åre, de senaste mandatperioderna har sett olika former av politiska uppgörelser. Traditionellt har hans eget parti, Centern, dominerat med vissa avbrott för en rödgrön majoritet. Nu är han beroende av det senaste uppstickarpartiet, Västjämtlands Väl, som värnar om lokalfrågorna och har en vågmästarroll.

På något sätt måste han få alla att förstå att det behöver sparas ännu mer. Åre växer som få andra glesbygdskommuner, men skattesatsen är redan hög.

Han lutar sig tillbaka i kontorsstolen och knäpper händerna bakom nacken. Magen putar ut. Det är mycket på jobbet, han hinner inte motionera som han gjorde förr. Idag skulle han aldrig klara av Vasaloppet på de sex timmar det brukade ta.

Blicken faller på det inramade fotot på skrivbordet. Hela familjen står uppe på Åreskutan. Det är taget förra påsken, solen strålade som den ofta gör i april. De hade med sig fika. Tvillingarna var uppspelta och kunde knappt stå still, till och med Amanda log mot kameran.

Harald suckar. Han förstår inte varför hon och Lena måste bråka så ofta. Antingen är det Lena som irriterar sig på dot-

tern eller också hör han Amanda smälla i dörrar och skrika åt
sin mamma.

Harald försöker medla så gott han kan, men ibland är det
som ett minfält, hur han än gör blir någon missnöjd. Det är
lättare att hantera oppositionen i fullmäktige än att få hustrun
och dottern att komma överens.

Mobilen piper till. Det är Lena som har messat.

Får inte tag i Amanda, har hon hört av sig till dig?

Harald ser på klockan. Kvart i fem. Vart tog den här dagen
vägen?

Han svarar snabbt:

Nej.

Det nya messet kommer efter bara några sekunder.

Hon har inte hört av sig! Tror du att något kan ha hänt?

Harald suckar igen. Lena har lätt för att hetsa upp sig. Det är
inte första gången Amanda struntar i att svara på sin mammas
sms. I hemlighet kan han känna en viss sympati, Lena har lite
för stort kontrollbehov. Hon vill alltid veta var både han och
barnen befinner sig, annars blir hon stressad och föreställer sig
det ena katastrofscenariot efter det andra.

Han ska just svara med några lugnande fraser när det knackar
på dörren.

Mira Bergfors, hans högra hand, står på tröskeln. Det blanka
svarta håret glänser i skenet från taklampan. Det ramar in hen-
nes finmejslade ansikte och rinner nerför axlarna.

Han är stolt över att ha en så vacker assistent. Hon är trettio-
ett, gift och har en liten dotter på tre år som heter Leah.

"Du är en fri man", ler hon. "Nästa möte har blivit inställt
så du kan gå hem nu."

Harald kommer sällan från jobbet före halv sju, sju, det här
är en sällsynt lyx. Trots att det är fredag och lucia hade han ett
möte inbokat klockan fem.

"Så bra", nickar han.

"Jag tänkte också gå nu", säger Mira.

Hon vänder sig om och Harald kan inte hejda sig. Blicken fastnar på den välformade rumpan under de svarta jeansen. De sitter lika tajt som en andra hud.

Han vet hur det är att smeka den där mjuka kroppen.

Sedan kommer han på att de är på jobbet. Snabbt anlägger han en neutral min och höjer handen till hälsning.

"Trevlig helg", säger han och börjar skriva till Lena, men ändrar sig och ringer upp henne istället.

Hon låter uppjagad när hon svarar på första signalen.

"Amanda har fortfarande inte hört av sig! Nu har jag både messat och ringt flera gånger."

"Har du testat att tala med Ebba?" försöker Harald lugna henne. "Hon kanske gick dit efter skolan."

"Jag försökte förut, men hon svarade inte."

Harald ser ut genom fönstret. Det har slutat snöa och en blek månskära skimrar mot den svarta himlen.

"Jag kan svänga förbi Ebba på hemvägen och kolla", säger han. "Jag tänkte ändå sticka nu."

"Okej."

Lena låter inte lugnare på rösten.

"Du", säger Harald. "Oroa dig inte så mycket."

"Tänk om hon har råkat ut för något?" säger Lena. "Något farligt?"

18

Det börjar dra ihop sig till helg på Åres polisstation. Daniel sitter i fikarummet med de två lokala utredarna, Anton och Raffe. De umgås inte särskilt mycket men kommer bra överens. Det har blivit en vana att ta en fredagsfika innan det är dags att gå hem.

Veckan har varit lugn, det märks att säsongen inte riktigt har dragit igång. Daniel ser ändå fram emot några lediga dagar. Han funderar på om Alice är tillräckligt stor för en utflykt? De skulle kunna skida till Fröå gruva med henne nerstoppad i en pulka och äta lunch på caféet.

Anton är i full färd med att beskriva en ny altsaxofon han vill köpa, han spelar i ett jazzband på lediga stunder. Han avbryts av LKC, Länskommunikationscentralen som ligger i Umeå.

Anton tar samtalet medan Raffe bläddrar i en tidning som ligger uppslagen på bordet. Egentligen heter han Rafael Herrera, familjen kom som flyktingar från Chile på sjuttiotalet. Han är uppvuxen i Strömsund och passionerad snowboardåkare, har till och med tävlat i juniorlandslaget.

Både han och Anton har varit stationerade i Åre betydligt längre än Daniel, fast det bara är Daniel som bor i själva byn. Anton har en lägenhet i Duved och Raffe håller till i kyrkbyn Kall, eftersom hans tjej kommer därifrån.

Anton lägger på och vänder sig till kollegorna.

"Det verkar som om en tjej från Åre är försvunnen sedan igår kväll", säger han. "Hon var på en luciafest men har inte hörts av sedan dess. Hon har inte varit i skolan på hela dagen."

"Hur gammal är hon?" frågar Raffe och kliar sig på ena örat.

Precis som Daniel har han kort skägg, men Raffes är nästan svart medan Daniels är ljusare och går mot rött.

"Hon fyllde arton i september", säger Anton. "Det är mamman som har ringt in."

"Vad heter hon?" säger Daniel.

Anton kontrollerar sina anteckningar.

"Amanda Halvorssen. Hon går på gymnasiet i Järpen och bor på Pilgrimsvägen i Åre."

"Var ägde festen rum?"

"Fem minuter härifrån. På Trollvägen."

"Hon är förmodligen hos en kompis", säger Raffe och gäspar. "Och har glömt bort att ringa sin mamma."

Det som Raffe säger stämmer, tänker Daniel. De flesta tonåringar som rapporteras försvunna har bara fastnat hos en kompis. I den åldern tänker man sig inte för, impulskontrollen är dålig, frontalloben inte färdigutvecklad. Förmågan till konsekvensanalys brister i alla led.

Han minns sin egen ungdomstid i Sundsvall, fester där han blev alldeles för full och slocknade hos en polare. Hemma satt hans ensamstående mamma och oroade sig sjuk, men det hindrade inte honom.

Daniel tar en pepparkaka från en burk mitt på bordet. Locket blänker i skenet från den röda adventsljusstaken i fönstret.

"Föräldrarna har ringt runt till alla de känner", säger Anton. "Ingen har sett henne sedan igår kväll."

Daniel kastar en snabb blick mot fönstret. Solen gick ner för flera timmar sedan, det är minus tjugo utomhus.

Naturens krafter är inte att leka med.

"Mamman lät tydligen väldigt orolig", lägger Anton till.

Daniel rynkar pannan. I storstaden skulle de inte undersöka saken så kort tid efter ett försvinnande, inte utan en brottsmisstanke. Normalt väntar man minst ett dygn innan åtgärder vidtas. Men han gillar inte det han just fått höra.

Festande ungdomar och svåra minusgrader är ingen bra kombination.

Han dricker upp kaffet och ställer sig upp.

"Jag tycker att vi åker hem till familjen och tar ett snack", säger han. "För säkerhets skull."

Anton ställer sig också upp.

"Jag kan hänga med."

Anton är uppvuxen i Åre, han vet allt om farlig väderlek. Hur liten människan är i förhållande till naturens bitande stormvindar och iskalla temperaturer.

I de här trakterna kan en tonåring i för tunna kläder frysa ihjäl på bara några timmar.

19

Det senaste messet från Lydia lyser upp skärmen på mobilen som Hanna håller i handen.

Hur känns det nu?

Hanna sitter i den stora ljusbruna sammetssoffan i vardagsrummet med en filt över knäna. Hon bär fortfarande pyjamas, har inte orkat klä på sig idag. Det är lika illa med matlagningen, hon har bara gjort några knäckemackor och öppnat ännu en rödvinsflaska.

Det tog lång tid att somna efter samtalet med mamma igår kväll.

Doften från ett arrangemang med vita hyacinter når näsan.

Hanna förstår inte riktigt varför hon stör sig på alla dekorationer, de många adventsljusstakarna i mörkt trä, de röda äpplena runt blockljusen i ljuslyktorna på golvet. Doftande granris är utlagt på förstubron och vita adventsstjärnor är upphängda i fönstren där de sprider sitt varma ljus.

Det är typiskt Lydia att julpynta hela huset, trots att familjen bara varit här en helg i december och ska på kryssning över jul och nyår.

Förmodligen är det inte ens hon som har fixat allting. Förra året lät hon en firma både köpa och dekorera julgranen. Allt stod färdigt när familjen flög upp från Stockholm den tjugoandra december.

Hanna suckar. Hon borde inte vara så negativ, Lydia menar väl. Hon är bara så omhändertagande att det blir för mycket. Systerns enorma handlingskraft får Hanna att känna sig liten, fast Lydia många gånger varit hennes enda trygghet.

Utan Lydia som buffert mellan mamma och Hanna hade uppväxten varit helt outhärdlig.

Allt är bra, messar hon tillbaka. Hon är alltid noga med att svara på systerns mess, annars får hon tre till. Lydia är inte en person som ger upp i första taget.

Hon sträcker sig efter fjärrkontrollen för att kolla utbudet på Netflix. Det sista hon vill se är feelgoodfilmer där flickan till slut får pojken och de faller i varandras armar till tonerna av ljuv musik. Polisfilmerna väljer hon också bort. De är alldeles för verklighetsfrämmande. Dessutom vill hon inte påminnas om sitt yrke just nu, arbetsplatsen där hon inte längre är välkommen.

Det är det enda hon någonsin har velat vara. Polis.

Innan hon förstod det var framtiden vag och svårgripbar. Efter gymnasiet flöt hon runt i tillvaron och ströjobbade, mest på olika barer i Europa. Hon festade mycket mer än hon borde och uppvisade precis den brist på karaktär som mamma anklagade henne för.

Medan Lydia seglade genom juristutbildningen och fick jobb som trainee på en prestigefylld advokatbyrå var Hanna den slarviga lillasystern. Hon som aldrig kunde ta sig i kragen eller skaffa en ordentlig utbildning.

Hanna kramar vinglaset i handen. Hon vet precis vad det var som gav henne en ny riktning i livet.

Det var våldtäkten i Barcelona.

När som helst kan hon se det trånga källarutrymmet för sin inre syn, de oregelbundna grå stenväggarna och den kvävande lukten av fukt och mögel. Jordgolvet som skrapade sönder huden på hennes rygg när hon hårdhänt trycktes ner under barägarens tyngd.

Hon minns fortfarande Miguels vidriga fingrar på sin kropp, maktlösheten när hon förgäves försökte knuffa bort honom och få honom att sluta.

Han var hennes chef och betydligt äldre. Hon var bara tjugotvå, ung och naiv.

Efteråt, när hon tagit sig hem till Sverige och åtminstone de fysiska såren hade läkt, behövde vreden och alla andra känslor få ett utlopp. Polisyrket gav henne den möjligheten. Det var ett naturligt sätt att ge igen. Att resa sig och visa de jävlarna att de inte kan behandla en kvinna hur som helst.

Varje gång hon satt dit en torsk eller en kvinnomisshandlare har det såriga inom henne fått lite mindre vassa kanter.

Mobilen piper igen. Hanna kastar en hastig blick på displayen och rycker till.

Vad i helvete sysslar du med?

Det kommer från Christian.

Då måste han ha varit i lägenheten och upptäckt vad hon gjorde innan hon stack därifrån.

Hanna rodnar när hon tänker på det, att hon hällt ut hans dyra rödvin, det han ropat in på auktion och sparat inför den dag då han ska ha råd med en egen vinkällare.

Samtidigt uppstår en liten känsla av tillfredsställelse. Det är rätt åt honom.

Hon undrar om han har upptäckt vad som hänt med hans kavajer?

På sätt och vis förstår hon att det inte är riktigt friskt att klippa sönder sin sambos slipsar eller hälla ketchup på hans dyra märkeskostymer. Häromkvällen, precis när han hade lämnat henne i lägenheten, sökte hon blint efter ett sätt att slå tillbaka. Hon var tvungen att göra något konkret. Tårarna slutade rinna när hon omsorgsfullt gav sig på hans fina kläder.

Hon hade aldrig kunna föreställa sig att hon kunde handla på det viset.

Hanna tänker inte svara Christian. Istället sätter hon mobilen på ljudlöst och lägger bort den. Hon borde äta, men är inte hungrig.

Blicken glider bort mot köket i andra änden av huset. Hela det övre planet är en gemensam sällskapsyta med vardagsrum, bibliotek och matplats som sömlöst glider in i varandra.

Hanna har aldrig brytt sig särskilt mycket om inredning, det var Christians intresse. Men till och med hon kan se att de dova nyanserna, mullvad, beige och kolabrunt, skapar en smakfull helhet. Varje liten mässingsknopp är omsorgsfullt utvald. Vackra taklampor av renhorn påminner om det omgivande fjällandskapet.

Det är bara Hanna själv som bryter av mot estetiken. Hon är den felaktiga detaljen. En Ikeapryl som gått vilse och hamnat på Nordiska Galleriet.

Hon fingrar på en ljusstake och känner den svala metallen mot fingertopparna.

Lydias ställe påminner inte det minsta om fjällstugan med furumöbler och våningssängar som mamma och pappa brukade hyra i utkanten av Åre under Hannas uppväxt.

Den här inredningen är utformad för hennes systers perfekta familj. Den är designad för mysiga middagar med sprakande brasor, vuxna med vinglas vid matbordet medan ungarna är i tv-rummet en trappa ner. Här kan man njuta av fjällmiljön och koppla av från det krävande toppjobbet i storstaden.

Att man dessutom kan umgås med andra lyckade familjer från samma Stockholmsförorter, eftersom de också har byggt hus i Åre, gör ingenting sämre.

Det är ingen risk att de behöver rubba sina cirklar.

Hannas vinglas är tomt. Flaskan också. Hon går mot köket för att öppna en ny. Lydia sa att hon fick ta vad hon ville, men hon får ändå dåligt samvete.

Hon öppnar vinkylen men stänger den igen. Hon behöver dra ner.

Hon undrar vad som ska hända när Christian upptäcker att hon hällt senap i hans italienska skor?

Hon har aldrig gjort något halvhjärtat, det borde han veta vid det här laget.

20

Ebba ligger ovanpå den obäddade sängen. Hon borde städa upp efter festen, köket är fullt av sopor och det luktar fortfarande rök i vardagsrummet. Istället kollar hon upp i taket, följer en knappt märkbar spricka i målarfärgen med blicken.

Alldeles nyss var Harald här och ställde stressade frågor om Amanda.

Ebba trodde att hon var hemma på Pilgrimsvägen eftersom hon inte sov över. Men ingen verkar ha sett Amanda sedan igår kväll.

Haralds oro skrämde Ebba.

Tänk om något har hänt ... på riktigt?

Varför skulle hon bara försvinna?

Ebba sa ingenting om Viktor.

Borde hon ha gjort det?

Hon vet att Amanda inte har berättat om honom för sina föräldrar, med tanke på hans rykte. Viktor *har* ändrat sig, det har Amanda försäkrat. Det som hände i Umeå var en olycka. Han har svurit på att allting med den där tjejen var ett missförstånd.

Amanda trodde på honom.

Ebba drar till sig mobilen och inser att hon inte har fått ett enda meddelande från Amanda på nästan ett dygn. I vanliga fall hörs de hela tiden.

Hon går in på Instagram för att se om Amanda varit aktiv sedan igår, men hittar ingenting. Den senaste posten är bilden som hon lade upp igår kväll, innan festen började. De står tillsammans med varsitt glas lyft mot mobilkameran, gör överdrivna pussmunnar och har kinderna tätt hoppressade.

Party time, har Amanda skrivit, följt av en massa fåniga emojier.

Vart har hon tagit vägen?

Ebba sväljer ner rädslan. Hon huttrar till och drar upp täcket, försöker tvinga sig själv att minnas vad som hände i badrummet, vad Amanda sa innan hon stack från festen.

Allting är suddigt. Hon kommer bara ihåg fragment av de sista timmarna innan hon slocknade.

Hon minns att Amanda satt bredvid medan hon kräktes i toaletten. Sedan är det blankt. Eller ... visst var Amanda förbannad på Viktor?

Kan det ändå ha med honom att göra?

Ebba minns inte när han lämnade festen. Men han skulle väl inte göra Amanda illa ...?

Skuldkänslorna gräver sig djupare in i bröstet. Om Ebba inte blivit så full kanske hon kunde ha övertalat Amanda att stanna kvar. Då skulle allting vara som vanligt nu.

Ebba längtar efter sin mamma. Men om hon ringer och berättar vad som hänt måste hon berätta om festen, och det vågar hon inte.

Istället skickar hon ett nytt mess till Amanda.

Hon är livrädd för att inte få svar.

21

När Harald svänger upp framför familjens vita tegelvilla är den parkerade polisbilen på garageuppfarten det första han ser.

För ett ögonblick vill han inte gå ur bilen, det är enklare att sitta kvar i mörkret.

Han blundar och lutar pannan mot ratten medan en stark impuls att köra vidare sprider sig i kroppen. Han är inte redo att ta emot ett negativt besked om Amanda. Det är illa nog att hon inte var hemma hos Ebba.

Minuterna passerar. Till slut segrar förnuftet och Harald rätar på ryggen. Han stänger av motorn och öppnar bildörren. Under den korta promenaden fram till entrén försöker han samla sig. Han får inte bryta ihop nu, polisernas besök kan handla om en helt annan sak.

Händerna darrar när han öppnar den olåsta dörren. Ludde kommer springande men Harald märker honom inte.

I vardagsrummet sitter Lena i soffan mittemot två poliser. Tvillingarna syns inte till.

Alla hans värsta farhågor är på väg att besannas.

"Vad är det som har hänt?"

Han ryter fram frågan, kan inte hjälpa det. Sedan tar han några snabba kliv till dörröppningen och stirrar på de två främlingarna.

"Är hon …?"

Det går inte att avsluta meningen.

Han står i ytterkläderna och väntar på svaret. Kroppen är varm och kall på samma gång. Det droppar om kängorna.

"Är Amanda …?"

Luften räcker inte till.

"Det var jag som ringde dem", säger Lena och ställer sig upp.

Det tar några sekunder innan Harald kan svara.

"Hon är väl okej?" stammar han.

Lenas ansikte dras ihop.

"Hon är fortfarande borta. Men jag vågade inte vänta längre, så jag ringde 112."

Den närmaste mannen reser sig upp och presenterar sig som Daniel Lindskog från Årepolisen. Hans blonda kollega heter Anton Lundgren.

Daniel föreslår att Harald ska hänga av sig och sitta ner så att de kan prata. Han låter varken upprörd eller orolig, snarare behärskad.

Harald är som bedövad. Han försöker hitta ett inre lugn men det är för tvära kast, han hinner inte med. När han såg poliserna sitta i vardagsrummet var han säker på att de kommit för att berätta att Amanda var borta.

Han upptäcker att det ligger ett fotografi av dottern på bordet. Det är ett gammalt foto, taget innan hon färgade håret korpsvart. Hon har fortfarande kvar sin naturligt ljusbruna nyans som påminner om Lenas.

Amanda ser lite trulig ut, verkar inte riktigt vilja vara med på bild, men ser rakt in i kameran som fångat både fräknarna och de fortfarande runda kinderna. Hakan är bestämt framskjuten. Hon är så lik sin mamma. Det är därför de ryker ihop hela tiden.

Hans älskade dotter.

Harald kramar armstödet hårt.

Polisen som heter Daniel ställer den ena frågan efter den andra. Han har mörkbrunt hår och kort välansat skägg, liknar prins Carl Philip en aning fast är längre.

"Har Amanda rymt hemifrån förut?" undrar den andre polisen och skriver i en anteckningsbok. "Eller visat några tecken på att inte trivas hos er?"

Lena skakar på huvudet som om frågan är absurd. Rösten är gäll när hon svarar.

"Varför tror ni att hon har rymt? Förstår ni inte att något farligt måste ha inträffat? Amanda skulle aldrig ge sig av hemifrån utan att prata med oss först!"

"Vi påstår inte det", säger Daniel Lindskog lugnande. "Men vi behöver ställa vissa frågor så att vi förstår vad som har hänt. Vi måste få en bild av er dotter och hennes beteendemönster."

Lena nickar med glansig blick.

"Hur var stämningen mellan er när du talade med henne sist?" fortsätter han. "Hade ni ... grälat innan Amanda gick till festen?"

Lenas kinder blir rödare.

"Det var som vanligt", mumlar hon. "Vi var inte ovänner. Min dotter och jag kommer bra överens."

Harald undrar om han borde nämna den spända stämningen mellan dem, men låter bli.

"Kan hon ha sovit över hos en kompis utan att meddela er?" skjuter Daniel in.

"Jag har kontaktat hennes mentor och alla i hennes klass", säger Lena och slår ut med händerna. "Jag har suttit i telefon den senaste timmen, ända tills ni kom, och ringt runt till alla vi känner. Ingen har sett henne."

"Jag förstår", säger Daniel. "Vad heter hennes mentor?"

"Lasse Sandahl", säger Lena. "Han har haft hand om klassen hela gymnasietiden."

"Jag har precis varit hemma hos hennes bästa vän, Ebba", säger Harald och berättar om sitt besök på Trollvägen.

Lenas ögon är stora och rädda när han är färdig.

"Ni måste göra något", utbrister hon. "Tänk om Amanda blev påkörd när hon var på väg hem i natt. Hon kanske ligger i en snödriva utmed vägen?"

Det har blivit ännu kallare sedan igår. Harald kan inte låta bli att snegla mot fönstret som vetter mot allmänningen. Den svarta blanka rutan är ogenomtränglig. Det går inte att se de snötäckta granarna bakom huset.

"Herregud", mumlar Lena, "varför ringde hon inte oss så att vi kunde hämta henne? Om hon bara hört av sig ..."

Anton ser medkännande på dem.

"Använder er dotter sig av någon spårfunktion, till exempel Hitta min Iphone?"

Lena skakar på huvudet.

"Inte som vi fick tillgång till. Hon ville inte dela koden med oss."

Harald riktar sig mot Daniel.

"Borde ni inte ringa Missing People?" säger Harald. "Ska inte de kopplas in i sådana här situationer? Jag känner Bosse Lundh som är ordförande för den lokala avdelningen."

De två poliserna utbyter en blick.

"Vi kommer att göra vårt bästa för att hitta Amanda", säger Daniel.

Han ställer sig upp. Anton Lundgren slår ihop anteckningsboken och gör likadant.

Harald noterar att Daniel håller en rosa tröja i handen. Är det Amandas? Har de tagit den för att kunna använda spårhundar för att leta rätt på henne?

"Vi återkommer så fort vi vet mer", fortsätter Daniel.

"Ska ni redan gå?"

Lena stirrar förvirrat på poliserna. Ludde kommer fram och lägger sin nos i hennes knä, som om han anar att hon är upprörd.

"Vi kommer att organisera en insats från stationen", säger Daniel. "Men vi hör av oss."

Han håller fram ett visitkort med polisens logotype till Lena.

"Här är mitt telefonnummer. Du kan ringa mig när som helst."

Han lägger en tröstande hand på hennes arm.

"De flesta som försvinner kommer tillbaka inom ett till tre dygn", säger han.

Harald vill säga något men Lena hinner före.

"Vad händer med dem som inte gör det?" viskar hon.

När Amanda öppnar ögonen ligger hon under ett tunt täcke på en madrass. Hon ser sig om i rummet och upptäcker obehandlade träväggar och en ytterdörr, det står en täljstenskamin i ena hörnet. Det måste vara en fjällstuga.

Paniken är nära. Hon är alldeles ensam och har ingen aning om var hon är.

Hur hamnade hon här?

Vaga minnen av att det gungade och svängde dyker upp. Hon låg på rygg, var fastspänd och kunde varken röra armar eller ben.

Hon minns fartvinden i ansiktet, nästan som om hon befann sig på en skoterkälke.

Hon kommer vingligt upp på benen och försöker orientera sig. Stugan består av ett enda rum. Förutom den väggfasta våningssängen finns bara ett slitet bord med två stolar. Några serietidningar ligger på en bänk framför fönstret.

Hon fryser och inser att hennes kläder är borta. Det enda hon har på kroppen är bh och trosor.

Han har tagit allt annat, till och med kängorna.

Amanda letar efter något att skyla sig med men hittar ingenting. Utöver täcket och de fläckiga madrasserna i våningssängen finns inga textilier.

När hon känner på dörren är den låst. Utanför det enda fönstret, som delvis täcks av en tvärslå, är det beckmörkt. Hon kisar och tycker sig uppfatta stora sjok av snö.

Är hon uppe på fjället? Var har hon egentligen hamnat?

Det brinner en eld i kaminen. Hon sätter sig på huk intill luckan och håller fram händerna mot värmen.

Hon vet varken var hon är eller hur hon ska ta sig därifrån. Dörren är låst och även om hon fick upp den eller fönstret vågar hon inte gå ut i den stränga kylan utan sina kläder.

Mobilen är också borta.

Tårarna går inte att hålla tillbaka. Ingen hör hennes gråt.

"Mamma", viskar hon. "Hjälp mig."

22

Daniel sätter sig på passagerarsidan och låter Anton köra. Han ser ut genom sidofönstret medan de svänger för att åka tillbaka till stationen.

Återigen tänker han på att de flesta försvunna tonåringar brukar dyka upp inom några dagar.

Men mamman svor på att Amanda aldrig skulle försvinna frivilligt.

Daniel är mest orolig för att det skett en olycka. I dagsläget talar ingenting för att det föreligger ett brott. Däremot är han väl medveten om risken för att flickan kan ha frusit ihjäl om hon varit kraftigt berusad och lagt sig att vila i en snödriva.

De flesta förstår inte hur nära döden man är i svår kyla utan lämpliga kläder. Daniel har sett folk i lågskor eller höga klackar som börjar vandra hemåt mitt i natten, ibland i fel riktning, trots att det kan betyda en promenad på mer än tio kilometer.

Alldeles för många kommer upp till Åre med tåget, checkar in där de ska bo och tar en taxi raka vägen till baren. När de ska hem vet de varken vart de ska eller hur långt det är.

Om Amanda har försökt gå hem i mörkret och varit så berusad att hon somnat utomhus kan det ha gått riktigt illa.

Tanken snuddar vid möjligheten att hon har tagit sitt liv, men Daniel skjuter undan den. Inget av det föräldrarna berättade pekar i den riktningen.

Anton blinkar höger för att ta av mot Kurortsvägen där det relativt nya polishuset ligger. Det är hopbyggt med vårdcentralen, fräscht och modernt, men arkitekturen är inte alldeles genomtänkt. Man skulle enkelt kunna blockera alla in- och utfarter för att sabotera en polisutryckning.

Det är inget de talar högt om.

Daniels telefon piper till. Det är teleoperatören som han kontaktade på vägen till familjen Halvorssen. Amandas mobil har inte använts efter klockan ett i natt.

Inget bra tecken.

"Det får bli en hundpatrull", säger Anton medan han parkerar. "Ska vi ringa in Jarmo?"

Jarmo Mäkinen bor i Järpen, kommunens centralort. Han är den enda hundföraren i närheten. Alla andra finns i Östersund. Därifrån tar det en timme och en kvart att köra och Daniel är inte säker på att de har råd att vänta så länge.

"Gör det", säger han. "Be honom möta oss på Trollvägen så snart som möjligt. Och ring taxibolagen och kolla om de kan ha sett någonting."

Åres taxibolag är ofta till hjälp. Varje år gör de en stor insats när de plockar upp fulla skidåkare som vinglar hem mitt i natten.

Anton nickar och knäpper loss säkerhetsbältet. De ska göra ett kort stopp på stationen för att planera nästa steg. Daniel vill stämma av situationen med sina överordnade i Östersund. Vid en större sökinsats krävs ibland helikopter. Fjällräddningen kan också behöva kopplas in.

Tills vidare tänker han låta en polisbil leta i närområdet och söka längs vägarna mellan Amandas hem och Trollvägen där festen ägde rum. Det finns inte många alternativ att välja mellan, om flickan har somnat i en snödriva borde de hitta henne.

I vilket skick vill han inte tänka på.

Dessutom ska han söka upp Ebba, flickans bästa kompis, och höra vad hon har att säga.

Klockan är nästan halv sju. Det kommer att dröja innan han kan ta sig hem till Ida och Alice. Han kommer inte att hinna bada sin dotter ikväll.

Det är första gången sedan hon föddes som han missar det. Han drar fram mobilen och knappar hastigt ner ett sms till Ida.

Måste jobba över, kan inte hjälpas. Sorry. ♥

23

Spåren efter ett ungdomsparty är tydliga när Daniel och Anton kliver in i Ebbas hus. Det är inte bara alkohol och cigaretter som har förekommit på festen, lukten av cannabis dröjer sig också kvar i den instängda luften.

Han blir inte förvånad. Narkotikahandeln är den nya stora brottsligheten i trakten, drogproblemen har ökat markant under de senaste åren. För inte så länge sedan var alkoholen det värsta bekymret, numera röker femtonåringarna på medan de gejmar.

Ebba står i hallen och tuggar på en hårslinga. Mascara har flutit ut i ögonvrårna, hon ser trött och bakis ut.

När Daniel låter blicken vandra vidare in i köket förstår han varför. Mängder av ölburkar och tomflaskor ligger på diskbänken. Han känner igen ett ryskt vodkamärke. Förr i tiden köpte man hembränt, det behövs inte längre när det finns billig smuggelsprit eller äldre syskon som köper ut. Dagens ungdomar har mycket mer pengar än vad hans generation hade.

”Kan vi sätta oss och prata lite?” säger han medan Anton går undan för att ta ett telefonsamtal.

Ebba går in i köket och plockar hastigt bort det värsta så att de kan sitta vid en tom ände av matbordet.

Hon sätter sig ytterst på stolen med armarna hårt lindade om överkroppen. Daniel tycker synd om henne. Stränga ord om alkohol- och drogmissbruk får vänta. Det är ingen idé att läsa lagen för henne. Just nu behöver han få reda på så mycket som möjligt om Amanda, vad som hände på festen innan hon försvann.

”Är dina föräldrar hemma?” säger han som inledning.

"De är i Stockholm."

Ebba ser skuldmedveten ut.

"Måste de få reda på att vi hade fest igår?" frågar hon lågt.

"Vi får se. Det viktigaste just nu är att vi hittar din kompis."

"Hon stack härifrån", mumlar Ebba.

"Varför blev det så?"

"Jag vet inte."

"Kan det ha hänt något som fick henne att gå sin väg?"

Ebba rycker osäkert på axlarna.

"Jag minns inte riktigt. Fråga Viktor, han kanske vet."

Anton kommer in i köket. Han har mobiltelefonen tryckt mot örat och ser koncentrerad ut.

"En av patrullerna har hittat en halsduk vid vägkanten till E14", säger han. "Precis vid parkeringsfickan innan VM8:ans lift."

Han håller fram sin mobil mot Ebba. Den visar ett foto på en röd stickad halsduk som ligger på den snöiga marken.

"Känner du igen den här?" säger han.

Ebba nickar.

"Det är Amandas. Jag har en nästan likadan."

Hon försvinner ut i hallen och kommer tillbaka med en skarpt rosa i samma mönster.

"Vi köpte dem samtidigt, på H&M", säger hon. "Det var rea."

Rösten är ostadig när hon fortsätter.

"Varför ligger den där?"

Det kan finnas otaliga förklaringar, men Daniel vill inte gå in på det just nu. Fyndplatsen är dock ett steg framåt. Den visar att Amanda har rört sig i riktning mot hemmet. Avståndet mellan Trollvägen och Pilgrimsvägen, där familjen Halvorssen bor, är drygt fem kilometer. Att promenera dit mitt i natten borde ta omkring fyrtio minuter.

Parkeringsfickan ligger knappt halvvägs.

"Vilken sida av vägen låg den på?" säger Daniel till Anton.

"De hittade den på den södra sidan."

Det talar för att Amanda valde att gå i trafikens riktning, kanske i hopp om att få lift med en bil?

Det var ett dumdristigt beslut, riksvägen har inga trottoarer. Det finns inte plats för gångtrafikanter och om natten, i snöyra och mörker, kan det vara direkt livsfarligt för en fotgängare.

Men Amanda tycks ha vandrat utmed E14 mitt i natten och dessutom förlorat sin halsduk. Sedan har hon gått upp i rök.

"Be Jarmo sticka dit med en gång istället", säger Daniel.

"Han är redan på väg", svarar Anton.

Han ser sig om i köket och Daniel förstår att han drar samma slutsatser om festandet som han själv nyss gjort. Anton är fem år yngre än Daniel, men ändå erfaren.

"Du nämnde en kille som heter Viktor", säger han till Ebba. "Varför det?"

Ebba ser ut som om hon ångrar att hon nämnde honom.

"De var ihop", mumlar hon motvilligt. "Eller ... nästan ihop."

"Hur menar du?"

"De brukade hänga, men inte direkt ... officiellt."

"Varför inte då?"

Ebbas mun darrar lite.

"Amanda ville inte det."

Daniel studerar henne noggrant. Han vet att det ibland lönar sig att tiga tills den andra personen öppnar munnen.

Ebba möter inte hans blick.

"Var allting bra mellan dem?" säger Daniel.

"Jag tror att de hade bråkat", svarar Ebba med svag röst.

"På vilket sätt?"

"Jag tror att hon var lack på honom när hon gick, men jag minns inte riktigt. Jag var för full."

Hon gömmer ansiktet i händerna.

"Förlåt", mumlar Ebba och gråter.

Lördagen den 14 december

24

Klockan är bara fem över sex när Hanna slår upp ögonen. Det är första gången sedan hon kom till Åre som hon vaknar tidigt av sig själv.

Det är kolsvart ute, i några sekunder vet hon inte var hon är. Sedan kommer allt tillbaka. Hon ligger i den stora dubbelsängen i ett av Lydias gästrum. Eftersom hon lät bli att dricka vin igår kväll är hon varken särskilt bakis eller sömnig.

Hon tänder sänglampan, drar till sig datorn och surfar runt en stund. Hon försöker låta bli att gå in på Christians Facebooksida, men gör det ändå. Han är duktig på att uppdatera och lägger gärna upp bilder som visar det goda livet, ett glas vin i solnedgången eller en öl i skidbacken. Eller coola bilder från alla snygga lägenheter som han säljer.

Den här morgonen hittar hon ingenting nytt. Han har inte lagt upp något på flera dagar. Eller ... Jo, det har han. Han har ändrat sin status, upptäcker hon. Tidigare stod det "I ett förhållande med Hanna Ahlander".

Nu är han i ett förhållande med Valérie Ohlin.

Hanna blir iskall.

Hon stirrar på inlägget i flera minuter, gräver in naglarna i handflatan för att inte börja gråta. Han är inte värd det. Christian är som alla andra idioter där ute. Han har ljugit och varit otrogen, gått bakom ryggen på henne med den där Valérie.

Den enda han tänker på är sig själv.

Tårarna bränner bakom ögonlocken. Hon tvingar sig att stänga ner Christians profil. Istället surfar hon runt på nätet, kollar på vädersajter för Åre och klickar vidare, planlöst.

Hon hamnar på en gruppsida på Facebook som heter "Vi som bor i Åre". Där har någon lagt ut en bild på en flicka i övre tonåren med svart hår.

Rubriken får henne att reagera:

Har ni sett Amanda?

Hanna läser och förstår att flickan försvann natten mellan torsdagen och fredagen. Hennes halsduk har återfunnits vid vägkanten till E14, i närheten av VM8:an. Alla tips och upplysningar är värdefulla.

Det är en kvinna som har lagt ut efterlysningen. Lena Halvorssen.

När Hanna går in på kvinnans egen Facebooksida ser hon samma bild och samma text. Plötsligt uppfattar hon likheten och förstår sammanhanget. Det är mor och dotter.

Så sorgligt. Hon hoppas att den försvunna flickan inte är ännu en ung kvinna som fallit offer för en brutal man.

Minnet av Josefin kommer till henne. Det ligger nära till hands, Hanna har grubblat över det i månader. Hennes döda kropp hittades i hemmet med svåra huvudskador. Femåriga Lisa förlorade sin mamma. Den våldsamma pappan, Niklas Konradsson, jobbade på narkotikasektionen, tre trappor upp i samma byggnad som Hanna.

Det var den utredningen som gjorde att hon måste lämna Citypolisen.

Man ville inte sätta dit en kollega, istället sopades allting under mattan. Josefin ansågs ha halkat i badrummet och gjort sig illa när hon föll mot badkarskanten. Den tekniska undersökningen var inte värd namnet och dödsfallet avskrevs som en olycka.

Den enda som vågade ifrågasätta hur illa man skötte fallet med Josefin var Hanna.

Hon stred för att man skulle ta upp det igen, göra om och göra bättre. Kanske borde de ansvariga utredarna till och med anmäla sig själva för tjänstefel? Att Josefin skulle ha slagit ihjäl sig av misstag var så uppenbart konstruerat. Varför var det ingen som granskade Niklas beteende mot sin fru närmare? Varför accepterades hans version utan invändningar?

Istället tröttnade hennes chef och anklagade Hanna för samarbetssvårigheter. Därför sitter hon här.

Det är smärtsamt att tänka på.

Hanna går tillbaka till gruppsidan. Efterlysningen lades ut för bara några timmar sedan men många har hunnit skriva stöttande kommentarer.

Medan hon läser kommer det en ny uppdatering. Den är från Missing People. Alla som vill hjälpa till att leta efter Amanda ska samlas nu på morgonen, klockan åtta, mitt på Åre torg. Ju fler, desto bättre.

Hanna ser på klockan. Det är om en timme. Hon har inte varit utanför huset sedan hon kom hit i tisdags. Bara druckit vin och gråtit medan hon längtat efter Christian. I garaget står en Mitsubishi som Lydia sagt att hon får låna.

Något vet Hanna ändå om professionella eftersökningar. Hur man gör för att leta efter en person som är försvunnen.

Hon skulle vilja hjälpa till.

Hon lyckades inte ge Josefin upprättelse, men kanske kan hon bidra i sökandet efter Amanda?

Kanske skulle hon må lite bättre om hon fick tänka på något annat?

25

När Daniel kommer till Åre torg några minuter före åtta är det redan ett tjugotal påpälsade personer på plats. Han känner igen ganska många och nickar kort men försöker undvika att dras in i samtal.

Det var inte Daniels idé att kontakta Missing People, det har föräldrarna gjort. Det är inte så att han ogillar organisationen, de har bidragit med stora insatser genom åren. Daniel hade bara velat ha mer tid för det polisiära arbetet. Ibland kan det vara bra med många som letar, men det är svår kyla ute och de har så lite att gå på.

Nu är det hur som helst för sent att backa bandet. Polisen fattade själva beslutet att gå ut med informationen igår kväll då alla spår upphörde efter fyndet av Amandas halsduk. Hennes foto och signalement ligger på polisens hemsida.

Borde han ha kopplat in Missing People direkt? Det är omöjligt att svara på.

Daniel gäspar, han har varit uppe nästan hela natten, var bara hemma och vände i några timmar medan Ida och Alice låg och sov. Adrenalinet har tillfälligt besegrat sömnbristen, men det är bara en tidsfråga innan kroppen kräver vila.

Anton kommer gående mot honom från den övre bilparkeringen på Stationsvägen. Han håller två pappmuggar med kaffe i händerna och räcker den ena till Daniel.

"Du ser ut som skit", konstaterar han.

Daniel bryr sig inte om att svara, Anton ser inte heller så pigg ut. Men han dricker tacksamt av det svarta kaffet medan värmen sprider sig i kroppen.

"Östersund har skickat upp två nya hundpatruller", säger Anton. "Och Jarmo är också här. De väntar på parkeringen."

En man i femtioårsåldern med topplufa och en blå megafon i handen, ställer sig på trappan till den svarta byggnaden där en restaurang ligger ovanpå Stadiumbutiken.

"Hallå!" ropar han. "Kan jag få er uppmärksamhet?"

Det är Bosse Lundh från det lokala näringslivet, Daniel känner honom ytligt. Lundh äger ett av de mindre hotellen i byn och några bensinstationer. Hans sambo Annika står bredvid, en kvinna i femtioårsåldern med allvarlig min. Hon är klädd i en mörkgrön dunjacka vars höga krage går upp över ansiktet.

Bosse Lundh är van vid att organisera, det märks med en gång. Snabbt och effektivt delar han in alla frivilliga i separata lag. Han ger dem olika uppgifter och telefonnummer som de kan ringa om de finner något intressant. Andra medhjälpare från Missing People delar ut kartor och lappar med Amandas signalement innan de vinkar åt grupperna att ge sig av.

När Lundh har påmint alla om att avrapportering ska ske på torget mellan elva och tolv kliver han ner från trappan. Han kommer bort till platsen där Daniel och Anton står. Sambon Annika följer med.

"Det här var ju en riktigt tråkig historia", säger han och skakar på huvudet så att tofsen på toppluvan vippar. "Jag hoppas verkligen att vi hittar henne snart."

Sambon nickar instämmande.

"Man kan nästan inte föreställa sig en värre situation än att ett barn försvinner", säger hon. "Även om våra är vuxna nu."

Lundh lägger armen om hennes axlar.

"Hur har föräldrarna tagit det?" säger han.

Daniel har särskilt bett dem att inte delta i sökandet. Det är bättre att de stannar hemma ifall Amanda skulle höra av sig. Just då ser han Harald Halvorssen komma körande. Han parkerar slarvigt på torget, stiger ur bilen och ser sig vilt omkring.

Daniel kan knappast förebrå honom. Han har själv inte varit

pappa särskilt länge, men vet att ingenting skulle kunna få honom att sitta hemma om det hänt Alice något.

Halvorssen småspringer för att komma i kapp den sista gruppen från Missing People. Jackan är oknäppt, han har ingen mössa. Familjens svarta jaktlabrador, som Daniel känner igen från besöket igår, följer efter.

"Stackars sate", säger Lundh med stark medkänsla. "Det måste vara för jävligt att vara i hans situation."

Anton knölar ihop sin tomma kaffemugg i ena handen.

"Jag visste inte att du var aktiv i Missing People", säger han till Lundh.

Lundh rycker på axlarna, som om han inte vill ha uppmärksamhet för sin insats.

"Man får hjälpa till så gott man kan", säger han. "Det är en av fördelarna med att bo på en liten ort, att man ser till att finnas där för varandra. När Missing People sökte folk till den lokala avdelningen var det omöjligt att tacka nej."

Han ser på Anton.

"Är man uppvuxen i trakten får man ställa upp för sina grannar. Du skulle ha gjort samma sak om du inte redan var polis, eller hur?"

Anton nickar med en gång. Han har mycket släkt i trakten, är väl förankrad i de jämtländska fjällen.

Lundh höjer handen till avsked.

"Dags att börja leta", säger han och går mot parkeringen vid Åregården.

Daniel står kvar och försöker mentalt summera situationen fast ingenting nytt har framkommit sedan igår kväll. Amandas telefon är fortfarande lika oanvänd och inga intressanta tips har kommit in, fast de öppnat en tipstelefon i Östersund.

Den mest troliga förklaringen är att flickan blivit upplockad av en bil och tappat halsduken. Att man fann den vid en parkeringsficka stödjer den teorin och det är egentligen inte särskilt anmärkningsvärt. Ungdomar som försöker få lift sent på natten hör inte till ovanligheterna här i trakten.

Problemet är implikationerna av ett sådant scenario. Om Amanda fått skjuts borde hon ha kommit hem välbehållen. Nu har det gått trettio timmar sedan hon senast sågs till.

Det blir allt svårare att inte misstänka ett brott, men frågan är vilket. Det skulle kunna handla om en trafikolycka. Ifall Amanda blivit påkörd, i värsta fall med dödlig utgång, kan föraren ha tagit med kroppen för att dumpa den på en plats där den inte kan hittas.

En annan, lika hemsk möjlighet, är att hon blivit bortförd, kidnappad av en person som vill skada eller utnyttja henne.

Kvinnorov med sexuella motiv har Daniel sett förut, men här uppe förefaller det mindre sannolikt. Han vill tro att den sortens ondska hör hemma i storstaden, inte i en idyllisk fjäll-miljö. Fast det är förstås naivt att tänka så. Grov brottslighet finns överallt.

Just nu hoppas han fortfarande att hans kollegor eller Missing People ska lyckas lokalisera Amanda.

Tiden håller på att rinna ut, men det är inte för sent att hitta henne vid liv.

26

Staven som Hanna försiktigt sticker ner i den tjocka snön sjunker djupt utan att det tar emot. Hon drar upp den igen, tar några steg fram och upprepar rörelsen. Hon vet att en livlös människa snabbt blir övertäckt vid snöfall, det krävs inte mycket för att bli osynlig.

De senaste dagarnas väderlek underlättar verkligen inte letandet. Det är otympligt att ta sig fram, gång på gång trampar hon snett eller får snö i skoskaften.

Hon har följt med en grupp som letar söder om E14, rakt nedanför platsen där Amandas halsduk hittades. Området ligger mellan landsvägen och sjön. Åre är inte särskilt stort, men vid ett tillfälle som detta, när varje kvadratcentimeter ska granskas, är det större än man tror. Dessutom är det förvånansvärt få hus, det mesta är allmänning eller obebyggd mark. Hanna har tillbringat många vinterlov i Åre under uppväxten men har aldrig tänkt på hur fort terrängen blir oländig utanför den direkta bykärnan.

Det går inte fort. De är sju personer i olika åldrar som långsamt vandrar på ett brett led.

Solen har gått upp men himlen är grå och kulen. Ljuset orkar knappt tränga igenom det tjocka molntäcket. Här och där sticker avlövade smala fjällbjörkar upp likt spretiga tuschteckningar i det iskalla landskapet. Låga granar gör dem sällskap, grenarna snuddar vid marken när snön tynger ner dem.

De har fått Amandas signalement men Hanna vet att det inte kommer att hjälpa mycket. Flickan var klädd i svart jacka, gul topp och svarta jeans. Ett rött eller orange ytterplagg hade varit mycket bättre. Men vilken tonåring är klädd i det?

Hon anstränger sig för att upptäcka avvikelser, en form som inte passar in i omgivningen, men det mesta försvinner i det vita täcket som lurar ögat och förvrider proportionerna.

"Det känns lite kusligt att gå så här", säger tjejen närmast Hanna.

Hennes röst är ljus och flickaktig, av utseendet att döma är de i samma ålder. Hon bär en mörkbrun dunjacka som ser ut att ha varit med ett bra tag.

"Har du gjort det här förut?" fortsätter hon.

"Några gånger", mumlar Hanna.

"Tänk om hon plötsligt ligger där och så sticker man ner staven i hennes kropp ..."

Hanna vet inte riktigt vad hon ska svara på det.

"Jag heter Karoline, förresten", säger tjejen, "fast alla kallar mig för Karro."

"Hanna", svarar Hanna.

Hon är inte särskilt sugen på att prata och vänder uppmärksamheten mot Åresjön.

Amanda kan inte ha drunknat i alla fall. Sjön måste vara nästintill bottenfrusen i den här kylan. Så här års används den mest för skoteråkning och ice racing.

Hanna minns en vinterkväll när hon var tio eller kanske elva. Hon satt på skotern bakom pappa, med armarna runt hans midja, och de körde på isen. Farten var berusande, han skrattade åt hennes förtjusning. Hon älskade när det bara var de två, när hon slapp mammas granskande blickar.

Vad hände sedan?

Hon minns inte fortsättningen, bara känslan av att vara lycklig. Ett av få riktigt fina minnen från loven i Åre.

"Är du från Stockholm?" säger Karro.

Hon anstränger sig verkligen för att få igång en konversation.

"Märks det så väl?" säger Hanna.

Karro skrattar.

"Åre är inte stort. Dessutom har jag inte sett dig förut och du anar inte hur många stockholmare det är som flyttar upp nuförtiden. Alla sticker från storstaden. Var bor du?"

"I Sadeln", svarar Hanna. "Eller rättare sagt, jag bor hos min syster, det är hon som har hus i Sadeln."

"Vad jobbar du med?"

Hanna tvekar. Hon har ingen lust att berätta om sin situation. Samtidigt vill hon inte verka otrevlig.

"Jag är polis", medger hon.

"Min bror jobbar också som polis", säger Karro. "Ska du börja här i Åre?"

Hanna skakar på huvudet.

"Jag jobbar inte just nu."

Karro betraktar henne nyfiket.

"Har du gått in i väggen?"

"Inte direkt ..."

Hanna försöker låta lagom vag.

"Alla går in i väggen", säger Karro, i samma ton som om hon diskuterat vädret. "Ingen orkar med det här vansinnestempot längre. Det är nedskärningar och indragningar överallt. Jag jobbar på förskola, man kan bli galen ibland på alla tokiga förslag från politikerna om att spara pengar."

"Jo ..."

Hanna struntar i att rätta Karro. Hon får hellre tro att Hanna har blivit utbränd än att hon blivit utsparkad.

Bara hon tänker på det suger det till i magen.

Hanna koncentrerar sig på letandet istället, fäster blicken några meter framför fötterna och försöker hitta en jämn rytm. Hon sticker ner staven samtidigt som hon sätter ner den främre foten.

De har inte varit ute särskilt länge men Hanna fryser trots kläderna hon lånat från Lydias stora garderob, tjocka överdragsbyxor och kängor.

"Känner du familjen Halvorssen?" frågar Karro efter en stund.

"Inte precis."

"Det är snällt av dig att hjälpa till i så fall."

Hanna mumlar något ohörbart.

"Jag såg mammans efterlysning på Facebook och bestämde mig direkt för att komma hit", säger Karro. "På en liten ort måste man ta hand om varandra. Min äldsta flicka går på lågstadiet med Amandas småsyskon. Märta vet precis vem hon är."

Karro fortsätter att prata på, hon verkar inte bry sig om Hannas enstaviga svar. Hon är gullig ändå, avväpnande på ett rart sätt.

Hanna ser upp mot E14. De har varit ute i en och en halv timme, men inte kommit särskilt långt. Om Amanda gick till fots utmed E14 borde hon knappast ha vikt av just här för att plumsa ner i snön och ta en annan väg hem.

Hanna blir mer och mer övertygad om att de ödslar tid, men hon vill inte öppet kritisera Missing Peoples indelning. Ibland är det bättre att tyst lyda order, det har hon lärt sig av sina misstag de senaste månaderna.

"Du vet väl att han är politiker, förresten?" säger Karro och avbryter Hannas tankar. "Han är faktiskt kommunstyrelsens ordförande."

"Vem?"

"Amandas pappa, Harald Halvorssen."

"Jaha."

Hanna kände inte till föräldrarnas sysselsättning.

"Han gör nog så gott han kan, men ..."

Karro tystnar, det finns en undermening som Hanna inte kan undgå att lägga märke till.

"... men han har inte gjort sig särskilt populär", fortsätter hon.

Hanna vill egentligen inte delta i skvallret om Amandas föräldrar, det känns inte rätt. Samtidigt kan hon inte låta bli att ställa den uppenbara följdfrågan:

"Varför inte då?"

Karro stannar till. Hon gör en gest med högerhanden, gnuggar tummen menande mot de andra fingrarna. Det ser aningen malplacerat ut eftersom hon har rejäla tumvantar.

"Det var det där med VM förra vintern."

"VM?"

Hanna känner sig dum. Hon vet inte vad Karro pratar om. Eller rättare sagt, hon vet förstås att det varit VM i utförsåkning i Åre nyligen, så mycket har hon koll på. Men inte mycket mer.

"Kalkylerna var helt fel", säger Karro, "många människor förlorade stora pengar. Det skulle bli en folkfest, sa de, med fullbelagda hotell och möjligheter att tjäna mycket på de olika arrangemangen. Men ståhejet kring VM skrämde bort de vanliga turisterna, de flesta företag gick back istället. Dessutom var vädret uselt."

Karro låter upprörd, men hon verkar inte vilja snacka skit. Snarare dela med sig av sina känslor.

Hanna kan inte komma på ett bra svar, så hon tiger. De fortsätter långsamt fram över fältet medan de sticker ner stavarna i tjocka lager av snö.

"Jag hörde annars att det kan vara pojkvännen som ligger bakom", säger Karro utan förvarning.

Hanna vrider på huvudet.

"Vem är det?"

"Han heter Viktor Landahl, går på samma gymnasium som Amanda, i parallellklassen. Familjen bor i Björnänge."

"Varför skulle han vara skyldig?"

Hanna hör att hon låter skarp men Karro verkar inte märka det. Istället får hon ett konspiratoriskt uttryck i ögonen.

"Min kompis lillebror känner honom. Viktor är tydligen lite av en ... bad boy, om du förstår vad jag menar."

Hon sänker rösten en aning, kinderna är rosiga av kylan.

"Han misshandlade sin förra flickvän. Familjen kommer från

Umeå så det är inte så många som känner till det. De flyttade hit efter det, han var bara femton när det hände, skulle börja i nian. Tro det eller ej, men han blev inte dömd till ungdomstjänst, fick inte ens böter. Bara ett slags varning."

"Straffvarning", fyller Hanna i.

Hon kan inte hjälpa att det slinker ur henne. Straffvarning används för unga gärningsmän som inte tidigare begått brott och som bedöms kunna få den hjälp och stöd som behövs från den egna familjen. Om personen begår ett nytt brott inom sex månader tas varningen tillbaka och fallet går till rättegång. Annars försvinner brottet ur rullorna.

"Om jag var polis skulle jag arrestera honom på en gång."

Det heter "gripa", tänker Hanna. Det är bara i amerikanska tv-serier som man arresterar folk.

Hon säger det inte högt, Karro menar väl, hon försöker bara småprata lite.

"Det sägs att en gång är ingen gång ..."

Karro sticker ner staven så att snön skvätter.

"Känner polisen till den här pojkvännen och hans bakgrund?" frågar Hanna. "Har du berättat det för din bror?"

Karro skrattar högt.

"För Anton? Det är ingen idé."

"Varför inte då?"

"Jag är förskollärare, jag kan ingenting om polisarbete."

"Det du sa nyss låter viktigt."

Karro ser förlägen ut.

"Det är säkert bara skvaller."

De har kommit fram till ett flackt parti och sprider ut sig. Här är snön orörd och ännu mer svårforcerad. Hanna sjunker ner till knäna för varje nytt steg. Trots att de bara är fem minuter med bil från Åre torg känns det ödsligt och övergivet.

Det finns alltså en pojkvän med en historia av misshandel. Kan han vara inblandad?

Det skulle inte förvåna henne om det ligger ett brott bakom Amandas försvinnande.

I nittio procent av fallen med våld mot kvinnor är det en nära anhörig som är skyldig.

27

När polisbilen stannar på gatan utanför Halvorssens hus reagerar Lenas kropp med ren och skär panik. Det susar i öronen som om en bisvärm är bosatt där inne. Hon fryser, fast kallsvetten gör huden kladdig.

Det är samma poliser som igår.

Mannen med skägg ser upp mot huset och skakar på huvudet, den andre svarar något ohörbart och låser bilen.

Sedan börjar de gå mot ytterdörren med allvarliga miner.

De har kommit för att berätta att Amanda är död. Lena bara vet det, med den där mammainstinkten som aldrig tar fel.

Gode gud, vad har hon gjort för att straffas så?

Det ringer på dörren men hon sitter kvar. Sedan hör hon Daniel Lindskogs mörka röst i hallen.

"Hallå? Är ni hemma?"

Gå er väg! vill Lena skrika, men rösten bär inte.

"Får vi stiga på?"

Förlamningen släpper så pass mycket att hon lyckas kraxa fram:

"Kom in."

Lena klarar inte av att resa sig när Daniel och hans kollega Anton stiger in i köket. Hon griper hårt om köksbordet för att inte svimma, tvingar fram sin fråga med läppar som inte vill röra sig:

"Är hon död?"

Daniels förvånade ansiktsuttryck ger henne svaret.

"Nej. Eller rättare sagt, det vet vi inte", säger han. "Hon är efterlyst och vi letar fortfarande."

Lättnaden är så stor att Lena svajar till på stolen. Daniel får staga upp henne med en arm om axeln. Kroppskontakten drar henne tillbaka till verkligheten, hon begraver ansiktet i båda händerna och börjar gråta.

"Vill du ha lite vatten?" frågar han.

Innan hon hunnit svara hämtar Daniel ett glas från ett av skåpen och häller upp från kranen. Lena dricker några minimala klunkar medan hon kämpar för att få tillbaka kontrollen.

Daniel slår sig ner mittemot och ger henne ett par minuter.

"Sökandet pågår", försäkrar han. "Vi har fått hit mer folk från Östersund och Missing People är också ute och letar, jag såg att din man följde med dem. Vi skulle bara behöva prata med dig en stund, ifall du orkar?"

Lena nickar och ställer ifrån sig dricksglaset. Handen darrar så mycket att glaset klirrar till mot bordsytan, men hon lyckas sätta ner det utan att det välter.

Daniel lutar sig fram, ena armbågen snuddar vid ett fult märke som blev till när Amanda blev så arg att hon dängde ett gjutjärnsunderlägg i bordet.

Den gången fick hon gå till sitt rum som straff. Just nu skulle Lena ge vad som helst för att se henne stå här och kasta saker.

Tårarna rinner.

Varför bråkade de så mycket hela tiden? Hon minns inte längre. Istället ser hon Amanda i småsyskonens rum, när hon läste en saga med så mycket inlevelse att det blev en hel föreställning. När Lena står vid diskbänken är Amanda det av barnen som smyger fram och överraskar med en kram. Hon kan fortfarande kura ihop sig i soffan med huvudet i Lenas knä för att se på tv. Då spinner hon som en katt och vill att Lena ska klia henne på ryggen, som hon gjorde när hon var liten.

"Vi behöver förstå mer om din dotter och hennes vanor", säger Daniel. "Vi har fått höra att hon kan ha setts på E14 natten till fredagen. En person ringde vår tipstelefon och sa att han såg en fotgängare på vägen och en mörk bil som stannade vid parkeringsfickan där hennes halsduk hittades."

Lenas tankar rör sig i ultrarapid.

"Jaha?" säger hon och torkar ögonen med baksidan av handen.

"Vet du om Amanda hade ovänner?" säger Daniel. "Som kan ha följt efter henne när hon lämnade festen?"

"Det är svårt att tro."

Lena prövar tanken, den känns orimlig.

"Varför skulle man vilja göra henne illa?" frågar hon. "Amanda är bara ett barn."

"Vi undersöker alla möjligheter", svarar Daniel.

Det går inte att läsa hans ansikte.

"Hade hon många kompisar?" säger Anton och drar ut stolen bredvid sin kollega.

"Ja", viskar Lena. "Amanda var populär."

Hon ser henne framför sig när hon stack iväg till skolan. Ofta med ett snett leende, som om hon hellre gick dit än stannade hemma.

Alla gånger när Lena försökte hitta de rätta orden innan dottern lämnade huset. Oftast fick hon bara fram: *ha en fin dag.*

"Hon trivs i sin klass", fortsätter hon. "De är ett bra gäng och hon och Ebba har alltid hängt ihop. Amanda är lätt att tycka om, hon har många idéer och är kreativ. Hon står upp för sina vänner."

"Vi tänkte prata med hennes mentor som du nämnde igår", säger Daniel. "Gillade hon honom?"

Lena måste tänka efter. Amanda var väldigt förtjust i Lasse under det första året på gymnasiet. Sedan talade hon allt mindre om honom.

"Jag tror det."

Daniel nickar.

"Den här pojkvännen, Viktor. Vad vet du om honom?"

Lena blir osäker.

"Vem är det?"

"Viktor Landahl. Ebba sa att de var ihop."

Lena blir osäker.

"Jag känner inte till att han skulle vara hennes pojkvän", medger hon. "Han har inte varit hemma hos oss."

Daniel stryker sig över det korta skägget.

"Kan det ha funnits andra med i bilden?"

"Jag vet inte."

"Vi undrar om Amanda kan ha stämt träff med någon efter festen utan att berätta det för er eller Ebba", förklarar Anton. "Att hon kan ha stuckit sin väg med en kille och att det har gått fel."

Lena ser bort. De har så många frågor och hon har inga svar.

Kinderna hettar av skam, hon är en dålig mamma som vet så lite om sin äldsta dotters kärleksliv. Hon borde ha haft mer koll, men vardagen har slukat henne, jobbet och tvillingarna, alla aktiviteter som ständigt ska hinnas med.

Dagarna har bara runnit iväg. Hon har inte haft tid att stanna upp och reflektera.

"Vet du om Amanda var aktiv på sociala medier?" säger Daniel. "Kan hon ha träffat personer den vägen?

Amanda var alltid uppkopplad, alltid ute på nätet. Varje gång Lena knackade på dörren och gick in i hennes rum var datorn uppfälld, men i samma sekund som hon upptäckte sin mamma slog hon igen den.

Lena har ingen kunskap om vilka Amanda umgicks med online, det är omöjligt att ha den sortens kontroll över en artonåring.

"Jag kan inte svara på det", erkänner hon.

"Hur hade hon det med ekonomin?" säger Anton. "Har hon fått mer pengar att röra sig med den senaste tiden?"

Det har hon faktiskt, när Lena tänker efter. Det senaste året har Amanda sällan tjatat om extra pengar till kläder och smink.

Sedan går innebörden av frågan upp för henne.

"Menar du att hon skulle ha träffat en äldre man?"

"Vi behöver undersöka alla alternativ just nu", säger Daniel.

"Det är inte ovanligt att äldre män tar kontakt med yngre flickor genom olika forum på nätet", lägger Anton till.

"Jag kan inte tänka mig att Amanda skulle göra så", viskar Lena.

Hon orkar inte fundera över orsaken till Amandas förbättrade ekonomi. Hon vill inte spekulera om det. Dottern har slutit sig det senaste året. När Lena ställt frågor har Amanda oftast fräst åt henne att inte lägga sig i.

Lena har tänkt att det kommer att gå över.

"Hur skulle du beskriva din dotter?" säger Daniel. "Hennes förmåga att se konsekvenserna av sitt handlande? Är hon mogen för sin ålder?"

Lena river sig på handloven.

"Hon är väl som alla andra", säger hon fast hon många gånger beklagat sig inför Harald över att Amanda inte tar tillräckligt mycket ansvar hemma.

Det kan hon inte säga om sin dotter, det vore ett svek.

"Hon är inte oansvarig", säger hon som en kompromiss. "Hon skulle aldrig göra något dumt eller brottsligt. Hon tar hand om sina småsyskon."

"Tror du att hon skulle kunna ha följt med en okänd man som erbjöd henne lift?" säger Anton och skriver i sitt block.

Han antecknar hela tiden, som om varje ord är betydelsefullt.

Lena blir osäker. Det går bussar men de slutar köra tidigt på helgerna. Ungdomarna brukar gå eller cykla, men det är klart att de liftar ibland. Hon har själv plockat upp tonåringar som gått utmed vägen med tummen i luften. De bor i en trygg miljö, hon har aldrig varit rädd för att ge liftare skjuts.

"Det kan nog hända", svarar hon.

Daniel gör ett tecken till Anton och ställer sig upp.

"Vi skulle vilja se oss omkring i Amandas rum", säger han. "Vi behöver ta med oss hennes dator också, om det är okej?"

"Visst", nickar Lena.

Hon reser sig med känslan av att inte höra hemma i sin egen kropp. När hon står utanför Amandas dörr uppstår ett märkligt ögonblick, en millisekund då hon är säker på att dottern ligger där inne i sängen.

Att allt bara är ett enda stort missförstånd.

Sedan öppnar hon dörren till det tomma rummet och minns att mardrömmen är på riktigt.

De båda poliserna kommer efter. Lena ser vad de ser. Ett ostädat flickrum med en säng, ett skrivbord från Ikea och en blå gammal öronlappsfåtölj framme vid fönstret. Vid fotändan av den obäddade sängen ligger en massa kläder.

Just det har de bråkat om otaliga gånger, att Amanda slänger plaggen i en stor hög istället för att hänga upp dem i garderoben.

Lena vill gå fram och röra vid kläderna, borra in näsan i dem för att försäkra sig om att hon inte har glömt bort sin dotters doft.

Foton av Amanda och hennes kompisar är uppsatta på anslagstavlan över skrivbordet. Ett är av Amanda i gul bikini på stranden till Åresjön. Bredvid sitter ett nästan likadant på Ebba. På ett annat gör Amanda miner mot kameran i en remsa från en fotoautomat. Den hänger aningen snett.

Anton har hittat Amandas dator i fåtöljen under en stickad grå tröja. Han fäller upp locket och Amandas solbrända ansikte ler stort mot dem. Hon har ett foto på sig själv och småsyskonen som skärmbild.

"Kan du lösenordet?" frågar han vänd mot Lena.

Hon skakar på huvudet. Amanda skulle aldrig berätta det för henne.

"Hade hon en padda också?" undrar han.

"Nej, bara datorn och sin mobil."

Daniel stannar till på tröskeln.

"Om du kommer på någon som Amanda kan ha haft kontakt

med, personer utanför den vanliga kretsen, så måste du höra av dig till oss med en gång."

Lena nickar. Hon vill verkligen hjälpa till men hör bara samma fråga som upprepas inombords om och om igen:

Varför hittar ni henne inte?

28

Familjen Landahl bor på Jämtgårdsvägen i ett äldre trähus som ligger lite för sig själv utan synliga grannar. Festliga marschaller brinner vid infarten när Daniel parkerar bilen utanför tomten. Han och Anton är där för att träffa Amandas hemliga pojkvän, Viktor.

Han kan vara en av de personer som sist såg Amanda.

När ytterdörren öppnas möts de av julmusik och doften av glögg och pepparkakor. En kvinna i femtioårsåldern står på tröskeln. Hon bär ett förkläde över en glittrig tröja och ler stort.

Leendet kommer av sig när hon upptäcker Daniel och polislegitimationen som han håller fram.

"Oj!" säger hon. "Jag trodde att det var någon annan. Vi ska snart ha glöggparty."

"Det här tar inte lång tid", säger Daniel. "Vi skulle behöva tala med din son, Viktor. Är du hans mamma?"

Kvinnan nickar.

"Maria Landahl", säger hon och hälsar.

Ögonen blir oroliga.

"Varför söker ni Viktor? Vad har hänt?"

Hennes händer fladdrar nervöst över förklädet.

"Vi behöver prata med honom en liten stund", säger Anton. "Det gäller hans skolkamrat som försvann natten till lucia, Amanda Halvorssen."

Maria Landahl drar efter andan.

"Det är verkligen hemskt", utbrister hon. "Jag tycker så synd om föräldrarna."

Hon går bort till trappan till övervåningen och ropar:
"Viktor, du måste komma ner."

Det tar några minuter, sedan kommer en kille i svart hoodie släntrande nerför trappan. Han är barfota och gör sig ingen överdriven brådska. På ena knäet gapar ett fransigt hål i jeansen.

De har gjort en bakgrundskontroll på honom men inte hittat något anmärkningsvärt.

"Det är två poliser här som vill tala med dig", förklarar mamman.

Hon slätar till håret och slänger en ängslig blick genom fönstret. Om hon oroar sig för en polisbil på garageuppfarten kan hon vara lugn. De har tagit en av de civila bilarna.

"Finns det en plats där vi kan prata ostört?" säger Daniel.

Maria Landahl sneglar mot ytterdörren.

"Vi får besök när som helst och jag förmodar att ni vill vara ifred", säger hon. "Kan ni vara där uppe?"

Hon slickar sig om läpparna, tittar på klockan på handleden, och säger sedan: "Får jag vara med?"

Daniel skakar beklagande på huvudet.

"Det är nog bättre om vi tar det här med Viktor. Han har ju fyllt arton."

Hon insisterar inte, ger dem bara ett oroligt ögonkast innan hon försvinner in i köket.

Daniel och Anton följer efter Viktor uppför trappan till en rymlig hall med en grå hörnsoffa. På väggen hänger en stor platt-tv. En film är pausad mitt i en scen med två små människor som klättrar uppför ett berg. Det är *Sagan om ringen*, Daniel har sett trilogin flera gånger.

En halväten chipspåse och en burk Fanta står på bordet framför soffan. Det ligger chipssmulor på golvet och på kuddarna.

Viktor parkerar sig i ena hörnet, så långt bort från poliserna som möjligt.

"Vad är det om?" säger han och slänger upp fötterna på soffbordet.

"Vi har några frågor som rör en av dina klasskompisar, Amanda Halvorssen", förklarar Daniel.

"Hon går inte i min klass."

"Hon går väl i din parallellklass?" säger Anton.

Viktor nickar. Sedan gäspar han så att kindtänderna syns. Han verkar lika slö och bakis som Ebba var igår kväll.

"Amanda är försvunnen", säger Daniel.

"Mmm, jag vet."

"Du var med på festen hemma hos Ebba när hon försvann. Jag undrar om Amanda pratade med dig innan hon gick därifrån?"

"Jag har inte gjort något."

Svaret kommer lite för snabbt.

"Vi har inte påstått det", säger Anton. "Vi vill bara veta vad som hände innan hon lämnade festen."

"Jaha."

"Kan du berätta för oss om kvällen?" säger Daniel.

"Vi hängde väl, som man gör", säger Viktor. "Snackade lite skit."

Han drar handen genom det mörka håret som hänger fram över pannan.

"Vi stod i köket ett tag och drack bärs. Lite senare såg jag att hon tog sin jacka för att gå."

"Vad var klockan då?" undrar Anton.

"Jag minns inte, det var ganska sent. Säkert efter midnatt. Runt ett, kanske?"

"Sa hon vart hon skulle ta vägen innan hon gick?" frågar Daniel.

"Nej."

"Verkade hon annorlunda på något sätt?"

"Nej."

"Vet du om hon var rädd för något?"

"Nej."

Han svarar entonigt och utan engagemang, sjunker djupare

ner i soffhörnet och drar fram sin mobil ur bakfickan för att kolla på skärmen.

"Hade ni grälat?" säger Daniel med viss skärpa i rösten.

Viktor blänger på honom.

"Vi tjafsade lite."

"Ebba berättade att ni två är tillsammans", påpekar Daniel. "Och att ni hade bråkat under kvällen."

Viktor sträcker sig efter Fantaburken och dricker några klunkar. Lite orange läsk stannar kvar i mungiporna.

"Hade ni det?" upprepar Daniel.

"Amanda var ganska lack på mig innan hon drog. Hon tyckte att jag hade blivit för packad."

"Var du det?"

Viktor ger ifrån sig ett svagt flin. Han lägger ner mobilen på bordet så att skalet syns, en bild av en hoprullad orm mot en svart bakgrund.

"Jag var helt väck."

Daniel ger honom en sträv blick.

"Är det allt du har att säga?"

Viktor ser generad ut. Han plockar upp mobiltelefonen och kollar skärmen igen. Det har knappt gått trettio sekunder sedan han släppte den.

Behovet av att fippla med telefonen verkar tvångsmässigt.

"Det är din flickvän vi talar om", påpekar Daniel.

Viktor kollar på mobilen igen.

"Hon är inte min flickvän", säger han kort. "Vi hånglade bara ibland."

Killens loja attityd retar Daniel. Hur kan han inte förstå allvaret i situationen? Hans flickvän kan ha dött medan han ligger i soffan och käkar chips. Daniel hade själv några stökiga år som tonåring men han använde åtminstone hjärnan.

Sedan ser han Viktors förstorade pupiller och förstår hur det hänger ihop. Han är påverkad.

Daniel försöker sniffa i luften men uppfattar ingen lukt av

cannabis. Det förklarar åtminstone varför grabben knappt reagerar på att Amanda är försvunnen. Han är inne i sitt eget rus.

Daniel känner ilskan välla fram.

"Nu lyssnar du på mig, din lilla skit", ryter han.

Daniel slår handflatan i bordet så hårt att Viktor rycker till.

"Vi behöver din hjälp!"

Anton ger honom en blick. Daniel tar några djupa andetag för att lugna ner sig. Han brukar sällan släppa fram sitt humör på jobbet.

Viktor stirrar argt tillbaka.

"Jag vet inte vad som har hänt! Det har jag redan sagt."

Anton ingriper innan Daniel hinner fortsätta.

"Vad gjorde du när Amanda lämnat festen?"

Tonen är betydligt mildare än Daniels.

"Jag somnade hos Ebba. Sedan gick jag direkt till plugget från hennes hus. Wille var också med."

"Tänkte du inte på att Amanda inte dök upp i skolan?"

"Nej."

Viktor slår ut med händerna.

"Jag trodde att hon var hemma och sov som alla andra. Jag var själv rätt borta, jag stack hem direkt efter luciatåget, pallade inte stanna kvar på lektionerna. Wille gjorde likadant."

"Vad har du gjort idag?" säger Anton.

"Softat."

Han pekar på soffan.

"Mest legat här och kollat på film."

Daniel är frustrerad. Den här påtända tonåringen är ingen hjälp.

De borde ta mamman åt sidan och förklara vad hennes son håller på med, men just nu finns det viktigare saker att ta hand om.

Han ställer sig upp och plockar fram ett visitkort som han lägger på bordet.

"Om du kommer på något, vad som helst, som kan hjälpa oss att hitta Amanda, måste du höra av dig."

Viktor har redan sträckt sig efter fjärrkontrollen.

"Visst", mumlar han och sätter på filmen igen.

29

Det är samling i konferensrummet på Åre polisstation. Möblemanget består av ett ovalt bord med tio stolar. Sitsarna är klädda i rödaktigt tyg, allt annat är vitt, inklusive väggarna och bordsytan.

Den stora whiteboarden smälter nästan ihop med bakgrunden.

Daniel sitter vid ena kortändan med Anton och Raffe bredvid. De har precis kopplat upp sig mot Östersund där ytterligare en handfull poliser deltar via länk.

Kriminalkommissarie Birgitta Grip, chef för sektionen för Grova brott som Daniel formellt tillhör, dyker upp på skärmen för att öppna mötet. Om ett par år ska hon gå i pension, men engagemanget är lika starkt. Det är Grip som har anställt Daniel. De lärde känna varandra i Göteborg när han jobbade på det som då kallades narkotikaroteln där hon var chef. Så småningom flyttade hon norrut, till uppväxtens Östersund. Fem år senare, när Daniel ville bort från Göteborg, anställde hon honom här.

Birgitta Grip lyssnar uppmärksamt medan Daniel sammanfattar situationen.

Han har konstaterat att sökgrupperna från Missing People varken har hittat Amanda eller några ledtrådar som kan förklara försvinnandet. Det finns ingenting som tyder på att det skett något våldsamt vid parkeringsfickan eller att hon varit med om en trafikolycka. Pojkvännen Viktor hade inte heller mycket att komma med.

"Halsduken vid parkeringsfickan är det sista spåret vi har att gå på", avslutar han. "Det mest troliga scenariot är därför att hon antingen frivilligt har följt med en bil eller att hon mot sin vilja har blivit indragen i den."

Han har nämnt tipsaren som noterade ett stillastående fordon på E14. Tyvärr kom personen som ringde in varken ihåg märket eller registreringsnumret, bara att bilen var stor och mörk, kanske en svart SUV?

"Varför skulle hon inte meddela föräldrarna om hon följt med någon frivilligt?" frågar Raffe.

"Hon kanske var förbannad på sina föräldrar och ville straffa dem", säger Anton. "Det har hänt förut."

Det faktum att Amandas telefon inte varit använd sedan hon försvann är besvärande. Undersökningar visar att de flesta tonåringar håller på med sina telefoner ungefär var femte minut.

Om hon inte har tappat telefonen? Men det går alltid att låna en mobil.

Varje hypotes leder till nya obesvarade frågor. Daniel kväver en gäspning, han skulle behöva åka hem och sova några timmar.

Birgitta Grip harklar sig. Hennes grå hår är klippt i en praktisk frisyr som understryker den strama framtoningen.

"Finns det saker som kan tyda på kidnappning?" säger hon. "Kanske med ekonomiska motiv?"

Daniel skakar på huvudet.

Det har inte dykt upp något utpressningsbrev. Dessutom är den sortens kidnappningar extremt sällsynta i Sverige. Att man skulle frihetsberöva Amanda för att pressa Harald och Lena Halvorssen på pengar verkar långsökt.

"Föräldrarna är inte särskilt välbärgade", säger han. "Pappan är visserligen ordförande i kommunen, men han har nog snarare politiskt kapital än ekonomiskt. Mamman jobbar halvtid som naprapat i egen verksamhet. Såvitt jag vet finns det inga andra betydande tillgångar och ingen har heller krävt dem på pengar."

"Hur är det med politiska hot?" undrar Grip.

"Det var många som blev förbannade på kommunens hantering av VM i vintras", säger Anton. "Fast jag har svårt att se att man skulle kidnappa Halvorssens dotter nästan ett år senare för att hämnas."

Han river sig i nacken innanför den mörkblå tröjan. Musklerna under t-shirten sväller. Han är kort men mycket vältränad, fitness är ett av hans största intressen vid sidan av musiken.

"Okej", nickar Grip. "Då lägger vi det åt sidan så länge."

Hon skriver en rad i sitt block innan hon fortsätter:

"Om flickan har följt med frivilligt är det troligt att hon har känt personen. Vi får fokusera på den biten. Börja med att kartlägga vänkretsen och de som var på festen, se om det finns folk hon umgåtts med som har gjort sig skyldiga till våldsamheter eller dyker upp i registren. Skolan behöver också kollas upp. Eller om hon jobbade extra. Begin with the basics."

Daniel nickar. Det är bara att sätta igång. Det som inledningsvis handlade om en artonåring som gått vilse i natten har nu övergått till en brottsutredning.

"Om vi antar att hon har plockats upp av en bil", säger Grip. "Hur är det med kameror längs med vägen?"

Om de hade varit i England eller Schweiz hade det funnits kameror överallt. I Sverige använder man bara fartkameror. Chansen att en kidnappare skulle köra så fort att han riskerar att fångas på bild är minimal. Men naturligtvis bör de kontrollera saken.

"Vi får höra med Kiruna", säger Daniel.

I Kiruna sitter enheten som utfärdar böter för fortkörare som fångats av fartkamerorna. Han gör en gest åt Anton att ta hand om den saken.

Anton nickar och stryker sig över pannan. Han verkar varm, trots att han bär t-shirt, hans normalklädsel oavsett säsong.

"Vi kan kolla med bensinstationerna också", säger Raffe. "De flesta har övervakningskameror. Se om det finns personer i Amandas bekantskapskrets som har fångats på bild."

Grip håller med.

Daniel undrar hur de ska hinna med allting. Det är ingen brist på uppgifter men resurserna är få. Även om Raffe och Anton är involverade är de kraftigt underbemannade. För tillfället är tre tjänster på Grova brott i Östersund vakanta och det är lika illa med personalstyrkan i Åre. Att de dessutom har tappat flera erfarna utredare de senaste åren, på grund av den hårt kritiserade omorganisationen av polismyndigheten 2015, gör inte saken bättre.

Daniels blick landar på klockan på väggen. Hon är fem i två. Amanda har varit försvunnen i ungefär trettiosex timmar.

Frustrationen får honom att knyta näven under bordet. Varje timme räknas.

Amanda ligger på sängen och ser glöden som bildas när de sista vedträna brinner ner.

Nu finns det ingenting mer att elda med.

Hon fryser.

Hon har redan lagt in allt hon kunnat hitta, fläckiga gamla serietidningar och den trasiga mattan. Hon vågar inte stoppa in madrasserna, är rädd att de är så lättantändliga att hela stugan ska börja brinna. Det är för stor risk.

Hur lång tid har hon varit instängd?

Det går inte att säga, hon vet bara att hungern som plågat henne har försvunnit. Däremot är hon törstig.

Varför är hon instängd? Varför kommer ingen och räddar henne?

Snart kommer glöden att falna och dö ut. Då blir hon ensam i mörkret.

Hon är mer rädd för mörkret än för kylan.

Med sina sista krafter släpar hon sig till fönstret. Allt är svart och öde, ingen syns till på fjället. Ska hon ändå försöka komma ut den vägen?

Det är lönlöst, barfota och utan kläder fryser hon ihjäl på några timmar. Hon vet inte ens om hon kan krypa under tvärslån som går rakt över rutan.

Hon hittar en rostig gaffel i en låda och ristar sitt namn i fönsterkarmen, precis intill glasrutan.

Hon vill skriva mer, att hon är ensam och instängd, att hon behöver hjälp, men orkar inte. Istället kryper hon tillbaka till sängen och kurar ihop sig under det tunna täcket och madrassen från överslafen som hon tog ner för att få mer värme. Det finns inget annat.

Mamma, tänker hon igen och undrar om de letar efter henne.

Någon borde väl vara ute och söka? Det måste ha gått många tim-mar sedan hon försvann.

Eller är det också en illusion?

Hon vet inte längre vad som är dröm och verklighet.

Hon vill inte dö så här.

Alldeles ensam.

30

När Hanna parkerar Lydias Mitsubishi på uppfarten bakom huset i Sadeln är hon fortfarande stelfrusen efter sökandet med Missing People.

Den korta bilturen har inte värmt upp henne och hon är ovan vid kylan. Här går kölden rätt in i märgen. Den fryser ner kroppen inifrån, är direkt farlig om man har fel sorts kläder.

Hon låser upp och går raka vägen till köket för att ta fram kakao, socker och mjölk. Kroppen längtar efter något hett och sött, en kopp varm choklad är precis vad hon behöver.

Hon står vid spisen och rör ihop den varma drycken när doften får henne att se ett annat kök framför sig, i ett annat hus i Åre tjugofem år tidigare.

Det som de brukade hyra på sportloven under uppväxten.

Hon kan se mamma stå vid spisen och vispa i en kastrull medan Hanna sitter vid köksbordet och väntar. Hur gammal var hon då? Åtta eller nio kanske?

Ett fat med nybakade kanelbullar står mitt på bordet. De doftar ljuvligt men Hanna vågar inte ta utan tillåtelse. Pappa och hon har varit ute i backarna, hon är glad och på gott humör. Han har sagt att hon är riktigt vass på skidor, till och med bättre än vad Lydia var i samma ålder.

Berömmet gör henne stolt, hon känner sig stor och duktig där hon sitter med hakan i händerna.

Allt förändras när hon spiller på de nya dyra skidbyxorna. Magen knyter sig. Hon är rädd för att göra fel, mamma har sagt åt henne att vara försiktig. Hon vågar inte röra sig, inte ens för att torka bort fläcken.

Mammas ansikte mörknar så fort hon ser vad som hänt. Hon suckar på det där speciella sättet, det som dödar stämningen på en sekund. Sedan tiger hon hela kvällen, som om allt är förstört.

Pappa sa inte ett ord till Hannas försvar. Han lät mammas känslor förstöra deras speciella dag, precis som han alltid låtit hennes humörsvängningar styra familjen.

Hanna häller upp chokladen i en mugg och ställer ner kastrullen i diskhon, så häftigt att det stänker och hon bränner sig på handen.

Pappa har aldrig satt ner foten mot mamma. När hon får reda på situationen med Christian kommer hon att tjata om det tills Hanna går sönder. Och pappa kommer inte att lägga sig i för att stoppa det.

Hon orkar inte tänka på föräldrarna mer. Så här dags sitter de förmodligen vid poolen och dricker dagens första glas rosévin.

Hanna tvingar sig själv att tänka på andra saker medan hon smuttar på chokladen. Efter letandet med Missing People frågade Karro om de skulle ta en fika. Hon verkade omtänksam, den sortens person som vill att alla ska ha det bra. Det hon berättade om Amanda, hennes pappa och pojkvän, dröjer sig kvar.

När de kom tillbaka till Åre torg för avrapportering pekade Karro ut Harald Halvorssen. Han stod med sin hund och pratade med två män. Ansiktet var härjat.

Hanna slår sig ner vid matbordet och öppnar datorn. Hon vill veta mer om Harald och hans familj.

Kanske kan det skingra hennes egna mörka tankar?

Hon googlar på namnet och får upp ett antal bilder. Han ler på alla, har blå ögon. Efternamnet låter norskt. Mycket riktigt, fadern kommer från Trondheim men Harald är uppvuxen i Järpen med sin svenska mamma och yngre bror.

Hanna läser det hon kan hitta.

Han har varit centerpartist i hela sitt vuxna liv, aktiv i det lokala ungdomsförbundet och har alltid bott i Jämtland, med undantag för några års ekonomistudier i Umeå. Gift med ungdomskärleken Lena. Amanda är äldst av de tre barnen. Harald har åkt mycket längdskidor, tävlade under en period, och äger förstås en snöskoter som alla andra i den här delen av landet.

Chokladen har fått Hanna att bli varm igen. Det gör ont i fingrar och tår när de börjar tina. Hon grimaserar av smärta när fötterna väcks till liv och hon får gnugga fotsulorna en stund för att värken ska gå bort.

Hon hittar ingenting mer om Harald Halvorssen och bestämmer sig för att googla på VM i Åre istället. Genast fylls skärmen av nya rubriker. Evenemanget var kontroversiellt, precis som Karro sa. Kritiken efteråt lät inte vänta på sig. Det fanns till och med lokala aktörer som framförde krav på kompensation från kommunen.

Hanna dricker upp det sista av chokladen och ser ut genom fönstret. Det har redan börjat mörkna, Renfjället syns knappt längre, Åreskutan är insvept i moln. Solen går ner tjugo över två, de fem timmarna med dagsljus drar snabbt förbi.

Hon hittar ingenting på nätet om familjen Halvorssen som får henne att reagera. Men Karro nämnde också den där pojkvännen, Viktor Landahl. Han lät inte direkt som en toppenkille. Det är ovanligt att så unga män begår svåra brott som kidnappning eller mord, men det förekommer.

Precis så var det för stackars Josefin.

Hanna kan inte låta bli att fråga sig om de ansvariga utredarna i Åre känner till Viktors bakgrund. Det är information som polisen borde ha med sig i utredningen. Om han verkligen har fått en straffvarning borde de uppgifterna finnas i belastningsregistret. Rimligtvis har den lokala polisstyrkan redan upptäckt detta och förhört grabben.

Om Viktor nu inte har tiden på sin sida. En straffvarning

stryks efter tre år, med rätt tajming kan den precis ha försvunnit. Karro sa att han skulle börja nian när det hände.

Hanna skakar på huvudet. Det är inte hennes sak att ta tag i det.

Hon rättar till det stålgrå fårskinnet över stolsryggen. Ullen ringlar i mjuka lockar som värmer skönt. Fingrar och tår börjar kännas som vanligt igen.

Det har tagit nästan en timme att bli riktigt varm. Om Amanda befinner sig utomhus finns det ingen möjlighet att hon fortfarande lever.

31

Ida tar tag i Daniels axel och skakar honom.

"Älskling, du måste vakna nu."

Han vill inte, det gör ont i hela kroppen av sömnbrist, men till slut öppnar han motvilligt ögonen.

Hon har hans mobiltelefon i handen och lutar sig fram.

"De söker dig från jobbet", säger hon med bekymrad röst. "De har försökt få tag i dig flera gånger."

Daniels tankar är tröga.

"Vad är klockan", mumlar han.

"Snart sju på kvällen."

Då har han sovit i tre timmar. När han kom tillbaka till lägenheten var han så trött att han bara gick raka vägen till sovrummet och föll ihop i sängen bredvid Alice som också låg där och snusade.

Hon är inte kvar längre, inser han och försöker blinka bort tröttheten.

"Okej", mumlar han och tar telefonen ur hennes hand.

Det är Anton som svarar när han ringer tillbaka. Eftersom han fick sova i natt stannade han kvar på stationen när Daniel åkte hem för att vila.

"Du behöver komma in", säger han. "Vi har hittat något intressant."

"Vad?"

En röst säger ett par ord i bakgrunden.

"Kom in så fort du kan."

Samtalet bryts och Daniel blir sittande med mobilen i handen. När han ser upp står Ida kvar. Blicken är orolig, hon är inte van vid den här sortens utryckningar. De har inte haft en liknande utredning under de år som Daniel bott i Åre.

När han arbetade i Göteborg var det en annan sak. Då kunde man få lägga allt åt sidan och jobba dag och natt med ett akutfall. Här har han vant sig vid att arbeta på ett annat sätt, i en lugnare miljö.

Att han blev utsatt för allvarliga hot efter ett svårt mordfall i Göteborg har han inte berättat för Ida. Under de arton månader de varit tillsammans har han kommit hem och ätit middag med henne nästan varje kväll.

"Jag måste sticka", säger han.

"Ska du jobba igen?"

Ida fingrar på sin långa fläta som hänger fram över axeln. Daniel håller upp händerna med handflatorna utåt.

"Jag är ledsen, men jag måste verkligen dra."

"Du har ju arbetat hela natten."

"Det är ett nödläge. Vi har en artonårig flicka som är försvunnen."

Hon nickar och går närmare, stryker honom över kinden.

"Jag förstår, det är hemskt det som har hänt."

Sedan andas hon in, behåller luften en kort stund och släpper ut den genom näsan.

"Jag skäms för att säga det här, särskilt när du har så mycket. Men det är inte lätt att vara själv med Alice hela tiden. Jag blir nästan galen när hon bara skriker och du inte är här. Jag vet inte om jag klarar det på egen hand."

Idas ögon är blanka, det verkar som att hon är på väg att börja gråta.

Daniel blir stressad. Det sista han vill är att göra henne ledsen. Fast hon borde förstå hur allvarlig situationen är.

"Du", säger han. "Det blir bättre, jag lovar. Jag ska hjälpa till mer i fortsättningen. Så fort utredningen är klar."

Han vill verkligen inte bråka.

Han har lätt för att flamma upp när de grälar och det finns

varken tid eller utrymme för det just nu. Han vet av bitter erfarenhet hur det kan bli när han förlorar behärskningen. Hans förbannade temperament har ställt till det många gånger, arvet efter den italienska släkten och särskilt hans morfar ligger alldeles för nära ytan.

Han drar henne till sig och pussar henne på pannan. Först är hon stel i kroppen, sedan slappnar hon av.

"Jag hoppas verkligen att ni hittar henne", mumlar hon mot hans bröst. "Vet du att hon gick i ettan på gymnasiet när Sara gick där sista året?"

Sara är Idas lillasyster, hon tog studenten två år tidigare och utbildar sig till frisör i Sundsvall. Precis som deras mamma Elisabeth en gång gjorde. Nu har mamman en hårsalong i Järpen.

Ett genomträngande barnskrik hörs från vardagsrummet där Alice sover i sin vagn. Så här dags brukar koliken slå till, men varje kväll hoppas de att den ska gå över.

Ida ser på Daniel, ögonen är milda.

"Jag tar hand om Alice", säger hon. "Åk du."

32

Parkeringen utanför polisstationen är nästan full när Daniel svänger in med sin silvergrå Kia Sportage. Vinden tar tag i bildörren så fort han öppnar, han får kämpa sig fram till entrén genom snöfallet.

Väl där kommer Anton mot honom i korridoren. Han verkar stressad och bär genomskinliga plasthandskar, som om han nyss har hanterat bevismaterial.

Daniel känner hur pulsen ökar.

"Häng med", säger Anton utan att stanna.

De fortsätter till det stora konferensrummet som är omvandlat till temporär spaningscentral. Flera bilder på Amanda är uppsatta på en anslagstavla, tillsammans med foton av parkeringsplatsen där halsduken hittades. Men det är en annan sak som fångar Daniels uppmärksamhet.

Mitt på bordet finns en massa klädesplagg utlagda. Han ser en svart dunjacka med kapuschong, ett par mörka jeans och två vita sockor. Ljusbruna UGG-boots är uppställda bredvid en klargul magkort topp.

Daniel förstår omedelbart vad det betyder.

"Ni har hittat Amandas kläder", utbrister han.

Anton nickar och drar ut en stol.

"Vi har haft osannolikt flyt", säger han och väger lite på sitsen, som om upphetsningen gör att han har svårt att sitta stilla.

Daniel slår sig ner mittemot kollegan.

"Hur gick det till?"

"Det var en kille från trakten som ringde in för en timme sedan. Han var ute på fjället med snöskotern trots det dåliga vädret. När han körde leden norr om Ullådalen såg han en plastkasse slarvigt inknölad i en skreva. Han trodde att den kunde innehålla matrester och ville inte att djur skulle sprida ut dem, så han stannade och tog med den för att slänga den i sin egen soptunna. Av någon anledning öppnade han den och upptäckte kläderna."

Anton har rätt. Det är en osannolik slump. Men de kan behöva lite tur just nu.

"Hur fattade han att det hörde ihop med Amandas försvinnande?" frågar Daniel.

Han drar på sig ett par plasthandskar och lyfter på jeansen för att studera dem på nära håll.

"Han hade sett efterlysningen som Missing People lade ut på Facebook", förklarar Anton. "Där fanns Amandas signalement. Det var den gula tröjan som fick honom att reagera."

Missing People.

Daniel var orolig över deras inblandning men nu är han tacksam. Organisationen har en räckvidd som polisens egna kanaler inte kan tävla med. Han är också glad för att Amanda bar en lätt igenkännlig knallgul topp när hon försvann.

Han granskar kläderna noga, rör försiktigt vid tyget. Ingenting verkar vara sönderrivet eller trasigt. Eller avtvingat med våld. Det fattas inte ens en knapp.

"Finns det några spår av misshandel?" säger han. "Har ni hittat blod på tyget?"

Anton skakar på huvudet.

"Hur är det med sperma?"

Även om de inte vet om det är en man eller kvinna som ligger bakom försvinnandet talar statistiken för en man. Av alla brott som begås mot liv och hälsa står män för åttiofem procent.

"Inget som är synligt för blotta ögat", säger Anton. "Men det går inte att avgöra förrän teknikerna har sagt sitt."

Avsaknaden av blod och sperma är bra. Då är flickan i bästa fall inte skadad.

Daniel betraktar plaggen. Något fattas.

"Hur är det med bh:n och trosorna?" säger han. "Låg inte de med?"

"Nej", säger Anton.

Bilden av en förövare som får en ung flicka att klä av sig halvnaken gör Daniel illa till mods.

"Vad var det för slags påse som allting låg i?" säger han.

"Det var en vanlig Ica-kasse", säger Anton. "Vi skickar iväg den också. I bästa fall kan det finnas fingeravtryck eller DNA."

Daniel tänker högt.

"Varför försökte man gömma hennes kläder? Vad betyder det?"

"Det bevisar i varje fall att hon inte har rymt sin väg", säger Raffe som just kommer in i rummet. "Då skulle hon väl knappast bry sig om att gömma dem på ett så osannolikt ställe."

Daniel nickar.

"Hur är det med mobilen?" säger han.

"Fortfarande borta", säger Anton.

"Platsen måste vara betydelsefull", tänker Daniel högt. "Vem gömmer saker utmed en skoterled?"

"En person som ändå rör sig på fjället?" föreslår Anton. "Som är på väg med en snöskoter."

"En person med fjällvana, alltså."

Anton nickar.

"Förmodligen någon från trakten", säger Daniel. "Vem skulle det annars vara?"

"Det är för jävligt i så fall."

Anton verkar ta det personligt. Han är en lokalpatriot som aldrig skulle sätta foten i en storstad frivilligt.

"Jag undrar om gärningsmannen kan ha lämnat av Amanda och slängt påsen på vägen tillbaka", säger Raffe. "Han eller hon kanske ville göra sig av med den innan hemkomsten, för att minska risken för upptäckt."

"Det låter rimligt", säger Anton.

"Då bör den vi söker ha en egen familj, annars skulle det vara oväsentligt", kontrar Daniel.

Han går runt bordet för att studera plaggen från en annan vinkel. De är i små storlekar, Amanda är ganska liten, bara en och sextiotvå lång. Hon har ingenting att sätta emot en vuxen, särskilt inte en man.

"Om vi utgår från att det är en manlig kidnappare", säger han. "Varför har han tagit med sig allt hon hade utom just underkläderna?"

"Ifall hon är instängd på en enslig plats i bara bh och trosor kan hon inte fly", påpekar Anton. "Då skulle hon frysa ihjäl på mindre än en timme."

Daniel nickar. Tröttheten har försvunnit, tankarna rinner klara igen.

"Kan hon hållas fången på en plats dit det bara går att komma med snöskoter?" säger han. "I så fall borde vi leta efter henne på fjället."

Han kastar en snabb blick mot fönstret på långväggen. Det har börjat snöa igen, det är minus tjugoen och temperaturen ska falla ytterligare.

Om Amanda är instängd i en stuga står de inför en enorm uppgift. Hon skulle kunna befinna sig var som helst mellan Åre och norska gränsen. Eller ännu längre bort. Det är ett vidsträckt område, dessutom svårt att genomsöka på natten.

Han försöker föreställa sig scenen, förstår motvilligt syftet med att förvara sitt offer i en isolerad stuga på fjället där ingen kan hitta henne. Eller höra henne skrika.

Gärningsmannen använder naturen som fångvaktare.

Amanda är helt utlämnad åt sin förövare.

33

Daniel sitter bakom sitt skrivbord och försöker planera en sök-
insats till nästa morgon. Vädret är för dåligt för att sätta igång
redan under natten, de kommer att behöva vänta tills det är
ljust och vinden förhoppningsvis har lagt sig.

Klockan har blivit halv nio på kvällen när mobilen ringer.

"Lindskog."

"Tjenare Daniel", säger Bosse Lundh, Missing Peoples ord-
förande. "Hur går det?"

"Vi jobbar på."

"Det var tråkigt att vi inte lyckades hitta Amanda i morse",
fortsätter Bosse. "Jag hade verkligen hoppats att vi skulle finna
ledtrådar som kunde hjälpa er vidare."

"Ja", hummar Daniel.

Han har inte riktigt tid med kallprat. De ska snart samlas
igen, så fort Anton fått fram en detaljerad karta över fjället.
Men han vill inte verka otrevlig. Bosse är hängiven, en riktig
eldsjäl som gör mycket för trakten.

"Det var många som ställde upp", säger Bosse med värme i
rösten. "Mer än femtio personer var ute och letade i kylan. Det
kan man kalla bykänsla. Man blir ändå lite stolt över folket här
uppe, att alla vill hjälpa till."

Anton sticker in huvudet genom dörren och gör tecken att
de ska samlas igen.

"Var det något särskilt du ville?" säger Daniel och försöker
undvika att låta kort.

"Just det", säger Bosse. "Jag har haft kontakt med vår norska
systerorganisation i Trondheim, det är därför jag ringer. De

vill också hjälpa till, om det kan vara till nytta?"

Daniel funderar. Det är knappt sjutton mil mellan Åre och Trondheim. De har beslutat sig för att inrikta sökinsatsen på Ullådalen i första hand men de kan mycket väl behöva leta närmare gränsen.

"Det är bra att veta", säger han. "Låt mig återkomma om det."

Bosse Lundh suckar.

"Det är svårt att tänka på något annat än Amanda just nu. Och hennes stackars föräldrar. Har ni gjort några nya fynd?"

Daniel ser Amandas utspridda kläder framför sig.

"Jag kan inte gå in på några detaljer", säger Daniel, "men vi har funnit ... vissa klädesplagg."

"Är det sant? Det måste vara bra? Då lever hon väl fortfarande?"

"Vi hoppas det", säger Daniel. "Men du får behålla det för dig själv så länge."

"Självklart. Var hittade ni dem?"

"Jag kan tyvärr inte gå in på det just nu."

"Jag förstår. Om ni behöver ha folk som letar i området där ni hittade kläderna kan du höra av dig."

Daniel prövar idén. De är inte klara med planeringen av sökinsatsen på fjället. Det är ingen idé att Missing People skickar ut sina volontärer i onödan.

"Du bör nog avvakta så länge", säger han. "Vi måste jobba på innan vi kan avgöra var man ska fortsätta söka. Vi håller kontakten."

"Det är många i trakten som vill bidra", avslutar Bosse. "Det är bara att säga till så samlar vi trupperna."

"Tack", säger Daniel uppriktigt. "Vi uppskattar ert engagemang. Du får bara ge oss lite tid."

Han känner stödet men är inte säker på att han vågar skicka ut civilister i dåligt väder och svår terräng.

Det sista de behöver just nu är ännu fler personer som försvinner på fjället.

34

Anton har letat rätt på en stor karta som visar skoterlederna mellan Duved och Åre. Den är uppnålad på väggen i konferensrummet, Daniel står framför den och granskar området kring Ullådalen noga.

Det ligger väster om Åreskutan, så att säga på baksidan. Ett populärt tillhåll för längdskidåkare, särskilt på våren då vädret är mildare och kvällarna ljusa.

Daniel ser det böljande landskapet framför sig med den nu frusna Ullsjön i mitten.

Dalen är mjukt rundad med låga åsar och vita vidder som gnistrar när solen skiner. Här och där står dungar med vind-pinade fjällbjörkar, högre upp försvinner träden, där växer bara svarta snår som knappt orkar bryta genom skaren. Halvt över-snöade jakt- och fiskestugor, målade med färg som nötts bort under decennier, är utspridda i naturen. Ibland går de knappt att upptäcka när bara skorstenen sticker upp ur snömassorna. Skoter är ett måste för att ta sig fram.

Ullådalen är ett av Åres mest natursköna områden. Nu tyder mycket på att det kan vara platsen för ett allvarligt brott.

Raffe kliver in i rummet med ett stort pappersark under armen. Det mörka axellånga håret är hopsamlat i en hästsvans, skjortärmarna upprullade till armbågarna.

"Här är fastighetskartan från Lantmäteriet för området mel-lan Storlien och Järpen."

Han håller upp den. Ett sammelsurium av fastighetsbeteck-ningar, prickade och heldragna linjer och små fyrkanter som betecknar byggnader.

Det är som att titta på myrornas krig.

Daniel sätter sig och lutar hakan i händerna.

"Var börjar vi?" säger Anton, som om han läser Daniels tankar.

Raffe breder ut kartan på bordet och ställer en använd kaffekopp i varje hörn så att den inte ska rulla ihop.

"Vi antar ju att gärningsmannen har färdats med skoter och misstänker att Amanda kan befinna sig i en stuga på fjället", säger Anton. "Det borde väl gå att samköra registren över snöskotrar i trakten med fastighetsägarna i det här området?"

"Väldigt många människor äger snöskotrar i Åre", avbryter Raffe.

Daniel håller upp handen.

"Låt honom fortsätta."

"Kanske", säger Anton. "Men det är ändå ett begränsat antal. Och ännu färre äger mark utanför tätorten."

Han tar en penna. Sedan ritar han en stor cirkel med Ullådalen som mittpunkt.

Daniel förstår.

Det aktuella området är inte fullt så stort som det ser ut eftersom stugan bör ligga där det inte finns vägar. Annars skulle det inte krävas en skoter. Föraren borde också bo inom en rimlig radie från platsen, i annat fall skulle det vara för långt att köra tillbaka.

Framförallt bör de kunna begränsa sökområdet till väster om Åreskutan, då kläderna trots allt har hittats i Ullådalen.

Anton lägger armarna i kors över bröstet.

"Hur är det med kaffestugorna i Ullådalen?" säger han. "Vi borde ta ett snack med dem, höra ifall personalen har sett något."

Eftersom Anton är uppvuxen i Åre känner han området som sin egen ficka. Det finns få platser dit han inte hittar.

"Vad tänker du på?" frågar Daniel.

"Tväråstugan Ski Lodge i första hand. Sedan har du Lillåstugans våffelbruk. Personalen på Buustamons Fjällgård borde också höras för säkerhets skull."

Anton lånar pennan och böjer sig över kartan. Han sätter ett kryss vid Tväråstugan. Den ligger djupt in i dalen, precis norr om Ullådalsliften, och saknar vägförbindelse. Daniel minns att han har skidat förbi några gånger på våren.

Den ligger särskilt vackert till, med eget vattenfall vid foten av Åreskutan.

Anton gör en ny markering för Lillåstugan. Den ligger närmare Tegefjäll och E14, ovanför platsen som heter Ängarna. Den saknar också vägförbindelse men är lättare att komma till. Slutligen markerar han var Buustamon ligger, vid området som kallas Rödkullen.

Med pennan i handen går han bort till den andra kartan på väggen, den med skoterleder. Han ritar in Tväråstugan, Lillåstugan och Buustamon och gör en stor cirkel runt en plats inte långt ifrån Tväråstugan.

"Här hittades kassen med kläder", säger han.

Nu blir det tydligare.

Skoterleden går genom Ullådalens norra del. Fyndplatsen ligger söder om leden och snett öster om Tväråstugans konferensanläggning.

Daniel andas lättare. Det finns en utgångspunkt där de kan börja leta. Personal som kan sitta på väsentliga upplysningar.

Kan de ha sådan tur?

"Vi måste ta in fjällräddningen", säger han. "Vi kommer att behöva en helikopter med värmekamera också."

"Hur gör vi med Missing People?" undrar Raffe.

"De kan nog ställa till mer skada än nytta", säger Anton.

Daniel tänker på samtalet han nyss hade med Bosse Lundh.

"Vi avvaktar med dem så länge", säger han.

Bosse borde förstå hur de resonerar. Daniel hoppas det i alla fall. Det är en sak att ha civilister som letar kring tätorten och runt E14. En annan sak att skicka ut dem på fjället, i iskalla temperaturer.

Han ser ut genom fönstret där snön ryker.

”Har ni koll på väderprognosen för de närmaste tolv timmarna?” frågar han. ”Hur ser det ut?”

Raffe skakar på huvudet.

”Inte särskilt bra. Hårda vindar och minus tjugo, precis som igår. Det ska fortsätta snöa.”

Det betyder att helikoptern kommer ha svårt att ta sig fram. Men det kan inte hjälpas, de har inte tid att vänta.

”Så fort det blir ljust börjar vi leta.”

Amanda har slutat frysa.

Kroppen är avdomnad. Till och med köldrysningarna som förut kom och gick har upphört. Nu är musklerna loja och slöa, som om de tillhörde en annan.

Hjärtat slår långsamt i bröstet, hon andas sakta.

Amanda ligger på madrassen och drömmer.

Hon ser mamma och pappa framför sig, Mimi och Kalle. Hon sträcker ut armarna för att omfamna dem, men likt skuggfigurer försvinner de varje gång.

Hon får inte tag i någon.

"Ge mig en kram", mumlar hon och försöker slå armarna om sin lillebror, men han viker undan precis som de andra.

Hon ser Ludde, men kan inte höra honom skälla.

Varför frös hon så mycket innan? Hon minns inte, vet bara att det har slutat att vara kallt.

Hon andas långsamt, det tar emot lite grann, men hon är inte rädd, bara så väldigt sömnig.

Hon viker undan täcket och den andra madrassen, de behövs inte eftersom hon inte är genomfrusen längre.

För första gången sedan hon vaknade i stugan är hon varm.

Det enda hon vill är att fortsätta sova.

Söndagen den 15 december

35

Det är ljudet från ytterdörren som väcker Hanna. Att den öppnas och stängs med en liten smäll. Klockan är bara sju på morgonen.

Det var svårt att somna även igår. Hon låg och grubblade över Christian alldeles för länge. Längtade efter honom, trots hans stora svek.

Nu är hon klarvaken och pulsen går upp. Det låter som om en annan person är i huset, hon hör stegen som stannar till i några sekunder och sedan fortsätter.

Det är någonting som inte stämmer.

Hanna håller andan. Inser att en inbrottstjuv knappast skulle ha tillgång till ytterdörrens kodlås. Obehaget dröjer sig ändå kvar. Hon sveper en morgonrock om kroppen och tassar på bara fötter uppför trappan till entréplanet.

Precis när Hanna sätter foten på det sista trappsteget hörs ett brak och ett skrik.

Framför städskåpet i hallen står en mörkhårig ung kvinna med höga kindben och smala ögon. En dammsugare ligger på golvet, upp- och nervänd, med slangen bredvid som en ringlande orm.

Hanna och kvinnan stirrar på varandra. Hanna finner sig först.

"Vem är du?"

"So sorry", stammar kvinnan.

Hon stirrar i panik på några flaskor med rengöringsmedel som också trillat ut ur skåpet. Korken har åkt av på den ena och den tjocka vätskan rinner ut på stengolvet. Synen verkar göra henne skräckslagen.

Hanna tar henne försiktigt i armen.

"Det är lugnt", säger hon. "Det är ingen fara. Vi kan torka upp det."

Kvinnan börjar gråta. Hennes rädsla står inte i några proportioner till vad som hänt. Vem som helst kan välta omkull en dammsugare eller ha ut en flaska såpa.

Hanna böjer sig ner på knä.

"Det gör verkligen ingenting", säger hon. "Vad heter du?"

När hon inte reagerar frågar hon på engelska istället.

"Zuhra", svarar kvinnan utan att se på Hanna.

Underläppen darrar fortfarande.

"Sorry", viskar hon igen.

Hanna hämtar en rulle hushållspapper för att torka upp. När det värsta är borta samlar hon ihop det använda pappret och slänger det i soporna.

Zuhra verkar fortfarande alldeles förskräckt över situationen.

"Ska jag göra lite kaffe åt oss?" frågar Hanna på engelska.

När Zuhra inte svarar drar Hanna med henne till köket och pekar att hon ska sätta sig på en av matstolarna. Sedan lägger hon snabbt en kapsel i Nespressomaskinen och fixar en kopp.

"Vill du ha mjölk?" frågar hon.

Zuhra skakar på huvudet.

Hanna sätter sig mittemot. Zuhra verkar väldigt ung, knappast mer än arton, nitton.

"Var kommer du ifrån?" säger hon försiktigt.

"Uzbekistan."

"Har du varit i Sverige länge?"

Zuhra gör en gest som inte går att tyda. Hon har fortfarande ett skrämt uttryck i ögonen.

"Du behöver inte vara orolig", försöker Hanna. "Det var en olycka, ingen skada skedd."

Det blir tyst, Zuhra fingrar på sin kopp. Naglarna är nerbitna och fingertopparna svullna. Munnen skälver fortfarande.

Hon sitter mycket stilla, som om hon inte vet om det är tillåtet att röra sig.

"Inte vara folk hemma", kastar hon fram. "Jag städa varannan vecka och det tomt."

Hanna förstår hur det hänger ihop.

Hon försöker förklara att hennes syster på kort varsel lånat ut huset. Lydia har förmodligen glömt bort att berätta för Zuhras arbetsgivare att Hanna ska vara här i några veckor.

Hanna är inte förvånad över att Lydia har städhjälp. Det är typiskt henne att se till att huset hålls rent oavsett om familjen är där eller inte. Däremot förstår hon inte varför Zuhra är så uppjagad. Kan det handla om svartstädning?

Det är svårt att tro. Lydia skulle aldrig agera på det viset. Hon är en välkänd advokat, hennes renommé är värt mycket mer än några tusenlappar i sparade städkostnader.

Zuhra har druckit upp sitt kaffe.

"Jag städa nu?" säger hon och reser sig lite för hastigt.

"Visst", säger Hanna. "Jag ska hålla mig ur vägen."

Hon får en nervös nickning till svar. Hanna är inte säker på att Zuhra förstår.

Hon försvinner bort mot städskåpet igen och Hanna hör hur hon monterar ihop dammsugaren.

Någonting skaver när Hanna går ner för att duscha. Det där skrämda uttrycket i Zuhras ögon, sättet hon hukar sig på, som om hon är rädd för att få stryk.

Zuhras reaktion får henne att tänka på andra kvinnor hon mött i jobbet som polis.

Rädda kvinnor vars män misshandlar dem.

36

Efteråt ska Daniel minnas exakt var han befann sig när beskedet kom.

Alla är samlade i konferensrummet för att planera sökinsatsen. Två män från Fjällräddningen är där, liksom en kvinna från Hemvärnet med sitt gråa hår samlat i en tofs. Raffe, Anton och Daniel sitter vid kortändan.

Kartan med markeringar som de använde igår kväll är utbredd på bordet.

Östersund är uppkopplat via länk.

Poliskommissarie Birgitta Grip sitter till höger på videoskärmen. Hennes fårade ansikte är bekymrat medan hon lyssnar på genomgången.

Situationen är allvarlig och det märks på tonen i mötet. Ingen begär ordet i onödan, de sarkastiska skämt som ibland används för att lätta upp stämningen lyser med sin frånvaro.

Koncentrationen är total när de diskuterar det bästa tillvägagångssättet för att hitta Amanda.

Mötet har pågått i en dryg timme. Det ska dra igång alldeles snart, vid halv tio, så fort det är tillräckligt ljust ute för att göra letandet meningsfullt. De har två helikoptrar med värmekamera till sitt förfogande och disponerar även ett stort antal snöskotrar. Det har bestämts att Anton och Raffe ska följa med sökinsatsen medan Daniel stannar kvar på stationen.

Väderleksprognosen är marginellt på deras sida. Det snöar fortfarande och blåser ordentligt uppe på Åreskutan, men det har mojnat precis så mycket att det inte längre råder flygförbud.

Daniel hoppas intensivt att de valt att fokusera på rätt område. Han har varit uppe sedan klockan sex och redan druckit tre koppar kaffe. I natt fick han fem timmars sömn, Ida och Alice sov djupt både när han kom hem och när han åkte därifrån.

"Har ni fått tag i personal från Tväråstugan?" säger Birgitta Grip efter att noga ha lyssnat på Daniels summering.

"Det var en återvändsgränd", svarar Anton. "Det var stängt över lucia."

Det var lika illa med Lillåstugan, de öppnar för säsongen först på annandagen. Buustamons personal ska de tala med senare på dagen men restaurangchefen som de redan pratat med hade inte sett något ovanligt.

De har precis gått igenom de sista detaljerna när Daniel ser på skärmen hur en person kommer in i konferensrummet i Östersund. Det är en kvinna i civila kläder. Hon avbryter diskret genom att knacka Birgitta Grip på axeln. De för en viskande konversation i några minuter.

Grips spända käkar får Daniel att reagera. Det är dåliga nyheter, han känner det på sig.

Vad är det som händer?

Grip vänder blicken mot kameran igen. Hon suckar tungt, stryker med handen över pannan.

"LKC har precis fått in ett akut larmanrop i ert område", meddelar hon. "En liftvärd har hittat en död person vid VM6:an. Ni får sticka dit med en gång."

Daniel ställer sig upp så häftigt att stolen välter bakom honom.

Det måste vara Amanda, vem skulle det annars vara?

37

Det tar bara några minuter att köra från polisstationen på Kurortsvägen till sittliften på Kabinbanevägen. Ändå är färden evighetslång. Frågorna strömmar genom Daniels huvud medan Anton kör så fort han vågar på den hala körbanan.

Varför skulle Amanda hittas på en sådan udda plats? Kan det vara någon annan? Vem i så fall?

Det var en grabb som ringde in men han var så skärrad att det inte gick att föra ett vettigt samtal. Det enda han upprepade var att det låg en död människa i liften.

Vindrutetorkarna kämpar när de sladdar in på parkeringen med två polisbilar i släptåg. Daniel kastar upp dörren på sin sida och börjar springa genom snöfallet, uppför backen mot området där den stora röda kabinbanebyggnaden ligger sida vid sida med VM6:an.

Genom en gardin av yrsnö tar han in scenen.

Liften står stilla, men en av stolarna har stannat precis där den svänger runt. Det ligger ett slags bylte på marken nedanför.

En ung man står och väntar framför det bruna lifthuset. Han har slagit armarna om sig, som om han håller på att tappa fattningen. Trots kylan har han varken vantar eller mössa. Den glada röda jackan med Skistars emblem passar illa i sammanhanget.

Han reagerar inte när Daniel närmar sig. Först när han står precis framför honom ser han upp.

"Jag kommer från polisen", säger Daniel andfått. "Är det du som har ringt 112? Om en död person i liften?"

Killen nickar hastigt.

Han pekar mot påstigningsplatsen, men undviker noggrant att titta åt det hållet.

"Där borta", får han fram.

Håret är fullt av snö, läpparna blå av köld.

"Gå in och värm dig", säger Daniel.

Killen ser osäkert på Daniel men lunkar mot dörren.

I samma sekund kommer Anton i kapp. Två polismän i uniform är också på väg fram.

I ögonvrån ser Daniel ett par skidåkare som nyfiket betraktar scenen. Det lär inte dröja länge innan halva bygden känner till vad som har hänt. Media kommer att gå igång på det här, det vet han av tidigare erfarenhet.

"Spärra av området", ropar Daniel till kollegorna. "Se till att inga obehöriga kommer för nära."

Sedan duckar han under stålräcket som inhägnar liftkön och går bort till påstigningsplatsen.

Solen har knappt hunnit gå upp, skuggorna är fortfarande långa.

I dunklet skymtar Daniel en naken rygg. Kroppen är vänd i backens riktning. Det är svårt att se konturerna men han uppfattar en smal midja och rundade höfter. Sedan registrerar han bh:n och trosorna. Det tar några sekunder att urskilja dem. Plaggen är så ljusa, de smälter samman med de lätta snöflingorna som täcker kroppen.

Daniel tar några sista steg så att han kan se ansiktet ordentligt. Det är faktiskt Amanda som ligger där med kinden mot marken.

Helvete.

Fast han varit förberedd är det ändå en chock att möta hennes döda ansikte i snön. Hittills har han bara sett henne på fotografier, på bilder där hon skrattat mot kameran. Hon har spexat och gjort miner, utstrålat energi. Allting har varit i färg.

Nu är det en svartvit version han betraktar.

Amanda har blivit ett fruset skal till människa. En isdocka

som aldrig mer ska le mot sina föräldrar och småsyskon.

Trots alla ansträngningar lyckades de inte rädda henne.

Ljudet av sirener bryter tystnaden. På avstånd försöker en av poliserna mota bort nyfikna skidåkare. En ung kille tar upp en mobiltelefon för att filma, men får en skarp tillsägelse att låta bli.

Daniel sätter sig på huk bredvid den döda flickan.

Amandas ögon är slutna och ansiktet lugnt. Kroppen är lätt hopkrupen. Hon måste ha varit död ett tag. Det behöver han inte en rättsläkares bedömning för att förstå.

Iskristaller blänker på huden.

Daniel reser sig. För en halvtimme sedan planerade de en sökinsats. De hoppades hitta Amanda vid liv innan det var för sent.

Beviset på deras misslyckande ligger framför dem.

Nu behöver de leta efter något helt annat.

En mördare.

38

Daniel parkerar utanför familjen Halvorssens vita tegelvilla. Anton sitter bredvid honom i passagerarsätet. På vägen dit har han funderat över det bästa sättet att förmedla det tragiska beskedet men förmodligen spelar det ingen roll. Föräldrarna kommer ändå att bli förkrossade.

Daniel lossar säkerhetsbältet och önskar att det vore över. Han vänjer sig aldrig vid de här situationerna, det är den delen av hans yrke som är absolut värst.

Vad han än säger kommer han att ligga vaken ikväll och grubbla över om han kunde ha handlat annorlunda, om de kunde ha gjort något mer för att hitta Amanda i tid.

Det har bara gått en halvtimme sedan de konstaterade att det var hon. Rättsläkaren och kriminalteknikerna är på ingång, hela området runt VM6:an är avspärrat. De har skyndat sig hem till familjen för att de inte ska behöva höra nyheten genom media.

Den chocken ska de åtminstone besparas.

"Ska vi gå in?" säger Anton. "Det är ingen idé att vi drar ut på det."

Båda tiger under den korta promenaden fram till ytterdörren. Anton ser också ut att önska sig långt bort. Han har kört ner båda händerna i byxfickorna, som om han inte vet var han ska göra av dem.

Daniel ringer på. Han fryser. Varför måste det vara så förbannat kallt hela tiden?

Till slut öppnas dörren av Harald. Han är gråblek i hyn och orakad.

"Får vi komma in?" säger Daniel. "Vi behöver tala med dig och din hustru."

Lena skyndar ner från övervåningen med rödsvullna ögon. De sätter sig vid köksbordet, Lena på en pinnstol tätt intill sin man. Hon kramar en bit hushållspapper i handen. Då och då torkar hon bort tårarna som rinner nerför kinderna.

Daniel söker efter orden trots att ingenting känns rätt.

Det går inte att skjuta upp beskedet längre.

"Vi har tyvärr tråkiga nyheter", börjar Daniel.

Lenas ögon vidgas medan Harald griper om bordsskivan med båda händerna.

"I morse kom ett larm till 112", säger Daniel. "Man har hittat Amanda borta vid VM6:an."

Han samlar sig för det slutgiltiga beskedet.

"Jag beklagar verkligen, men er dotter är död."

Först sitter Lena alldeles stilla, som om hon inte riktigt hört vad han har sagt. Sedan ger hon ifrån sig ett gnyende läte. Det liknar inte ett ljud Daniel hört förut. Det är djuriskt och gällt, ett förtvivlat tjut som liksom pressas fram ur kroppens innersta skrymslen.

Harald rör sig inte. Han sitter stilla med slutna ögon medan Lenas ylande fyller rummet.

Till slut tonar det bort, hon kollapsar med ansiktet gömt i händerna.

Köksklockan tickar högt i tystnaden.

"Hur gick det till?" säger Harald lågt och utan att se på Daniel. "Hur dog min dotter?"

"Vi kan inte svara på det riktigt än", säger han. "Dödsorsaken har inte hunnit fastställas."

Harald knyter händerna.

"Hur såg hon ut?" fortsätter han. "Var hon ... skadad?"

"Hon såg ut precis som vanligt", säger Daniel.

Han undviker att berätta att Amanda var klädd i bara bh och trosor. Den upplysningen gör ingenting bättre just nu.

"Får vi ... se henne?"

"Självklart. Men hon kommer att föras direkt till Umeå för obduktion, och efter det hoppas vi också kunna ge er ett besked om dödsorsaken."

"Ska ni skära i henne?" viskar Lena.

Hon har slagit händerna för munnen, fingrarna skakar.

"I sådana här situationer måste man göra en obduktion", säger Anton.

"Jag vill inte att ni skär i min dotter."

"Jag beklagar", säger Daniel.

Han samlar kraft för att ställa nästa fråga. Föräldrarna framför honom är redan tillintetgjorda. Det han nu behöver ta upp gör inte saken lättare.

Han ger sig själv några extra sekunder och drar med tummen över köksbordet. Det bär spår av ett familjeliv med många barn i huset. Träytan har ringar efter varma muggar, ett brännmärke syns efter en tappad tändsticka. Här och där finns rispor efter att någon skurit utan skärbräda.

"Vi har anledning att misstänka att det ligger ett brott bakom Amandas död", säger han. "Vi skulle behöva ställa några ytterligare frågor, om ni orkar med det?"

Lena märker inte vad han sagt, hon gråter tröstlöst och stänger ute alla i rummet.

Bara Harald reagerar.

"Vad menar du?" säger han.

"Vi tror att Amanda blev bortförd mot sin vilja", säger Daniel. "Att hon kan ha hållits fången i en stuga på fjället under tiden mellan hennes försvinnande och idag då hon hittades."

Harald ruskar på sig.

"Varför skulle man göra så?" säger han.

"Det är just det vi behöver tala med er om."

Daniel lutar sig fram.

"Finns det någon som har följt efter din dotter den senaste tiden? Har hon berättat om personer som hon känt obehag inför?"

Harald skakar på huvudet.

"Hon har inte nämnt det."

"Vet du om hon var rädd för någon?" undrar Anton.

"Jag tror inte det."

"Har hon fått otrevliga meddelanden, till exempel via Instagram eller andra sociala medier?"

Harald ser helt oförstående ut.

"Jag begriper inte varför man skulle göra så här mot henne." Rösten brister.

"Mot oss."

Han ser på Lena, som har ansiktet gömt i händerna. Hon märker inte hans blick, hon verkar helt innesluten i sin egen sorg.

"Har ni ovänner?" föreslår Daniel. "Kanske en äldre konflikt som blossat upp igen? Ibland kan man behöva gräva i det förflutna, även om det verkar osannolikt."

Harald bara skakar på huvudet igen.

"Det är viktigt att vi får reda på om det finns personer i Amandas närhet som kan vara skyldiga till hennes bortförande", säger Daniel.

"Hon är bara arton", utbrister Harald. "Vem skulle vilja göra henne illa?"

Det gör ont när Harald talar i presens om sin döda dotter. Daniel kan inte föreställa sig smärtan i att förlora ett barn. Han ser Alice för sin inre syn. Om något hände henne vet han inte hur han skulle kunna leva vidare.

"Jag förstår att det här är svårt", säger han. "Vi ska inte hålla på länge."

Daniel behöver fråga om Haralds politiska engagemang. Hot mot lokalpolitiker är ett växande problem.

"Det här är kanske svårt att besvara just nu", säger Daniel, "men jag undrar om det kan finnas personer som velat komma åt dig genom din dotter?"

Trots att Harald redan är mycket blek försvinner all färg från ansiktet.

"Skulle man ha dödat Amanda för att hämnas på mig?" viskar han.

"Du är politiker", säger Daniel i mild ton. "Ibland kan det uppstå ... gräl inom politiken. Har du några fiender?"

Harald sjunker ihop på sin stol.

"Inte som jag vet."

"Har du tagit emot hotbrev eller hotfulla meddelanden i tjänsten? Har okända ringt hem till er mitt i natten?"

"Nej."

"Hur var det efter VM tidigare i år?" säger Anton. "Kom det inga starka reaktioner efter det? Det var ganska hätska tongångar då."

Harald skakar på huvudet.

"Som politiker är man van vid att alla inte gillar de beslut som måste tas", säger han med spänd röst. "Ibland blir det svåra avgöranden."

Han blir tyst i några sekunder innan han fortsätter.

"VM var en besvikelse för många men jag kan inte föreställa mig att mina politiska motståndare skulle ge sig på min dotter ..."

Rösten dör bort när livliga röster hörs från trappan. Tvillingarna är på ingång, Mimi och Kalle studsar in i köket iförda varsin randig pyjamas. De är förbluffande lika, tänker Daniel, med samma raka näsor och smala kroppsbyggnad. Barnen påminner inte särskilt mycket om sin storasyster, Amanda har ärvt Lenas utseende.

Glädjen kommer av sig när de ser sin mammas krokiga gestalt. Som i ett trollslag blir de stilla. Armarna sjunker, ögonen får ett vaksamt uttryck.

Rädslan skiner igenom.

Deras blickar, som fastnat på Lena, glider över till Harald innan de fortsätter till de två poliserna.

Kalle flyttar sig ett steg närmare sin tvillingsyster. Hon lägger armen om honom i en lillgammal, beskyddande gest.

Daniel vet av erfarenhet att deras liv aldrig mer ska vara detsamma. Som polis har han bevittnat många familjetragedier, det kommer att finnas ett *före* och ett *efter* Amandas död.

Lena breder ut armarna och båda störtar fram emot henne.

"Amanda är död", stöter hon fram. "Er storasyster finns inte mer."

39

Det går inte att läsa någon ny information om Amanda på Missing Peoples Facebooksida när Hanna sätter sig vid köksbordet och öppnar datorn. Däremot många deltagande kommentarer från Årebor och andra kommuninvånare.

Karro, som hon mötte under skallgången och bytte telefonnummer med, har skrivit några stöttande rader med massor av röda hjärtan till föräldrarna.

Zuhra har precis gått sin väg med en sista ängslig blick på golvet där rengöringsmedlet rann ut. Hanna fick försäkra henne flera gånger att det inte var farligt och att hon varken behövde betala för det eller ta upp saken med sin chef. I fem timmar gick hon fram som en tornado, nu luktar det citron och glänser överallt.

Det är lite av en besvikelse att inga ytterligare sökinsatser planeras. Trots att gårdagens ansträngningar var förgäves skulle Hanna inte haft något emot att delta i en ny. Rastlösheten river i kroppen, när hon inte har något att göra kommer alla onda tankar om Christian tillbaka.

Hon hade gärna deltagit i utredningen som tjänstgörande polis. Det hade varit bättre än att bara sitta sysslolös och grubbla.

Eller är det Åre som får henne att känna sig särskilt låg?

Hanna reser sig och går bort till altandörrarna. Det snöar, som det gjort nästan oavbrutet sedan hon kom hit. Hon skulle behöva skotta av det värsta på altanen.

Genom snöyran ser hon de julpyntade grannhusen, girlangerna som glimrar i kvällsmörkret. Det är tredje advent, men hon har inte brytt sig om att tända några stearinljus i ljusstaken.

Innerst inne vet hon att det aldrig var Åre det var fel på.

Precis som Lydia älskade hon att komma hit, att se den välvda himlen och de snötäckta fjälltopparna. Hon hittar överallt och har åkt skidor i varje ravin och klyfta. Åreskutans baksida är som ett andra hem.

Ändå har hon aldrig velat komma tillbaka.

Hon har lyckats undvika de jämtländska fjällen i femton år. Nu är hon här och de såriga barndomsminnena stiger upp till ytan, precis som hon fruktade.

Som om själva platsen förvandlar henne till den där lilla flickan som aldrig kunde göra rätt i sin mammas ögon.

Mobilen ringer. Det är Lydia. Det är en lättnad att bli avbruten så de mörka tankarna kan skjutas åt sidan.

"Har du hört vad som har hänt?" säger Lydia och låter ovanligt upprörd.

Det är inte likt henne. Lydia har alltid kontroll på situationen.

"Nej", säger Hanna och går tillbaka till köksbordet.

"Det kom precis ut, jag fick en nyhetsflash i mobilen."

"*Vad* kom ut?"

"Den döda flickan i Åre."

Hanna stelnar till.

"Har de hittat henne?" utbrister hon.

"Du känner alltså till det?"

Hanna undviker en djupare förklaring om Missing Peoples sökande.

"Jag visste att en ung flicka hade försvunnit i trakten."

Medan hon pratar går hon in på en av kvällstidningarnas hemsidor och ser genast den feta rubriken:

Död flicka funnen i Åre.

Ett suddigt foto taget på långt håll, förmodligen av en privat mobiltelefon, visar en kropp som ligger på marken nedanför en stillastående lift. Det måste vara VM6:an, Hanna känner igen den, hon vet precis var dalstationen ligger och har åkt där många gånger.

Obehaget far runt i kroppen.

"Det är förskräckligt", säger Lydia. "En ung flicka mördad mitt i Åre."

"Vet man det?" säger Hanna.

Lydia kommer av sig.

"Det antar jag", säger hon sedan. "Varför skulle hon annars dyka upp så där, död och utan kläder?"

Hanna skummar texten på skärmen. Amanda hade tydligen bara bh och trosor när hon hittades. Texten redogör för hennes försvinnande och de ansträngningar som gjorts de senaste dygnen för att finna henne.

Det är obegripligt att tidningen redan har fått tag i så många detaljer. Hanna kan föreställa sig vad utredarna tycker om den saken.

"Jag ville bara veta att du är okej", säger Lydia. "Att du är rädd om dig."

"Det är jag", försäkrar Hanna.

Lydia låter bekymrad när hon fortsätter.

"Det har varit rätt mycket för dig de senaste dagarna. Hur mår du egentligen?"

Hanna lutar sig tillbaka i stolen och försöker känna efter.

Det är faktiskt lite bättre. Det har nästan gått en vecka och de första dagarnas akuta chocktillstånd har lagt sig.

Hon är fortfarande fruktansvärt besviken på Christian men längtar inte efter honom på samma sätt. Inte så att det gör ont i hela kroppen.

Sorgen över att vara utsparkad från Citypolisen är däremot lika rå och öm.

"Jag klarar mig", svarar hon.

"Är det säkert?" säger Lydia.

"Jag lovar."

De småpratar lite till och ska just lägga på när Hanna kommer att tänka på städerskan som var där på morgonen.

"Förresten", säger hon. "Det kom hit en tjej i morse för att städa huset."

"Så bra."

Lydia verkar inte reflektera över saken.

"Vad heter den där städfirman som du använder?" undrar Hanna.

"Hur så? Har det gått sönder saker?"

Det är typiskt Lydia att tänka på det viset.

"Jag menade inte så", säger Hanna.

Hon tar till en nödlögn.

"Tjejen glömde sin mössa. Jag ville bara ringa dem och säga det."

"Jaha." Lydia låter lättad. "Jag måste kolla. Vi tecknade ett städabonnemang när huset stod klart så jag kommer inte riktigt ihåg."

Ska hon säga något till Lydia om Zuhra, om hur rädd och kuvad hon verkade vara?

Det var bara ett hastigt intryck, det finns ingenting att gå på. Ändå kan Hanna inte riktigt skaka av sig känslan av att det inte stod rätt till.

Det är ingen idé att ta upp det med systern.

"Det är inte viktigt", säger hon. "Men om du hinner se efter under dagen kan du väl messa mig namnet på städfirman."

De lägger på och Hanna blir sittande med mobilen i handen. Nyheten om att Amanda är död är förfärlig. Hon önskar att hon kunde hjälpa till.

Än en gång frågar hon sig om utredarna känner till pojkvännens förflutna. Borde hon kontakta Karro och be henne snacka med sin bror som är polis?

Bara för att vara på den säkra sidan?

40

En hastig pyttipanna med stekt ägg och rödbetor på Werséns restaurang vid Åre torg ger Daniel och Anton några ögonblicks andrum.

De behöver nytt bränsle, klockan är bara halv ett, men de är utmattade efter besöket hemma hos familjen Halvorssen. Daniel äter utan att känna efter hur det smakar.

Stämningen är tryckt när de är tillbaka på stationen. Ingen av kollegorna är oberörd, att förlora en ung flicka är svårt att ta in.

Raffe sitter redan vid det avlånga bordet när Daniel och Anton kliver över tröskeln, liksom två kriminaltekniker som nyss kommit tillbaka från fyndplatsen. Daniel känner igen båda, men minns inte riktigt deras namn.

Rättsläkaren, Ylva Labba, är också där. Hennes mörka hår är tillbakadraget i nacken med ett spänne, men det ser lite rufsigt ut, som om hon just dragit av sig mössan. Det är ren tur att Ylva är här. I vanliga fall är hon stationerad i Umeå, men hon råkade vara i Östersund över helgen. När larmet kom beslöt hon sig för att följa med till Åre.

Hon ska snart tillbaka till hemstaden för att genomföra obduktionen av Amandas kropp, men har lovat dem en kort första avrapportering innan hon åker.

Daniel slår sig ner på stolen mittemot Ylva. De har bara träffats via videolänk förut. Den sortens brott som kräver hennes expertis på plats har varit sällsynta i Åre, åtminstone under den tid som han har jobbat här.

Hon är varmt klädd i stickad tröja och har fodrade byxor ner-

175

stoppade i tjocka kängor. En schal om halsen går i den samiska flaggans färger.

"Vad tror du?" säger Daniel. "När dog hon?"

Ylva Labba fiskar upp ett par glasögon, vecklar ut bågarna och placerar dem omsorgsfullt på näsan. Hon har en tjock anteckningsbok med en svart pärm framför sig.

"Du vet säkert vad kyla gör med döda kroppar", säger hon. "Den fryser tiden, bokstavligt talat."

"Vågar du dig på en gissning?" undrar Anton.

Han ser trött ut. Daniel anar att hans tankar går i samma banor som hans egna. Om de bara hade börjat leta efter Amanda tidigare. Om de bara hade lyckats hitta henne när hon fortfarande var vid liv.

Han vet att det inte tjänar någonting till att tänka så men det är svårt att låta bli. Besvikelsen och misslyckandet dunkar i kroppen.

Rättsläkaren tuggar på pennan.

"Det finns inte mycket att gå på", säger hon. "Flickan uppvisade inga likfläckar som kan ge oss vägledning. Inga tecken på förruttnelse heller. I vanliga fall är kroppen stel som en pinne efter åtta till tolv timmar, men i den här kylan blir det mer komplicerat. Frågan är om kroppen har stelnat på grund av temperaturen, eller om det rör sig om normal likstelhet som inträtt efter döden."

"Hur lång tid skulle du säga att hon hade på sig innan kylan tog henne?" frågar Raffe. "Om vi antar att hon befann sig utomhus i det här vädret."

Ylva Labba vänder sig mot honom.

"Det påverkas av många faktorer som allmäntillståndet, mängden underhudsfett och förstås hur mycket kläder man har på sig."

Daniel ser Amandas frusna kropp framför sig. Hon bar nästan inga kläder och var relativt tunn och liten.

"Hur går det till rent konkret?" säger Raffe. "Om man får fråga?"

"Det får man", säger Ylva Labba. "Normal kroppstemperatur ligger runt trettiosju grader, men redan vid trettiotre blir läget allvarligt. Vid den nivån börjar man bli apatisk, pulsen är ojämn och andningen blir ytlig. Om temperaturen sjunker ännu mer påverkas blodtrycket och personen blir förvirrad. Under trettio grader avtar andningen, och hjärtat slår så långsamt att vätska kan komma in i lungorna. Oftast är personen medvetslös vid det laget, så småningom inträffar hjärtstopp. När kroppstemperaturen sjunkit till nitton, tjugo grader upphör hjärnverksamheten. Då är man kliniskt död."

Ylva Labba är mycket pedagogisk men det hon säger hjälper dem inte vidare.

"Kan du berätta om tidpunkten för dödsfallet?" undrar Daniel.

Han vill inte att hon åker tillbaka till Umeå utan att ge dem något konkret att jobba med.

"Eftersom kroppen var så stelfrusen bör det ha gått åtminstone tolv timmar", säger Ylva Labba till slut. "Mer än så kan jag faktiskt inte säga just nu."

Amanda försvann mellan klockan ett och två natten till fredagen. Från den tidpunkten och fram till att hon hittades hann det gå omkring femtiofem timmar. Hon kan alltså ha varit i livet under en tid, kanske det första dygnet.

Var fanns hon då?

Möjligen på fjället. I stugan som de skulle påbörja sökandet efter på morgonen.

"Hur är det med dödsorsaken?" frågar han. "Kan du uttala dig om den?"

"Jag har bara gjort en okulär besiktning, det hoppas jag att ni förstår."

"Absolut", säger Anton snabbt.

"Det finns några märken på halsen och på överarmarna,

utöver det inga tecken på yttre våld. Varken rivsår, blåmärken eller andra skador."

"Strypmärken?" frågar Daniel.

"Det verkar så."

"Men du kan inte säga om det är dödsorsaken?"

"Inte på det här stadiet."

Olusten växer i Daniel när han begrundar Ylva Labbas observationer.

Med så få tecken på yttre våld kan Amanda ha följt med personen frivilligt. Det antyder att det var någon som hon inte var rädd för.

En som hon redan kände. Som bor i trakten.

41

Hur många genomgångar med Östersund har de haft de senaste dagarna? Daniel kan inte hålla räkningen när han gör sig beredd att koppla upp dem igen.

Ylva Labba och de två kriminalteknikerna har åkt sin väg.

Daniel gnuggar sig i ögonen innan han öppnar länken de använder för flerpartssamtal. Moderna kommunikationsverktyg som videokonferenser underlättar i många sammanhang, samtidigt finner han det märkligt att resurserna måste centraliseras så hårt att de flesta möten sker via skärm.

I storstaden tar man för givet att allt ska finnas på plats men i glesbygden är det annorlunda. Det låter bra att öka effektiviteten genom att kraftsamla, men verkligheten blir tungrodd när brottsplatsen ligger i Åre, ledningen finns i Östersund och LKC, Länskommunikationscentralen, är placerad i Umeå.

Dessutom är det något med den personliga kontakten som går förlorat när man diskuterar via länk. Det blir svårt att uppfatta de små signalerna, ett medhållande ögonkast eller en kritisk hållning. De tysta tankarna som läcker från kollegorna under mötets gång.

Dörren öppnas bakom hans rygg.

"Ska vi köra?" säger Anton med en ny kaffekopp i handen och Raffe i släptåg.

"Ge mig en minut", säger Daniel.

Mobilen plingar till, men han ignorerar sms:et. En annan fråga upptar hans tankar.

"Hur hamnade kroppen i liftstolen?" säger han.

Anton vrider på huvudet i Daniels riktning.

"Va?"

"Hur kom mördaren åt att lägga Amanda i liften?" säger Daniel.

Anton ställer ner kaffekoppen på bordet och sätter sig.

"Vad är din teori?" undrar han.

"Hon måste ha placerats där under natten."

"Liftvärden som larmade sa att han upptäckte kroppen när han satte igång maskineriet på morgonen", skjuter Raffe in.

Det är han som har förhört honom eftersom Daniel och Anton var tvungna att informera föräldrarna.

Killen hade svårt att samla sig efter chocken, tydligen hade han gått klassen över Amandas och kände igen henne med en gång. Så snart han mår bättre ska de förhöra honom igen. Men Raffe lyckades ändå få ur honom vissa detaljer.

"Han uppgav att Amanda redan halvlåg på sätet när stolen var på väg ner", fortsätter han.

"Alltså måste hennes mördare ha lagt henne där när stolen svängde runt på toppen", konstaterar Daniel.

Det finns inget annat ställe att göra det på. Daniel har åkt skidor i backarna vid VM6:an många gånger. Sittliften går högt över marknivån. Så fort den vänt befinner sig stolarna flera meter upp i luften.

"Vänta lite", säger han.

Bilden av ett litet hus precis där liften slutar dyker upp på näthinnan.

"Skistar har väl bemanning både vid påstigningsplatsen och avstigningsplatsen?" säger han. "Ifall folk inte fixar att stiga av utan assistans. Det sitter alltid en liftvärd som bevakar stolarna även på toppstationen?"

Anton nickar.

"Vi måste få tag i den personen", säger Daniel. "Så snart som möjligt."

Han vänder blicken mot rummets kortända. Det är dags att börja mötet med den nu tillsatta PUG-gruppen, en tillfällig gruppering som bildats särskilt för fallet. PUG står för Polisens metodstöd för Utredning av Grova våldsbrott. Enligt manualen betyder det omkring tjugofem personer, men så många är de aldrig. Det finns ingen chans att resurserna räcker till det.

Birgitta Grip dyker upp på skärmen tillsammans med ett par utredare från Östersund.

"Det är redan ute i pressen", säger hon. "Med foton på offret och allt."

Tonen är kort och irriterad, trots att alla runt bordet vet att det är nästan omöjligt att hindra den sortens bilder. Privatpersoner drar sig varken för att filma eller lägga ut foton på sociala medier vid tragiska händelser. Det finns historier om trafikolyckor där förbipasserande helt ogenerat har filmat katastrofen istället för att hjälpa döende medmänniskor.

"Vi spärrade av så fort vi kunde", säger Anton defensivt.

"Vi kommer att ha en presskonferens i eftermiddag", fortsätter Grip. "Vi får återkomma till det."

Bristen på entusiasm är påfallande, presskonferenser tillhör inte ljuspunkterna i det polisiära arbetet.

Hon vänder sig till Daniel.

"Var står vi?"

Daniel försöker sammanfatta händelseutvecklingen sedan de hittade Amandas kropp vid sittliften. Han hoppas att Ylva Labba och rättsteknikerna ska upptäcka något avgörande som kan leda dem till gärningsmannen, men vågar inte räkna med det. Ylva har i alla fall lovat att påbörja obduktionen med en gång, de behöver inte stå i kö hos rättsmedicin som man fick göra i Göteborg.

"Vi håller på att gå igenom Amandas kontakter innan hon försvann", säger han. "Mobilen är fortfarande borta men IT har fått datorn och jobbar på att komma in i den. Kläderna har gått iväg för forensisk undersökning och vi söker vittnen som rört sig i närheten av VM6:an det senaste dygnet."

Det är ett mödosamt arbete att kartlägga Amandas värld. Ett pussel som måste läggas. Många små bitar ska fogas till varandra när en avliden persons tillvaro ska rekonstrueras i efterhand. De behöver också få en bild av händelseförloppet innan hon dog, förstå hela kedjan från bortförandet till tidpunkten då kroppen hittades.

Daniel byter ställning på stolen. De har inte ens en hållbar hypotes på det här stadiet. Både motiv och gärningsman saknas. Pojkvännen Viktor har alibi.

Grip ser forskande på Daniel, som om hon vill vara säker på att han klarar av att hålla i utredningen.

Daniel är väl medveten om att hon känner till omständigheterna kring hans flytt från Göteborg till Åre. Han behövde söka sig därifrån eftersom hans sista mordutredning fick honom att komma för nära ett grovt kriminellt MC-gäng. Hoten mot honom som person var påfrestande, han har aldrig varit så nära att gå in i väggen som då.

Grip visste att han led av mardrömmar och hade svårt att sova när han började sin tjänst på hennes sektion.

Sedan han kom till Jämtland är han sig själv igen. Någonting har läkt de senaste åren.

Han har kommit hem.

"Mäktar du med det här?" säger hon utan att linda in frågan.

Daniel vill svara ja, allt annat vore ett nederlag. Men det handlar inte bara om honom. Sanningen är att de har ont om resurser. För fem år sedan var de fjorton personer på Åres polisstation, idag är man tio, nästan trettio procent av personalstyrkan har skurits bort. Av de tio tjänsterna är dessutom bara sju tillsatta i dagsläget. Det är lika illa på sektionen för Grova brott i Östersund, här är också tre av tio tjänster vakanta.

Samtidigt bär det emot att låta Grip ge fallet till en kollega i gruppen i Östersund.

Han har flyttat till Åre för att han ville leva ett annat liv, ingå i gemenskapen. När saken ställs på sin spets vill han inte backa. Han känner samhörighet med ortens invånare och förstår deras rädsla.

Det här mordet måste klaras upp så fort som möjligt.

Men arbetsbelastningen kommer att bli brutal. Hur han ska hinna med Alice och Ida den närmaste tiden har han ingen aning om.

"Det är ingen fara", säger han. "Det går bra."

Anton och Raffe nickar också. Fast de tillhör Åres polisstation och fallet rent formellt ligger hos Grova brott i Östersund är det ingen tvekan om att de nu ingår i PUG-gruppen.

"Okej", säger Birgitta Grip. "Då får du sätta dig i bilen och köra hit till Östersund så att du kan vara med på presskonferensen klockan fjorton."

Skämtar hon?

Ska han sätta sig i bilen och köra en dryg timme för att vara med på en presskonferens när varje minut räknas? Innan han är tillbaka kommer hela dagen att ha passerat.

Daniel ser stint på sin chef.

"Jag behövs här uppe", säger han.

"Om du ska vara förundersökningsledare får du ställa upp. Du behöver snacka med åklagaren också. Det är Ahlqvist som har fått ärendet."

Daniel har jobbat med Tobias Ahlqvist förut. Han är en duktig åklagare, om än ganska formell. Inte en man som fattar snabba beslut. Men det är bättre att ha med åklagaren från början än att han ska hoppa in mitt i utredningen när de kommit så långt att de har en person som är skäligen misstänkt.

Grips ansiktsuttryck gör klart att det inte finns utrymme att diskutera saken.

Daniel suckar tyst.

"Jag kommer", säger han, men kan inte låta bli en syrlig kommentar. "Vem ska sköta mitt arbete under tiden?"

Han får inget svar. Skärmen har slocknat.

Östersund har avslutat mötet och tryckt bort Åre.

Daniel håller tillbaka en svordom.

"Kör försiktigt", flinar Anton.

42

Det tar Daniel en timme och sexton minuter att köra på vinter-väglag från Åre till Östersund. Då och då hamnar han bakom en långsam lastbil. Varje gång kliar det i fingrarna att köra om, men han håller sig till hastighetsbegränsningarna. Han kan knappast hävda att han är på utryckning om en fartkamera skulle fånga honom på bild.

Så fort han satte sig i bilen ringde han Ida. Hon lät trött, hade förmodligen Alice i famnen. Ett mjukt jollrande hördes i bak-grunden och Daniel kunde nästan känna den söta babydoften.

Han har knappt sett sin dotter sedan i fredags, bara tryckt läpparna mot hennes sovande panna innan han varit tvungen att sticka igen.

Han kunde ana Idas besvikelse när han berättade att han förmodligen skulle bli sen även ikväll. Han vet inte hur lång tid presskonferensen håller på och sedan ska han träffa åklagaren och gå igenom situationen.

"Jag är ledsen att det blir så här", avslutade han medan skuld-känslorna tryckte på.

När han kommer fram till Östersund är det tomt på gatorna. Polismyndigheten håller till på Fyrvallavägen, i det som kallas Trygghetens hus. Det är en ljusgul putsad byggnad, öster om stadens centrum, som även rymmer Tullverket, SOS Alarm och Räddningstjänsten.

Presskonferensen ska hållas på andra våningen. Daniel kom-mer dit en kvart innan det ska börja och letar rätt på sin chef som håller på att byta om till polisuniform. Hon ska just dra på sig kavajen när han knackar på dörren.

Birgitta Grip ger Daniels tjocktröja och jeans en kritisk blick. "Du ser ut som om du kommer direkt från fjället."

Daniel försöker släta till håret med ena handen. Det föll honom inte in att byta kläder. I Göteborg var han sällan med på presskonferenser, dem tog pressavdelningen eller de högre cheferna hand om.

Han känner sig redan illa till mods. Grips kommentar gör honom inte lugnare.

"Häng med", säger hon och leder vägen.

De går genom en långsmal korridor till en stängd mörkbrun dörr. Ett svagt sorl tränger ut från rummet innanför.

Tobias Ahlqvist kommer gående tillsammans med presstalespersonen, Ulrika Berge. Hon har en mörklila kavaj över svarta byxor och boots. Klackarna smattrar mot golvet.

Hon hälsar på Daniel och stryker det kortklippta ljusa håret bakom öronen.

"Det är jävligt många som har hört av sig", meddelar hon. "Utländska tidningar också. Ung flicka som hittas mördad och halvnaken i liften, det är en tacksam story. Det ringer hela tiden. För att inte tala om det stora intresset från allmänheten."

Daniel blir sällan nervös men nu klibbar det i armhålorna. Han behåller tröjan på, vill inte sitta framför kamerorna med svettringar under armarna.

Faktum är att han inte vill sitta där alls. Det är inte hans grej att tala med massmedia. Det är inte en fråga om blyghet, han gillar bara inte att stå på scen, har aldrig varit den som älskat strålkastarljuset.

Tobias Ahlqvist kollar sin mobiltelefon. Han är klädd i grå tweedkavaj och verkar inte det minsta spänd inför presskonferensen.

"Vi tar väl ett snack efteråt?" säger han till Daniel.

Det låter som en fråga men är snarare ett kommando.

"Skistars marknadschef ringde precis", säger Ulrika. "Hon

är orolig över alla bilder på VM6:an som figurerar i pressen. De ber att vi ska hålla dem utanför."

Daniel nickar fast han har svårt att fokusera.

Birgitta Grip ser på klockan.

"Då kör vi."

Hon öppnar dörren och marscherar in.

Daniel låter både Ulrika Berge och Tobias Ahlqvist gå före innan han själv följer efter, mindre av artighet än ren självbevarelsedrift.

Känslan av att kastas till vargarna är överväldigande.

Grip sätter sig i mitten av ett avlångt bord som står på podiet. Ulrika och Tom slår sig ner på ena sidan och Daniel gör samma sak på den andra. Han stirrar ner i bordet så länge han kan. När han till slut måste se upp möter han ett tiotal främmande ansikten. Både SVT och TV4 har kameror och kameramän på plats. Små röda blinkande lampor antyder att de sänder live.

När Grip har redogjort för situationen presenterar hon Tom som ansvarig åklagare och Daniel som förundersökningsledare. Sedan öppnar hon för frågor.

En ung tjej med kraftig ögonmejk från en kvällstidning räcker fort upp handen.

"Har ni några misstänkta?" säger hon med hög, lite skrikig, röst.

Birgitta Grip har precis utvecklat varför de inte har en misstänkt på det här stadiet. Utan att röra en min svarar hon:

"Inte i det här skedet. Det är för tidigt i utredningen. Vi får återkomma när det blir aktuellt."

"När tror ni att ni får en misstänkt?" envisas journalisten.

"Det kan vi inte säga i dagsläget. Men det pågår en stor spaningsinsats och fallet har högsta prioritet."

Tjejen ser missnöjd ut. Hon skriver så hetsigt i sitt anteckningsblock att udden på pennan går av.

Grip ger ordet till en annan reporter, en kille i blå jacka från en av morgontidningarna.

"Det har riktats kritik mot att ni inte lyckades finna offret trots att hon försvann flera dagar innan hennes kropp påträffades. Vad har ni för kommentar till det?"

Grip nickar mot Daniel.

Han är inte beredd men lutar sig ändå mot mikrofonen, knastertorr i munnen. Först får han inte fram ett ord. Han blir tvungen att harkla sig, det låter orimligt högt i mikrofonen.

Någon flinar.

"Det var ett mycket stort område som skulle genomsökas", förklarar han. "Både det kraftiga snöfallet och den svåra kylan har gjort letandet ovanligt besvärligt."

Det låter som om han försöker skylla ifrån sig. Han blir röd i ansiktet, det går inte att styra.

Birgitta Grip tar över och räddar honom för stunden.

"Spaningsarbetet har bedrivits enligt sedvanliga rutiner", säger hon. "Vi har stort förtroende för de lokala insatser som gjorts. Man måste ta särskild hänsyn under den här sortens väderförhållanden."

Hennes trygga, erfarna röst förmedlar budskapet mycket bättre än Daniel förmådde. Han känner hur svetten samlas i nacken och rinner nerför ryggen.

En journalist från den bakre delen av rummet viftar med handen.

"Det sägs att det var föräldrarna som fick vända sig till Missing People, varför tog inte polisen kontakt med frivilligorganisationen direkt?" ropar han indignerat.

Daniel förstår inte varför han uttrycker det så. Det handlade inte om att ignorera Missing People. De behövde bara bli klara med analysen först.

Reportern får det att låta som om de begått tjänstefel.

"Kunde det ha gjort skillnad?" fortsätter mannen. "Kunde ni ha hittat flickan vid liv i så fall?"

Daniel ser upp i taket och suckar. Det är en omöjlig fråga, det känns nästan som om journalisten försöker sätta dit honom.

Han lutar sig fram mot mikrofonen igen.

"Det går inte att svara på i efterhand."

Han försöker undvika att låta defensiv och sneglar på klockan.

Är det inte över snart?

"Kommer ni att stänga ner Åre på grund av det här?" frågar en man från en tv-kanal.

"Det är inte aktuellt", säger Grip.

Han ger sig inte.

"Vågar ni låta julfirande familjer åka till Åre om det går en mördare lös?"

Birgitta Grip blir irriterad.

"Det tänker jag inte kommentera", säger hon kort.

Hon ställer sig upp efter några avslutande ord. Presskonferensen är äntligen slut.

Daniel följer efter de andra ut genom sidodörren, blöt av svett.

43

Mimi och Kalle tittar på tv i vardagsrummet. De har fått hämt-pizza till middag och sedan satt på en film, nyinspelningen av *Lejonkungen* som är en särskild favorit. Lena kan höra dem från köket. Några roliga repliker får dem att skratta, på barns vis lyckas de koppla bort situationens allvar.

De vet att deras storasyster är borta, men i stunden fångar filmen deras uppmärksamhet.

Lena kan varken äta eller sitta framför tv:n. Istället irrar hon från rum till rum. Hon rättar till den röda julduken på köksbordet, nyper av några blad på en julstjärna och hämtar ett glas från skåpet ovanför diskbänken. Sedan blir hon stående och undrar varför hon håller det i handen. Det tar flera minuter innan hon minns att hon tänkte hälla upp vatten.

Varför? Hon är inte törstig.

Ångesten driver henne framför sig, hon klarar inte av att vara stilla i en sekund. Det tar all hennes styrka att hålla ihop framför barnen, att inte skrika rätt ut.

Harald är inte hemma, han har tagit bilen. Det är flera tim-mar sedan han stack.

"Jag måste få frisk luft", sa han med bilnycklarna i handen. "Jag kan inte bara sitta här."

Lena vet inte om det är bra eller dåligt, om hon vill att han ska stanna med henne i huset eller om det är bättre att han är borta en stund. När han inte är där blir hon upprörd och kän-ner sig övergiven. När han är hemma står hon inte ut med att se sin egen smärta speglas i hans ögon.

Ludde går bakom henne som en skugga när hon lämnar

köket. Kanske förstår han att något är på tok? Ljudet av hundens klor mot trägolvet följer henne uppför trappan och in i sovrummet. Hon puffar mekaniskt upp en kudde och viker ihop den rosa pläden. Sedan knölar hon ihop den igen och slänger den på golvet.

Vad spelar det för roll ifall pläden ligger snyggt när Amanda aldrig kommer tillbaka?

Lena går in i dotterns rum. Hon kurar ihop sig på sängen, begraver ansiktet i en av hennes tröjor och känner doften som dröjer sig kvar.

Det har gått tre dygn sedan hon såg Amanda för sista gången och hon förstod det inte ens då. Smärtan är skarp och vass. Hon går runt med känslan av att ha en kniv instucken mitt i hjärtat.

Ludde lägger båda tassarna på sängkanten. Lena låter honom hoppa upp och lägga sig bredvid henne, trots att han inte får vara i sängarna. Han slår med svansen några gånger innan han blir stilla och vilar huvudet mot hennes axel.

Hon känner värmen från hunden medan tårarna droppar ner i den mjuka pälsen.

44

Ebba ligger i dubbelsängen i sina föräldrars sovrum med täcket uppdraget till halsen. Hon längtar efter sin mamma. Både hon och pappa sitter i bilen på väg tillbaka från Stockholm.

Ebba har pratat med dem flera gånger sedan nyheten om Amandas död kom ut, men det är inte samma sak som att ha föräldrarna hemma.

Nyheten spred sig snabbt i sociala medier under dagen. Det har strömmat in meddelanden från folk i klassen och resten av skolan. Alla känner till att Ebba var bästa vän med Amanda. De tror att hon vet vad som har hänt, att hon kan berätta alla detaljer.

Ebba har inte orkat svara en enda.

Mobilen surrar till. Namnet på displayen får henne att må ännu sämre. Det är Lasse, deras mentor.

Kommer han att bli arg om hon inte pratar med honom?

Hon vet att hon borde svara men kan inte. Istället betraktar hon skärmen tills samtalet kopplas bort.

Äckel-Lasse, brukade Amanda kalla honom.

Ebba skjuter in mobilen under kudden så hon slipper se den.

Tv:n står på med hög volym, det blir för jobbigt när det är tyst. Då kommer tankarna på Amanda med full kraft. Hon vill inte, kan inte ta in att hennes bästa vän är död och att de aldrig ska ses igen.

Nyheterna har börjat. Plötsligt blir hon medveten om att de pratar om mordet. På skärmen visas ett foto där Amanda står i solen på stranden.

Det blir svårt att andas. Ebba var själv med den gången. Det var hon som tog bilden med sin mobil när de badade i Åresjön förra sommaren.

Medan Amanda fortfarande levde.

Alla ljud tonar bort. Varje andetag tar emot, de blir krampaktiga och grunda. Hon får inte luft.

Det trycker mer och mer över bröstet, som om syresättningen är på väg att sluta fungera.

Lungorna brinner.

Ebba slår mot hjärtat för att det inte ska stanna, slår och slår på vänster sida medan hon på riktigt tror att hon ska dö, precis som Amanda.

Till slut går det att andas igen.

Panikanfallet är över.

När Ebba öppnar ögonen igen ser hon bilder från en presskonferens på tv:n. Vid ett podium sitter två kvinnor och två män. Hon känner igen den ena, det är den där polisen som var här i fredags, Daniel.

Hon stirrar på hans ansikte. Gör det till en fästpunkt och koncentrerar sig så att paniken inte ska komma tillbaka.

Händerna darrar fortfarande.

Hon borrar ner huvudet i kudden och önskar igen att mamma var här. Hon behöver höra hennes röst som säger att allting ska bli bra.

Om hon bara vågade berätta för mamma om det som hände.

Det känns overkligt att det bara har gått några dagar sedan Amanda och hon satt och pratade på rasten.

Minnet av den där rökpausen på bänken utanför skolan lämnar henne inte ifred.

Men nu befinner hon sig i samma situation som Amanda gjorde när hon grubblade över vad hon skulle göra.

Det finns ingen hon vågar berätta för.

45

Hanna ligger på soffan i vardagsrummet med en bok som hon inte kan koncentrera sig på. Den handlar om *Me too*-rörelsen i New York. Hon har plockat den ur bokhyllan men inte läst mer än femton sidor, trots att ämnet är en av hennes hjärtefrågor och den har legat länge på topplistorna.

Klockan är halv sju. Hon har ingen lust att laga middag. Ett glas vin eller två känns mer lockande men hon har bestämt sig för att vara försiktig med alkoholen efter de senaste veckorna.

Just när hon griper om fjärrkontrollen för att slå på tv:n plingar det till i hennes mobil.

Tack för pratstunden igår. Vi är ett gäng som ska till Supper ikväll, vill du hänga på? Kram Karro

Det tar några sekunder innan Hanna inser att det är samma Karro som hon träffade under sökandet med Missing People.

Vad är Supper?

En snabb googling ger henne svaret. Det är en populär restaurang mitt i Åre med höga betyg på Tripadvisor. Lockande bilder på sydamerikansk mat i glada färger syns på hemsidan.

Spontant vill hon tacka nej. Det är gulligt av Karro att fråga, men hon orkar inte med andra människor för tillfället. Särskilt inte nu när man har hittat Amanda död.

Sedan är det som om hon hör Lydias röst inom sig:

"Du kan inte sitta hemma och sörja Christian. Han förtjänar det inte."

Det gör han faktiskt inte. Han har inte bara bedragit henne, utan dessutom kastat ut henne ur deras gemensamma bostad. Efter fem års förhållande.

Det här är första gången sedan hon kom till Åre som hon är mer arg än ledsen.

Hanna har inte svarat på hans mess om de förstörda kläderna och det har inte kommit några fler. Hon ångrar sig faktiskt inte. Det kan han gott ha efter det han gjort. Hur kunde han ha ett förhållande bakom ryggen på henne?

Det känns fortfarande ofattbart att han ljugit på det sättet.

Blicken fastnar på bokens omslag som domineras av den röda titeln: *She Said*. Det finns gott om manliga skitstövlar i världen, den saken är klar.

Varför föll hon egentligen för Christian?

Hanna drar åt sig en kudde och makar in sig i soffhörnet. Egentligen är han inte alls hennes typ, han är alldeles för blankpolerad för hennes smak. Första gången de träffades, på en fest som en av hennes få barndomskamrater ordnade, framstod han som präktig och väluppfostrad. Inför Lydia kallade Hanna honom för en sann svärmorsdröm.

Ändå tyckte hon om hans ihärdiga uppvaktning när han kom med rosor och champagne. Hon blev till och med smickrad när han inte ville ge upp, fast hon i normala fall tycker att den sortens beteende är överdrivet, på gränsen till stalking.

Hon hade aldrig dejtat någon som var så snygg och som passade så perfekt in i hennes föräldrars mall. Kanske gjorde det honom extra intressant?

Mamma hade alltid avskytt Hannas tidigare pojkvänner, även om hon inte tog hem särskilt många. Hon var trött på att varken hon eller de dög.

Livet med Christian blev så enkelt, hon bara sveptes med. Det var härligt att för en gångs skull få se mamma lysa upp när hon presenterade sin nya kille. Hans närvaro räddade resorna till Spanien och de outhärdliga familjemiddagarna. Tillsammans med honom blev hon den där lyckade dottern.

Att hon faktiskt började bli en annan, en Hanna som hon

inte riktigt kände igen, har hon aldrig erkänt för sig själv. Inte förrän idag.

Nu sitter hon här och har fått sitt hjärta krossat av en man som hon nog aldrig borde ha blivit tillsammans med.

Hanna läser Karros sms igen och är frestad. Om hon äter middag med henne kanske hon också kan ställa några fler frågor om Amandas pojkvän Viktor, som hon inte riktigt kan släppa tanken på.

Innan hon hinner ångra sig tackar hon ja.

Karro svarar direkt:

Toppen. Ses där vid halv nio.

46

Det mörkbruna kommunhuset i Järpen är tyst och övergivet när Harald parkerar på den tomma parkeringsplatsen. Han låser upp och tar hissen raka vägen till sitt arbetsrum på tredje våningen.

Utan att tända något annat än skrivbordslampan tar han fram vodkaflaskan från den nedersta lådan. Den har legat där i åratal. Han skulle aldrig dricka på jobbet men har fått den i present. Sedan har den blivit kvar.

Han hämtar ett glas i pentryt och går tillbaka till rummet. Häller upp och sveper innehållet med slutna ögon.

Alkoholen är ljummen och river i halsen.

Harald tycker inte om ren sprit, men värmen sprider sig i kroppen. De spända musklerna slappnar av. Han längtar omedelbart efter mer, men vågar inte. Han måste vara tillräckligt nykter för att kunna ta bilen hem igen. Han kan inte köra omkring onykter, det sitter i ryggmärgen efter alla år i politiken.

Men han vill inte åka hem, orkar inte låtsas inför Mimi och Kalle eller se Lenas djupa förtvivlan.

Det matta ljuset från lampan lyser upp fotot på familjen med Amanda i mitten. Hans underbara dotter som han vaggat och matat och vyssjat till sömns så många gånger. När hon var nyfödd bar han henne i en sele på magen. Han kan fortfarande minnas tyngden av den lilla barnkroppen, blicken i de mörkblå ögonen som mötte hans, och hennes första leende.

Det var en smått overklig känsla att bli pappa vid tjugotre års ålder, men han älskade Amanda från den allra första sekunden. Han hade kunnat dö för hennes skull.

Nu är det hon som är död.

Hans vackra barn kommer aldrig att le mot honom igen.

Tårarna tränger fram och Harald sträcker sig efter flaskan, men lyckas dra tillbaka handen med en kraftansträngning. Istället sjunker han ihop i stolen. Hjärtat rusar, som om det inte längre orkar med sin uppgift.

Han pressar samman handflatorna framför näsa och mun, trycker dem så hårt mot varandra att det skriker i musklerna.

Den sortens smärta är bättre än den i bröstet.

Först när händer och handleder darrar av utmattning släpper han och låter långsamt armarna sjunka ner på bordet. Pannan har blivit fuktig av svett. Han andas tungt och drar fram en näsduk som han torkar sig med.

Det plingar till i mobiltelefonen och han tar upp den ur fickan.

Det är ännu ett sms där en bekant beklagar sorgen. Efter orden följer en massa röda hjärtan och ledsna emojier.

Det har kommit meddelanden hela dagen, från alla möjliga håll. Till och med hans värsta politiska motståndare har hört av sig för att visa sitt deltagande. Åre är inte stort och han är en välkänd profil i kommunen.

Vi tänker på er, skriver de. *Säg till om vi kan stötta. Vi finns här för er.*

Harald stoppar undan mobilen. Röda hjärtan kan inte hjälpa dem genom det här.

Efter några sekunder kommer impulsen att ta fram den igen. Han längtar förtvivlat efter Mira, hon är den enda som kan ge honom tröst just nu.

Han tvekar, sedan skriver han snabbt till henne:

Jag är på kontoret, kan du komma?

Han betraktar skärmen spänt. Minuterna går.

Sedan dyker tre prickar upp. Tecknet på att någon skriver tillbaka.

Det går inte.

Det negativa beskedet gör honom gråtfärdig.

Han försöker igen:

Snälla.

När skärmen förblir svart gör han ett sista försök:

Jag behöver dig.

Svaret kommer omedelbart den här gången.

Jag kan inte. Messa inte så här dags.

Harald kramar telefonen i handen. Sedan sträcker han sig efter vodkaflaskan.

47

Vinden sliter i Hanna när hon letar sig fram till restaurangen
där hon ska möta Karro. Hon hoppas att snöröjningen hinner
göra sitt jobb innan hon ska tillbaka till Sadeln, det snöar så
ymnigt att hon knappt ser handen framför sig.

Supper ligger i en gammal rödmålad jaktvilla mellan Åre
torg och stationsbyggnaden. När hon öppnar dörren möts hon
av hög stämning och festligt sorl. Det är massor med männi-
skor där fast det är söndag.

"Hej", säger en tjej i hästsvans som verkar vara hovmästaren.
Hon ler vänligt.

"Har du bokat bord?"

Hanna inser att hon inte vet i vems namn bokningen är
gjord, men just då dyker Karro upp. Borta är mössan och den
slitna jackan från skallgången. Nu är det honungsblonda håret
omsorgsfullt fönat och lockat. Hon bär en leopardfärgad blus
med generös urringning.

"Hon är med oss", säger Karro.

Hon sveper med sig Hanna uppför trappan, till ett hörnbord
där det redan sitter två andra tjejer som visar sig heta Malin
och Jenny. Malin har långt hår med ljusa slingor och en glittrig
tröja. Jenny bär många armband och är klädd i en båtringad
svart topp med trumpetärmar.

Hanna, som har sina vanliga jeans och bara bytt om till en
vit skjorta, känner sig genast underklädd.

"Nu ska vi beställa drinkar", utropar Karro och vinkar åt
servitrisen.

Hanna har tagit bilen. Hon hade inte råd med taxi och vill

inte lägga för mycket pengar på alkohol. Men en drink borde hon klara av om hon håller sig till vatten efter det.

"Fyra mojito", avgör Karro.

Hon beställer vant från den mörkhåriga tjejen som skriver ner vad de vill ha med ett leende på läpparna och en tendens att säga "härligt" om allting. Hanna hinner räkna till fyra gånger innan hon lämnar dem.

"Gör dem starka", lägger Karro till med en blinkning.

Hanna ser sig omkring.

Det är en stor restaurang med plats för många. En skiljevägg delar övervåningen, på ena sidan finns en stor bar med generösa sociala ytor där man kan hänga. På andra sidan står ett avlångt bord med höga stolar. Bakom bordet, utmed långväggen, jobbar kockarna med maten.

Det är fullsatt och stimmigt och sydamerikansk musik spelar i bakgrunden.

Hanna tvingar fram ett leende och försöker mana fram festhumöret, Christian ska inte få förstöra den här kvällen.

Servitrisen kommer fram till bordet med drinkbrickan. Sugrör, is och gröna frodiga myntablad sticker upp ur de höga glasen.

"Vi brukar låta köket sätta ihop menyn", halvviskar Karro till Hanna. "Det blir godast så."

Hanna nickar som om det är en bra idé.

Bara det inte blir för dyrt.

De skålar, och den ljusgröna drinken är precis så god som den ser ut. Hannas axlar sjunker lite grann. Hon får oroa sig för notan och pengarna i morgon, tjejerna verkar inte vara den sorten som fläskar på. Ikväll behöver hon det här.

Karro har kastat sig in i en lång beskrivning av hennes och Hannas möte när de gick skallgång och letade efter Amanda. Hon får det att låta som om de var ute på ett polaräventyr.

"Det är så hemskt", suckar Malin och kastar med håret. "Man kan inte tro att det kan hända på en plats som Åre."

Servitrisen är tillbaka med en ny bricka och börjar ställa fram maten. Räktacos, ceviche och grillade majskolvar. Det ser fantastiskt ut. Hanna sträcker sig efter ett par parmesanbeströdda sötpotatisfries. De både doftar och smakar underbart och hon tar några till.

Jenny lutar sig över bordet. Hennes läppar är vackert målade i en mörkrosa nyans, men överläppens rundning får Hanna att reagera. Den är onaturligt fyllig. Hon kan inte låta bli att undra om Jenny har gjort något, kanske sprutat in fillers? I Stockholm ser man det ofta men hon trodde att det var ett storstadsfenomen.

"Jag hoppas verkligen att de hittar den som har gjort det", säger Jenny. "Man törs knappt gå ut längre."

Karro knuffar lätt på Hanna.

"Du är ju polis", säger hon. "Vad är din teori?"

Hanna blir generad. Hon önskar att Karro inte hade nämnt hennes yrke, vill inte förklara hur det ligger till.

"Vem tror du mördade Amanda?" insisterar Karro.

Hanna lyfter upp fatet med fyllda räktacos och bjuder runt som distraktion, men det hjälper inte.

"Jag är bara här i några veckor", säger hon avvärjande.

"Vad jobbar du med i Stockholm?"

Malin kan omöjligt veta hur ont frågan gör. Det stockar sig i halsen, Hanna låtsas få en hostattack och gömmer ansiktet i servetten.

"Här, ta lite vatten", säger Karro och håller fram vattenglaset.

Hanna dricker tacksamt och hoppas att de ska börja prata om andra saker under tiden. Men Malin ger sig inte.

"Vad sysslar du med hos polisen?" frågar hon.

"Jag håller på med ... brott i nära relationer", säger Hanna lågt.

Hon säger det i presens fast de inte vill ha henne kvar på sektionen.

Det är för svårt att använda imperfekt.

"Oj", säger Jenny. "Det låter tufft."

Hanna försöker formulera ett lagom allvarligt svar. Sanningen kan förstöra den bästa av stämningar, det har hon varit med om förr.

Under sina sju år hos Citypolisen har hon sett det mesta, från vanligt ofredande till svåra våldtäkter eller grovt våld inom äktenskapet. Det hjärtslitande mordet på Josefin kan hon inte tala om, bara tanken får det att hugga till inuti.

Det är inte ett ämne att diskutera över en myntadrink på en stimmig krog.

Hon bestämmer sig för en kompromiss.

"Jag jobbade med kvinnomisshandel och den sortens trista historier", säger hon med ett falskt leende. "Alldeles för deppiga grejer för en kväll som den här."

"Jag skulle aldrig stanna i en relation om min kille slog mig", säger Karro bestämt. "Jag skulle dra med en gång."

Hanna är tacksam för Karros inlägg, även om hon nog inte förstår hur svårt det är att lämna ett sådant förhållande. De flesta kvinnor går inte alls sin väg vid första slaget, fast de borde. Istället stannar de kvar och övertalar sig själva att det var en engångshändelse. När det inträffar igen hittar de på nya skäl att bli kvar. Sedan gör de om det tills de är så kuvade att de inte ser klart.

Men det är inte läge för den sortens föreläsning nu.

"Stackars föräldrar", säger Malin och återvänder till det ursprungliga ämnet, Amandas död. "Det måste vara fruktansvärt att förlora sin dotter på det viset."

"I tidningen skrev de att det nästan alltid är någon som offret känner som ligger bakom", säger Jenny.

Hanna nickar. Statistiken talar för att pojkvännen är skyldig. Hon har velat hitta ett tillfälle att ta upp saken och nu har det kommit.

Malin och Jenny är upptagna med att skicka olika fat mellan sig, Karro har precis lyft upp sina bestick för att börja äta.

Hanna passar på.

"Den där pojkvännen du snackade om igår som hade misshandlat sin förra flickvän", säger hon med låg röst till Karro. "Viktor Landahl. Pratade du med din bror om det?"

Karro skakar på huvudet.

"Borde du inte nämna det han gjort i alla fall? Det kan vara viktigt."

Plötsligt blir Karro upptagen med maten på tallriken.

"Jag vet inte ...", säger hon undvikande.

De andra tjejerna lyssnar inte just nu men Karro verkar ändå besvärad, som om hon ångrar att hon berättade något för Hanna.

"Jag kan inte lägga mig i Antons jobb. Det skulle kännas dumt."

Hanna förstår att hon borde släppa frågan och nickar.

Det är faktiskt inte hennes sak.

Hon rycker på axlarna för att visa att det inte spelar någon roll. Karro är snäll och har bjudit med henne, trots att de knappt känner varandra. Det minsta hon kan göra är att vara lite finkänslig.

"Skål!" säger hon istället och lyfter glaset. "Tack för att jag fick följa med ikväll."

48

Det är släckt i sovrummet när Daniel smyger in vid elva på kvällen. Alice måste ha somnat för länge sedan, Ida verkar ha gjort samma sak för hon ligger på sidan i sitt ljusblå nattlinne.

Daniel är utmattad men stannar en minut vid Alices babysäng. Hon ligger på rygg och snusar. De pyttesmå ögonlocken är slutna, händerna vilar mot det rosa lakanet. Fingrarna är lätt böjda i en gripreflex.

Hans hjärta krymper vid tanken på att något skulle hända henne.

Hur ska han kunna skydda sin dotter när hon växer upp? Mer än de flesta är han medveten om allt som kan hända en ung flicka. Ondskan gör inga undantag för barn till poliser.

Med en sista blick på sin sovande bebis går han bort till sin sida av sängen. Han är matt av anspänningen under dagen. I bästa fall kan han få ihop sex sju timmar om Alice har en bra natt.

Han klär av sig utan att tända och kryper tyst ner i sängen.

Ida vänder sig mot honom i mörkret.

"Mamma såg dig på tv", säger hon lågt för att inte väcka Alice.

"Mmm."

"Varför berättade du inte att du skulle vara med?"

"Jag hann inte", mumlar Daniel.

"Hann du inte?"

"Jag visste inte att det skulle vara tv-kameror där", säger han undvikande.

Dagens presskonferens är det sista han vill tala om.

"Mamma är väldigt upprörd", fortsätter Ida. "Hon säger att det aldrig har hänt så hemska saker i kommunen."

Idas mamma Elisabeth ringer nästan varje dag och har åsikter om det mesta. Särskilt om hur Alice ska skötas.

"Hon vet inte om hon vågar gå ut längre", fortsätter Ida.

Han orkar inte diskutera sin svärmor så här dags. Istället försöker han avsluta samtalet.

"Hon överdriver", säger han och gäspar så att det hörs. "God natt, älskling."

"Hon sa att du verkade väldigt spänd och nervös i tv", säger Ida och stryker honom över ryggen. "Var det jobbigt?"

Daniel behöver inte bli påmind om sin insats. Han såg det i efterhand och är fortfarande generad. Han framstod som en amatör. Varför skulle Birgitta Grip envisas med att ta dit honom? Nästa gång får de sköta det på egen hand.

"Jag måste sova", säger han. "Jag ska upp före sex."

"Jaha", viskar hon. "Jag ville bara prata lite."

Den tysta förebråelsen hänger i luften.

"Du har knappt varit hemma sedan i fredags."

Daniel begriper att det inte är lätt att dra hela lasset själv, men han önskar ändå att hon kunde visa lite förståelse för hans situation. Det har varit en lång dag, fylld av frustrerade känslor.

In i det sista hoppades han att de skulle finna Amanda vid liv. Besvikelsen från i morse fräter i honom.

"Jag tänkte att du kanske ville … berätta hur du har haft det?" säger hon tyst och rättar till täcket.

Daniel sträcker ut armen och drar henne intill sig.

"Förlåt", säger han och gosar henne i nacken. "Jag är bara trött."

Hon luktar gott, har nytvättat hår som doftar äppelschampo. Nattlinnet har glidit upp, han känner hennes varma lår mot sina.

Plötsligt är han inte lika utpumpad längre.

Han vänder sig om så att de ligger mittemot varandra, stryker varsamt med fingertopparna över hennes nyckelben och ner mot hennes vackra, fylliga bröst. Han har knappt fått röra dem de senaste månaderna.

Ida vrider sig så att avståndet ökar mellan dem.

"Alice kan vakna", viskar hon.

"Hon sover", mumlar Daniel.

De har inte haft sex på evigheter, inte sedan Alice föddes. Plötsligt längtar han intensivt efter att komma nära, få röra sig inuti hennes värme. Älska hett och passionerat som de gjorde i början, innan hon blev gravid och Alice kom till jorden.

Begäret växer.

Han söker efter Idas läppar och pressar sig mot henne.

"Du är så vacker", andas han i hennes öra.

Ida håller fortfarande emot lite, sedan mjuknar hon och kysser tillbaka.

"Sa du inte att du var trött?" retas hon lågt.

Hennes fingrar söker sig mot hans mage och fortsätter sin vandring. Daniel blundar medan åtrån fyller varje cell i kroppen.

"Inte *så* trött", svarar han och kysser henne igen.

49

Hanna har svårt att komma till ro efter kvällen på Supper. Hon ligger på rygg i Lydias mörka gästrum, med armarna över huvudet, och är inte det minsta sömnig.

Middagen var väldigt god och trevlig men den blev oroväckande dyr, fast hon bara unnade sig en enda drink. Som tur var delade de inte på notan, var och en betalade för sig.

Hon vill inte tänka på hur lite hon har på bankkontot eller hur hon ska kunna fixa pengar för att skaffa sig en ny bostad nu när Christian har tagit trean. Från och med januari verkar det som om hon varken har ett jobb eller en lägenhet.

Hon vill absolut inte låna av Lydia som redan varit så generös. Att be mamma och pappa om hjälp är uteslutet.

Det knäpper i träväggarna, annars är det fullkomligt tyst.

Här uppe råder en annan sorts stillhet än i storstaden, en som låter själen komma till ro. Det är faktiskt ännu mer fridfullt i Sadeln än i byn eftersom tomterna är stora och husen ligger på större avstånd. Dessutom är det knappt någon biltrafik på kvällar och nätter.

Man sover gott i fjällen, det brukade pappa alltid säga när han stoppade om henne förr i tiden.

Hanna ler lite åt minnet och lägger sig på sidan. Hon kommer inte ihåg att mamma läste för henne på kvällarna, det var antingen Lydia eller pappa som gjorde det, men ibland måste väl mamma också ha berättat en saga?

Hon är ändå glad att hon följde med till Supper ikväll. Det var skönt att komma ut ur huset och träffa nya människor. Tjejerna var snälla, det var lätt att bara flyta med i samtalet och glömma alla bekymmer i några timmar. Det enda konstiga var att Karro är så tveksam till att snacka med sin bror om den där pojkvännen. Men de kanske har outtalade regler i sitt syskonförhållande som Hanna inte känner till.

Av någon anledning har hon svårt att släppa tanken på Viktor Landahls förflutna. Om hon själv var inblandad i utredningen skulle hon sätta stort pris på en sådan upplysning.

Vad skulle hända om Hanna hörde av sig till utredarna? Bara för att dubbelkolla att de känner till killens bakgrund.

Karro är ogift, så hon och hennes brorsa Anton borde ha samma efternamn. Det kan inte finnas mer än en polis i Åre som heter Anton Lundgren.

Karro behöver inte ens få reda på det.

Hanna rättar till kudden och drar upp täcket. Nu måste hon sova, klockan är mycket.

Det är kanske dumt att blanda sig i ett fall som inte angår henne. Det var precis den sortens beteende som gjorde att de inte ville ha kvar henne på Citypolisen i Stockholm.

Men tänk om ingen i utredningen vet vad pojkvännen har gjort?

Måndagen den 16 december

50

Det är tyst i huset när Lena slår upp ögonen. Yrvaket ser hon på klockan som är tio i sex på morgonen.

Hon ligger i Amandas säng, med kläderna på. Hon måste ha somnat där utan att märka det. Ludde är inte kvar längre.

Lena sätter sig upp och stryker undan det rufsiga håret. På tysta fötter går hon bort för att titta in hos tvillingarna. De sover djupt i varsin säng.

Sedan går hon vidare ner till köket där hon huttrande häller upp ett glas vatten. Det är tänt överallt på nedervåningen, Harald måste ha glömt att släcka.

Plötsligt börjar Ludde skälla högljutt ute i hallen. Lena skyndar dit och försöker lugna honom.

”Schh, vad är det?”

Hon lägger en hand på hans mjuka huvud, men han skakar av sig den och går mot ytterdörren.

”Ludde, sluta!” väser Lena.

Han är väluppfostrad, det måste en jakthund vara. Normalt lyder han hennes kommandon utan att blinka.

Nu står han alldeles stel och skäller mot entrén.

Han nästan ylar.

Lena hugger tag i hans halsband.

”Tyst med dig”, förmanar hon så kraftfullt hon kan utan att höja rösten. ”Du väcker alla andra.”

Ludde slutar skälla men övergår till att morra lågt.

Lena försöker se igenom den frostade glasrutan i ytterdörren.

Är det någon där ute?

Är det Amanda?

Tanken får Lena att slita upp dörren på vid gavel. Den isiga luften strömmar mot henne. Snön virvlar in i hallen och lägger sig på mattan.

Hon ser ut i mörkret. Ingen syns till. Det är bara vinden som viner så kraftigt att den böjer trädkronorna i onaturliga vinklar.

Insikten drabbar henne med full kraft.

Amanda är ju död.

Hon svajar till på stället. Det stramar över bröstet när smärtan tar över allt annat.

Ludde morrar igen och kräver hennes uppmärksamhet. Kan det vara en främling i trädgården? En som vill dem illa?

Hon sticker ner de bara fötterna i ett par boots och drar på sig en jacka. Sedan går hon ut på förstutrappan och försöker urskilja någonting i det svarta.

Ludde följer efter. Han gläfser och tassar förbi henne.

Lena ser fotspår i snön. Hon stirrar på skoavtrycken. Någon har gått fram till ytterdörren och sedan vänt och gått tillbaka samma väg. Det kan inte ha varit länge sedan, för då skulle de ha varit översnöade.

Vem har varit där? Så här dags?

Lena håller sig i räcket och går nerför yttertrappan. Hon följer spåren bort till grinden, de försvinner på vägen utanför.

Det är mörkt i fönstren i grannhusen, alla sover.

Grinden är prydligt stängd, precis som den ska vara. Men det syns att den har varit öppnad. En halvmåneform avtecknar sig i snön.

Hon fortsätter att speja fast ingenting går att upptäcka. I ljuset från gatlyktan ser hon vita flingor virvla runt. Små vassa iskristaller som störtar ner från den svarta himlen och aldrig tar slut.

Plötsligt fryser hon så att hon skakar.

"Kom, Ludde", säger hon och börjar gå tillbaka mot huset.

Men hunden vägrar följa med. Han står kvar vid grinden

med spetsade öron och nosen riktad mot fotavtrycken.

"Ludde", lockar Lena. "Vi måste gå in. Det är för kallt att vara ute."

Hunden rör sig inte ur fläcken. Lena ger upp.

Ibland släpper hon ut honom i trädgården när han behöver kissa på morgonen. Han får väl krafsa på dörren när han vill komma in. Det borde inte ta mer än tio minuter.

"Ludde, kom", försöker hon en sista gång.

Sedan skyndar hon in i värmen och stänger dörren.

51

Harald sitter fortfarande i kontorsstolen när han vaknar, stel och ruggig. Han har blivit kvar i kommunhuset hela natten, klockan är tjugo i sju och det är fortfarande mörkt utanför fönstret.

Blicken faller på den tomma flaskan framför honom. Han minns inte att han drack upp innehållet.

Hur kunde han vara så dum?

Han gnuggar sig i ögonen och försöker väcka kroppen till liv. Det är på tiden att han åker hem, men han vet inte om han kan köra i det här skicket.

Lena kommer bli orolig. I bästa fall hinner han tillbaka innan hon vaknar, då slipper han förklara situationen, att han for till jobbet och drack sig full mitt i natten.

Harald går in på toaletten och blaskar kallt vatten i ansiktet. Spegeln är obarmhärtig, han ser förfärlig ut, blek och hålögd. Den grå skäggstubben gör ingenting bättre. Utan förvarning kommer illamåendet. Han hinner nätt och jämnt böja sig över toalettstolen innan magen vänds ut och in.

Han kräks tills det bara kommer grågul galla. När det äntligen är över sköljer han munnen med iskallt vatten och stapplar tillbaka till arbetsrummet för att hämta jackan. I sista minuten kommer han ihåg vodkaflaskan. Hans kollegor får inte se den på skrivbordet.

Bilen är översnöad när han öppnar porten och går ut. Det blåser kraftigt. Han borstar hjälpligt av snön på taket och skrapar vindrutan innan han sätter sig och slår på motorn. Sätet är iskallt, varje andetag raspar i halsen.

Han lägger i backen men dröjer med handen på ratten.

Borde han köra? Skulle han klara en nykterhetskontroll?

Utanför parkeringen är det tomt, inga andra fordon syns till. Så här dags är han ensam i trafiken. Vägen hem från Järpen kan han i sömnen, den har han kört fram och tillbaka många gånger genom åren.

Det tar bara tjugo minuter till Pilgrimsvägen.

Han lovar sig själv att köra långsamt och försiktigt. De har inte råd med fler olyckor i familjen. Dessutom längtar han efter sin egen säng och en lång varm dusch.

Mot bättre vetande backar han runt och kör mot E14.

52

Lena slumrar till i soffan i vardagsrummet. Hon har lagt sig där för att kunna höra när Ludde krafsar på dörren och vill komma in.

När hon vaknar efter en timme är det fortfarande mörkt, klockan är halv åtta.

Varför har Ludde inte väckt henne?

Hon skyndar fram till ytterdörren och öppnar för att se efter. Vart har han tagit vägen? Hon trodde att han skulle komma in efter några minuter, det är alldeles för kallt för att vara ute en längre stund.

Hon fattar inte att hon kunde somna utan att släppa in honom. Men hon är inte sig själv, är fortfarande i chock efter Amandas död.

”Ludde”, lockar hon med sin mjukaste röst. ”Kom till matte. Kom, min älskling.”

Hon väntar, ropar igen, men hunden syns inte till.

Rädslan sprider sig i kroppen. Ludde brukar alltid komma när hon kallar på honom.

”Ludde”, ropar hon igen, betydligt högre den här gången. ”Ludde!”

Det är lika mörkt och tyst som förra gången hon gick ut.

Hon drar på sig boots och jacka igen och pulsar genom trädgården. Det har fortsatt att snöa, fotspåren hon upptäckte tidigare syns knappt, inte avtrycket från den öppnade grinden heller.

Snöfallet har lättat en aning men det blåser lika kallt som förut.

”Ludde”, ropar hon igen, fast nu blir det mer en orolig snyftning. ”Ludde, var är du?”

Hon går ut på vägen och ser sig om, sedan tillbaka och kliver runt på tomten. Till slut upptäcker hon hunden.

Han ligger på sidan, intill ena garageväggen. Pälsen är översnöad och han är alldeles stilla.

Lena kastar sig fram.

"Ludde!"

När han ser henne försöker han lyfta på huvudet, men det lyckas inte riktigt. Han skäller inte ens, gnyr bara när han upptäcker sin matte. Lena får halvt bära, halvt släpa honom tillbaka till värmen i huset.

Han väger runt trettio kilo, hon orkar knappt få in det lealösa djuret i hallen.

De kollapsar tillsammans innanför ytterdörren.

När hon sätter sig upp ser hon Luddes matta ögon. Pupillerna är mycket små och han dräglar onormalt mycket, det rinner om käkarna på ett sätt hon aldrig sett förut. Ett vitt slem rinner ner på golvet.

Andningen är snabb och flämtande, då och då skälver han till.

"Vad har hänt?" utbrister Lena.

Hon försöker känna utmed hans kropp, låter fingrarna röra sig upp och ner i den lena pälsen, men hittar ingenting som kan förklara varför han är så dålig. Han har inga sår, blöder inte. Det är bara som om all kraft har sipprat ur honom.

Medan hon låg och sov.

Självföraktet bubblar i bröstet men hon har inte tid med skamkänslorna. Hon behöver väcka Harald. Ludde måste åka till veterinären och han måste stanna med tvillingarna.

Lena rusar uppför trappan. Men när hon slår upp dörren till sovrummet är det tomt. Sängen är orörd, den ovikta pläden från igår ligger kvar på golvet.

Hon var säker på att Harald låg och sov. Han kan inte också vara borta.

Lena griper hårt om dörrhandtaget och försöker hålla tillbaka paniken. Det viktigaste just nu är att få tag i en veterinär.

Var har hon lagt mobilen?

Hon minns inte när hon använde den sist, förmodligen igår kväll. Men den ligger inte i bakfickan på jeansen.

Kan den vara kvar inne hos Amanda?

Lena rusar in till dotterns rum och rafsar runt i sängen. Hon hittar den intrasslad i det skrynkliga lakanet.

De brukar gå till den snälla veterinären i Undersåker. Hon googlar numret med febriga rörelser. Ringer medan hon går nerför trappan och faller på knä bredvid Ludde igen.

Måtte det finnas folk på kliniken fast det är så tidigt på morgonen.

Signalerna går fram, en efter en, utan att någon svarar. Till slut kopplas samtalet bort. Lena stirrar på telefonen och slår numret igen.

Den här gången hamnar hon hos en telefonsvarare. Efter viss tvekan beskriver hon Luddes symptom så gott det går. Hon vädjar att de ska ringa upp så fort de hör hennes meddelande. Det är svårt att prata, tårarna droppar och rösten är grötig.

Ludde gnyr ynkligt vid hennes sida. Han andas alldeles för tungt och mödosamt. Som om han vore döende.

Tanken gör outhärdligt ont.

Inte han också. Hon klarar inte det.

53

Halv sju på morgonen var Daniel tillbaka på stationen. Nu sitter han vid skrivbordet och försöker läsa i kapp rapporter från olika förhör som genomfördes igår.

De har börjat beta av de som var med på festen hemma hos Ebba. Liftvärden på VM6:ans toppstation har hörts men hon hade inte sett något misstänkt. Inte heller hade hon lagt märke till Amanda i liften när den gick igång på morgonen. IT-forensikerna arbetar fortfarande på att komma in i Amandas dator och en av utredarna i Östersund håller på att gå igenom familjens ekonomi och användning av bankkort.

De har begärt en masttömning, för att se om Amandas telefon varit uppkopplad mot en eller flera av mobiltelefonmasterna i området, men det brukar ta ett par dagar att få rapporten.

Anton kommer in och slår sig ner på stolen mittemot.

"Jag fick precis ett märkligt telefonsamtal", säger han.

"Jaha?"

"Det var en tjej som presenterade sig som utredare på polisområde Stockholm City. Hanna Ahlander heter hon, sysslar med brott i nära relation. Hon sa att hon hade upplysningar som rör Amanda, eller rättare sagt hennes pojkvän Viktor."

Daniel rynkar pannan.

"Varför skulle Stockholmspolisen vara intresserad av vår utredning?"

"Hon är tydligen här uppe av privata skäl och hade fått reda på något som hon tyckte att vi borde känna till. Eftersom hon har jobbat med just den sortens brott bad jag henne komma förbi. Det är bättre att höra saker ansikte mot ansikte."

Anton gnuggar sig i ögonen. Han måste vara lika trött som Daniel efter helgens arbete. Däremot har han ingen bebis som väcker honom om nätterna. Anton är ungkarl och bor för sig själv. Under de tre år de känt varandra har han aldrig pratat om någon flickvän.

"Hon dyker nog upp snart", säger han.

Daniel grubblar fortfarande över Ylva Labbas initiala undersökning. Hon såg inga tecken på att Amanda blivit sexuellt utnyttjad. Alltså borde det finnas andra motiv bakom bortförandet.

Han reser sig och vinkar till Anton att följa med.

"Kom så går vi bort till konferensrummet."

Han behöver överblicka materialet för att tänka bättre. De har satt upp nya bilder från fyndplatsen på väggen, nästan hela anslagstavlan är täckt av fotografier tagna ur olika vinklar.

Daniel går fram till närbilderna av Amandas kropp. Den bleka gestalten är täckt av ett tunt lager snöflingor. Hon ligger hopkurad, som om hon gjort ett sista försök att värma sig före döden.

Han studerar fotona, ett efter ett.

"Varför blev du bortförd?" mumlar han.

Det är den stora frågan.

Anton fäster tillbaka en av bilderna som lossnat och hänger på trekvart.

"Kan det röra sig om utpressning ändå?" säger han. "Hämnd eller revansch? Någon form av vedergällning?"

Det finns många orsaker att gissa på.

"Låt oss titta på tillvägagångssättet", säger Anton. "Varför hittas kroppen i liften?"

Fyndplatsen är det som är mest märkligt med fallet. Varför har gärningsmannen lagt Amandas döda kropp i en liftstol?

"Som en varning?" säger Daniel.

Han slår sig ner och knäpper händerna bakom nacken. Armbågarna spretar i vinkel.

"En varning för vad?" säger Anton.

Daniel har inget bra svar. Han tänker högt när han funderar vidare.

"Det var för kallt för att begrava henne. Och någonstans måste hon ta vägen."

"Han kunde bara ha lämnat henne ute på fjället. Då hade hon hittats till våren när det töar."

"Han kanske var rädd för att det skulle kunna spåras till stugan där vi tror att han höll henne gömd."

Anton skakar på huvudet.

"Med en bra snöskoter hade han kunnat dumpa henne många mil åt fel håll."

"Han var rädd för att lämna spår efter sig?"

"Det håller inte heller. De hade varit borta efter några timmar med tanke på de senaste dagarnas snöfall."

De fortsätter att vrida och vända på olika möjligheter. Daniel kör ner händerna i byxfickorna och går fram och tillbaka i konferensrummet medan de resonerar. När han stannar till möter han en leende solbränd Amanda på bilden de lånade från hennes sovrum.

Kontrasten till de andra bilderna på hennes frusna kropp är brutal.

"Jag tror faktiskt att gärningsmannen ville att vi skulle hitta henne", säger han till slut. "Eftersom han placerade liket just där. Det fanns ingen möjlighet att vi inte skulle upptäcka henne då."

Anton nickar.

"Varför ville han det?" frågar sig Daniel. "För att visa upp vad han gjort? Eller demonstrera sin makt över Amanda, både som levande och död?"

Anton slår ut med händerna.

"Jag är ingen expert på våldsbrott mot kvinnor. Den sortens samtal får du ha med andra personer."

"Vem skulle det vara?"

"Vi skulle kunna kolla med den där Stockholmspolisen, Hanna? Hon verkar ju ha jobbat med sådant."

Det blir tyst.

"Tänk om han inte menade att ta livet av henne", föreslår Anton efter ett tag, "och ville lämna tillbaka kroppen. Eller också hoppades han att det skulle bli mindre pådrag om hon hittades?"

Är det förklaringen?

Daniel går ett varv till.

Kan det vara så enkelt och så tragiskt?

Oavsett vilket är Amanda nyckeln till gåtan. Mördaren har inte velat föra bort vilken ung flicka som helst, det var henne han var ute efter.

54

Känslan av att befinna sig på djupt vatten följer Hanna när hon är på väg till polishuset i Åre.

I samma sekund som hon slog Anton Lundgrens nummer på morgonen ångrade hon sig, men han svarade på första signalen. Hon kom sig inte för att lägga på utan sa vad hon hette och förklarade sitt ärende.

Det blev inte bättre av att han bad henne komma förbi och berätta det personligen.

Hon får vänta i receptionen. För varje sekund som går ökar nervositeten.

En kille i hennes ålder kommer gående. Hans tjocka blonda hår ligger på plats med hjälp av hårgelé, han bär en mörkblå t-shirt som visar svällande muskler. Han ser frisk och sportig ut, som en reklambild för en polis i fjällen.

"Är det du som är Hanna?" säger han och sträcker fram sin vältränade arm för att hälsa.

Hanna nickar och skakar hand. Till utseendet påminner Anton inte särskilt mycket om Karro, men det är något med det öppna ansiktsuttrycket och den vänliga framtoningen som gör att man förstår att de är syskon. Borde hon nämna att hon känner hans syster lite grann? Nej, bättre att låta bli, det känns mer professionellt. Dessutom var det Karro som inte ville ta upp saken med sin bror.

"Häng med", säger han.

Han håller upp sitt passerkort för att släppa in henne genom den låsta dörren som leder till polisens lokaler. Där finns ett fikarum till vänster och en rad kontor till höger.

"Vill du ha kaffe?"

Utan att vänta på svar stannar Anton vid en kaffeautomat och fyller två muggar åt dem. Sedan fortsätter han bort till ett konferensrum och öppnar dörren.

Hanna blir stående när hon kliver över tröskeln.

Överallt på långväggen sitter fotografier av Amanda. Allt från bilder där hon ler mot kameran till närgångna foton av hennes döda kropp på platsen där hon hittades.

Vid bordet sitter en man i trettiofemårsåldern med symmetriska drag och kort trimmat brunrött skägg. Han har intelligenta ögon men ser sliten ut. Håret är lite rufsigt.

"Det här är polisinspektör Daniel Lindskog från Grova brott i Östersund", säger Anton. "Det är han som leder utredningen."

Daniel hälsar med ett fast handslag. Blicken är prövande, som om Hannas trovärdighet återstår att bevisa. Han ger ett betydligt allvarligare intryck än sin yngre kollega och hon blir akut medveten om sin slarviga hästsvans och bristen på makeup.

I morse drog hon bara på sig jeansen och tröjan som låg nedanför sängen.

Kommer de att ta henne på allvar?

"Du hade något att berätta?" säger Daniel.

Hanna harklar sig, olustkänslan är tillbaka. Hon vill inte upprepa samma misstag som ledde till katastrofen på jobbet i Stockholm.

"I lördags var jag med i en av sökpatrullerna som Missing People organiserade", börjar hon. "Då fick jag höra om en sak som jag tycker borde komma till er kännedom."

Hanna sammanfattar informationen om pojkvännen Viktor Landahl, tonåringen som misshandlade sin tidigare flickvän i slutet av högstadiet. Eftersom han var under arton kom han undan med en straffvarning.

"Ni kanske redan känner till detta", avslutar hon. "Men jag ville i alla fall informera er eftersom den sortens straffvarning försvinner efter tre år om den skyldige är minderårig. Om varningen redan hunnit strykas ur registret går den inte att se när man gör en slagning på honom."

Hon tystnar, ser ner på sina omålade naglar och vill därifrån.

"Det är en lätt sak att förbise", lägger hon till. "Jag har själv råkat ut för en liknande händelse i Stockholm, det var därför jag tog kontakt."

Den brunhårige polisen, han som heter Daniel, nickar på ett sätt som hon vill tro är uppmuntrande.

"Det verkar faktiskt som om vi har missat det", säger han. "Vi har förstås talat med Viktor men det här var ny information, i varje fall för mig. Vi behöver definitivt ta en närmare titt på killen."

Han ser uppskattande på henne.

"Vi borde ha haft bättre koll, den saken är klar. Tack för att du hörde av dig."

Lättnaden sköljer genom Hanna. Hon gjorde rätt som ringde upp. Problemet är att hon inte vågar lita på sina instinkter längre. Hennes chef i Stockholm har fått henne att tvivla på sig själv på ett sätt som hon aldrig gjorde förut.

"Hur är det i Stockholm?" undrar Anton. "Visst var det Citypolisen du jobbade på?"

Han öppnar en burk pepparkakor som står på bordet, tar två och stoppar den ena i munnen.

Hanna hade hoppats slippa frågan. För att vinna tid lyfter hon kaffemuggen och dricker så långsamt det går.

Hon kan absolut inte berätta sanningen. Men vill inte ljuga heller.

"Jag har varit på polisområde Stockholm City", säger hon till slut. "Jobbat med brott i nära relation och sådan skit."

"Har du slutat?"

Hanna bestämmer sig för en vit lögn.

"Jag är på väg att söka mig någon annanstans", säger hon.

Det är sant, rent tekniskt.

"Jag behövde luftombyte", lägger hon snabbt till. "Min syrra har ett hus i Sadeln som jag får låna så länge. Medan jag grunnar på nästa steg."

Den delen stämmer i varje fall.

"När ska du tillbaka till jobbet?" undrar Anton.

"Det är lite oklart."

En glimt av intresse tänds i hans ögon.

"Det blev ganska tungt med den sortens brott", mumlar hon utan att gå in på detaljer.

Förhoppningsvis drar de sina egna slutsatser. Det är ingen hemlighet att man nöts ner på enheter som jobbar med våld mot kvinnor och barn. Antingen bränner folk ut sig eller också blir de manshatare.

Daniel pekar mot väggen med uppsatta bilder.

"Vad tror du om den här utredningen?" säger han. "Vågar du uttala dig om gärningsmannen?"

Hans ögon är brungröna och mycket fokuserade.

Hanna har visserligen jobbat specialinriktat under hela sin karriär, och även läst extrakurser i psykologi på området, men hon är varken utbildad psykolog eller profilerare.

"Det är svårt att uttala sig på rak arm", säger hon dröjande. "Jag förmodar att ni letar efter en man, med tanke på statistiken."

Siffrorna talar sitt tydliga språk, hon behöver inte rabbla dem. De vet säkert att nästan nio av tio av de som döms för våldsbrott är män. Våldsutövande är starkt förknippat med det maskulina könet.

Hon studerar fotografierna i några sekunder.

Amandas halvnakna kropp är utfläkt på närbilderna. De stirrar intensivt mot Hanna och den gamla vreden vaknar till liv. Det har alltid varit hennes största drivkraft, att inte låta de jävlarna komma undan.

Varje gång hon satte dit en våldsman var det ett sätt att slå tillbaka mot Miguel, barägaren i Barcelona. Mannen vars svettlukt och dåliga andedräkt hon aldrig riktigt kan glömma.

Varje fällande dom var en avbetalning på skulden, den som fortfarande tynger hennes axlar fast det var han som var förövaren.

"Det ligger nära till hands att söka motivet i sexualdrifter", säger hon. "Men i motsats till vad många tror handlar fall av sexuella övergrepp egentligen om makt och dominans. När man utövar våld i nära relationer, till exempel genom sexuella kränkningar eller grov misshandel, så handlar det nästan alltid om att förövaren vill demonstrera sin maktposition. Han vill visa att han bestämmer över sin partner, villkorslöst. Det är ett skadligt mönster av kontroll och maktutövning som bygger mycket lite på könsdriften."

De två männen lyssnar noga.

I Hanna växer en svag tillfredsställelse över att hon fångat deras uppmärksamhet. Hon är inte en dålig polis, hon vet vad hon talar om. I den här sortens sammanhang är hon trygg och professionell.

"Eftersom Amandas kille har en historia av att vara våldsam mot sina flickvänner gör det honom intressant i sammanhanget."

Hon vänder sig till Anton.

"Vet ni ifall de bråkade kvällen då hon försvann? Kan hon ha gjort slut med honom? Det kan räcka som trigger."

Anton nickar långsamt.

"Hennes tjejkompis Ebba berättade faktiskt att Viktor och Amanda hade tjafsat med varandra på festen", säger han. "Viktor var tydligen väldigt full."

Daniel lutar hakan i handen.

"Vi har varit inne på att Amanda kan ha dött av misstag", säger han.

"Kan du förklara närmare?" säger Hanna.

"Vi är inte säkra på att avsikten var att hon skulle dö. Vi tror att det kan ha gått snett."

"Det var därför hon hamnade i liften, förstås", avbryter Hanna. "För att hon skulle lämnas tillbaka."

Daniel verkar förvånad. Han ser på Anton.

"Har du tagit upp det?"

Anton skakar på huvudet.

Hannas tankar löper fortare.

"Man ska inte underskatta de skuldkänslor och den ångest som följer när ett övergrepp väl är fullbordat", säger hon. "Många gärningsmän ångrar sig efteråt och då kan de vara uppriktiga, åtminstone i stunden. Problemet är att brottsbeteendet är för starkt. När det gått en tid faller de tillbaka i samma mönster. Gränserna tänjs ut och så småningom normaliseras våldsinslagen. Det som inledningsvis varit otänkbart framstår som rimligt eller åtminstone görbart."

"Fortsätt", säger Daniel spänt.

"Om pojkvännen är gärningsmannen kan han mycket väl ha ångrat sig", säger hon. "När flickvännen var död kände han skam, ett behov av att sona sina synder. Att lämna tillbaka kroppen kan ha varit ett sätt att göra det bra igen. Så bra det nu kan bli med tanke på att hon inte levde längre."

Hon pausar för att höra om de har några följdfrågor, men fortsätter när ingen avbryter.

"I liften kunde hon inte bli översnöad", säger hon. "Om han lämnat henne utomhus fanns det risk för att hon inte skulle hittas."

Hanna går fram till ett fotografi där VM6:an är i fokus. Det är taget från söder.

"VM6:an är en av de mest centrala liftarna i hela systemet. Det är klart att han ville att hon skulle bli funnen, varför skulle hon annars lämnas just där?"

Hon pekar på den tunga metallkonstruktionen, stålvajern där liftstolarna hänger.

"Förmodligen dumpade han henne innan de öppnade på morgonen. Stolarna staplas upp vid påstigningsplatsen under natten och där saknas bevakning. Det kan inte ha varit svårt att köra dit från baksidan av fjället med en snöskoter och lägga henne i en av dem. Förmodligen en där ryggstödet skymde sikten från dalen så att ingen kunde se vad han höll på med."

Daniel ser skarpt på henne.

"Säg det där igen."

Har hon sagt något dumt? Hanna förstår inte varför han reagerar så starkt.

"Vad då?"

"Det du sa nyss. Ta om det."

Hanna söker i minnet.

"Ryggstödet skymde sikten?"

"Självklart!"

Daniel sätter sig upp så häftigt att stolsbenen skrapar till.

"Vi har spekulerat i att kroppen lades i liftstolen på toppen", förklarar han och pekar på ett foto av VM6:an. "Liftvärden på dalstationen uppgav att han upptäckte Amanda när stolen kom glidande ner mot lifthuset, alltså uppifrån. Därför utgick vi från att kroppen lades i på toppen av berget. Men när vi talade med tjejen på toppstationen hade hon inte sett den."

Han river sig i håret.

"Du har förstås rätt. Kroppen måste ha blivit ilagd vid påstigningsplatsen och sedan följt med ett helt varv innan den kom ner igen."

"Gärningsmannen föreställde sig nog att Amanda skulle hittas innan liften satte igång", säger Hanna.

Anton gör tummen upp.

"Kan vi få låna in dig?" flinar han. "Vi skulle behöva en person som du i utredningen."

Menar han allvar?

Hanna får en känsla av att han betraktar henne nästan som om han undrar om hon skulle passa i gruppen.

Daniel ser på klockan.

"Tack för att du tog dig tid", säger han. "Det var ett bra samtal."

Hanna nickar och skjuter in stolen.

"Jag ville bara hjälpa till."

"Jag följer dig ut", säger Anton.

Daniel försvinner bort i korridoren innan Hanna hinner säga mer.

55

Hanna blir sittande i bilen med motorn på tomgång. Hon är omtumlad efter mötet med Anton och Daniel, men också ... glad.

Äntligen fick hon känna sig som en riktig polis igen. Både Anton och Daniel såg på henne med respekt, de hade en rejäl sakdiskussion. Hon upplevde att hon bidrog och att de var intresserade av hennes åsikter.

Som hon har längtat efter den sortens bekräftelse. Inte förrän nu förstår hon hur mycket hon har saknat det. Hur ont det har gjort att inte räknas.

Det hände något annat efter mötet också.

På vägen ut ställde Anton en mer seriös fråga. Han undrade om hon övervägt att börja jobba i Åre, om hon nu ändå inte skulle tillbaka till tjänsten i Stockholm. Hur skulle hon ställa sig till en tillfällig placering här uppe?

Åre? Hanna har inte ens tänkt tanken. Det enda som har upptagit hennes medvetande är att Manfred Lidwall inte vill se henne mer. Att hon inte är önskvärd hos Citypolisen längre.

Hon hörde sin egen röst svara ja alldeles för fort.

Anton förklarade att han själv inte fattar sådana beslut, men att han skulle ta ett ordentligt snack med Daniel.

"Det är inte som om jag har annat för mig", fick hon ur sig för att det inte skulle bli konstig stämning.

Det är fortfarande svårt att ta in de positiva nyheterna. Att någon kanske vill ha henne.

Hanna lägger i en växel och rullar ut från parkeringen, mot E14, för att köra hem till Sadeln.

Den sista tiden i Stockholm var en pina, arbetsuppgifterna försvann en efter en. Till slut kände hon sig som en paria, oönskad och utanför. Hon kunde lika gärna ha gått omkring med en skylt i pannan som det stod "pestsmittad" på.

Några av kollegorna försökte stötta, men ingen vågade riktigt stå upp för Hanna eller ställa sig på hennes sida. Istället fick hon höra att hon måste släppa frågan, gå vidare. Det var ingen idé att göra sig omöjlig, ledningen fick ändå alltid rätt. Fallet var nedlagt och det fanns nya ärenden att ägna sig åt.

Det gjorde saken ännu värre.

Hanna vill inte grubbla på det mer. Hon hatar att Josefins man, Niklas Konradsson, klarade sig undan rättvisan men det finns ingenting hon kan göra. Hennes kamp för Josefins upprättelse har redan kostat henne jobbet, det tjänar ingenting till att älta.

Av någon anledning kommer hon att tänka på Zuhra, hur skrämd hon såg ut när olyckan var framme igår morse. Den där strykrädda blicken. Men det behöver inte betyda något särskilt. Förmodligen är hon yrkesskadad efter alla år på enheten för Brott i nära relation.

Hon stannar till vid Coop för att handla mjölk och bröd. Systembolaget ligger precis bredvid. Borde hon köpa en flaska eller två för att inte nalla mer av Lydias förråd?

Hon bestämmer sig för att låta bli. Det som slutgiltigt satte spiken i kistan på jobbet var dagen då hon fick ett raseriutbrott på sin chef. Efter det tröstade hon sig med vin på kvällarna i flera veckor.

Det är dags att dra ner.

Precis när hon svänger ut på E14 ringer Lydia. Som vanligt går hon rakt på sak.

"Jag har goda nyheter. Jag har talat med din chef på Citypolisen."

Bara Lydia nämner Manfred Lidwall är optimismen från förmiddagens möte som bortblåst.

"Han var inte särskilt tillmötesgående", säger hon.

På Lydiaspråk betyder det att hon fick vrida upp armen på honom. Det är å andra sidan hennes systers specialitet.

"Hur gick det?"

"Tja ..."

Hon drar på orden men låter belåten när hon svarar.

"Du är välkommen att söka dig någon annanstans inom organisationen", säger hon till sist. "Medan du funderar är du arbetsbefriad, med full lön, så du behöver inte stressa fram ett beslut. Framförallt kommer du att få mycket goda vitsord med dig."

"Tack", utbrister Hanna. "Tack, tack, tack."

Det känns som om någon lyft en tung börda av axlarna, på en sekund är hon tio kilo lättare. Hon behöver inte oroa sig för ekonomin den närmaste tiden och hennes karriär kommer inte att ta skada.

"Så svårt var det faktiskt inte. Jag påpekade bara vissa grundläggande arbetsrättsliga principer."

Lydia skrockar nästan.

"Jag kan ha frågat hur det skulle se ut ifall pressen fick reda på att man hellre gör sig av med en yngre kvinnlig polis än erkänner sina egna misstag. Särskilt när konflikten rör en kollega som dessutom fått vårdnaden om ett litet barn, trots att han varit inblandad i en misstänkt mordutredning om sin fru. Jag undrade också hur facket skulle se på en del av de saker din chef hävde ur sig till dig."

Hanna visslar till.

"Sa du det? På riktigt?"

Det hade hon inte trott om sin storasyster. Att hon är beredd att ta till utpressning för att få som hon vill.

Särskilt inte för Hannas skull.

En våg av tacksamhet sköljer genom henne.

"Jag antydde nog det", säger Lydia. "Han verkade minst sagt angelägen om att det inte skulle komma ut, särskilt hur han har uttryckt sig mot dig."

"Du är fantastisk", säger Hanna med grötig röst.

Lydia har räddat henne. Och Antons fråga har tänt ett nytt hopp, även om den absolut inte var ett löfte.

Kanske finns det en annan arbetsplats som vill ha henne?

Kanske är hon inte körd som polis, trots allt?

56

När Anton och Daniel kliver in på restaurang Broken för att äta lunch hänger matoset tungt i luften. Här serverar de byns bästa burgare, vid den avlånga baren med knallblått underrede beställer Daniel en stor Coca-Cola och ett skrovmål. Han är utsvulten, morgonens frukost bestod bara av kaffe och några pepparkakor.

De sätter sig vid ett bord längst inne i hörnet. Daniel kastar sig över maten.

"Vad tyckte du om Hanna?" frågar Anton när de fått i sig måltiden och hämtat varsin kaffe.

"Hur så?"

Anton gör en uppskattande min.

"Hon var riktigt skarp, om du frågar mig. Intressant bakgrund. Dessutom gillar jag att hon tänker utanför boxen."

Daniel torkar sig med en servett runt munnen.

"Ganska snygg också", fortsätter Anton. "I varje fall om hon skulle fixa till sig lite."

Daniel avstår från att kommentera det sista.

"Vi kan behöva en som Hanna med tanke på alla vakanser", säger Anton. "Det vore inte så dumt om vi kunde få låna in henne."

Det går inte att säga emot. Personalstyrkan på Grova brott består just nu bara av sju personer, när de egentligen borde vara tio. Det är därför Anton och Raffe får ingå i PUG-gruppen som utreder mordet på Amanda. Båda är egentligen stationerade i Åre och ska syssla med det som kallas mängdbrott, stölder, misshandel och skadegörelse.

"Dessutom vore det bra med en tjej, eller hur?" säger Anton med en blinkning. "Det är mest gubbar överallt."

Anton har rätt även i det. De har bara två kvinnor förutom Birgitta Grip. Hanna Ahlander skulle utan tvekan vara ett intressant tillskott till gruppen. Hon skulle till och med kunna ruska om dem på ett bra sätt.

Daniel dricker upp det sista av kaffet samtidigt som ett större sällskap kommer in i restaurangen. De drar med sig kall luft som når ända in i hörnet där han och Anton sitter.

"Jag tycker att vi ska kolla om det skulle gå att fixa en tillfällig kommendering åt henne", säger Anton. "Även om det blir Östersund som får betala hennes lön. Hanna är redan på plats, hon skulle kunna börja med en gång som en temporär förstärkning av PUG-gruppen."

Daniel ger honom en blick. Är det här en införsäljningskampanj?

"Hur vet du det?" säger han.

"Jag frågade henne när jag följde henne till dörren. Om hon kunde tänka sig att jobba i Åre. Hon lät intresserad, sa att hon inte direkt hade annat för sig."

Det är en okonventionell tanke, att plocka in en person på stående fot. Fast de skulle verkligen behöva vara fler. Fallet med Amanda äter upp alla resurser. Det stora allmänintresset och medias frågor pressar dem att skynda på.

"Hur skulle vi få igenom det på så kort tid?" säger Daniel. "Du vet hur det är i den här organisationen."

"Man vet inte förrän man har fått nej", säger Anton.

Han lutar sig tillbaka och klappar sig belåtet på magen.

"Vad är det värsta som kan hända om du skulle föreslå det för Grip? Slå henne en signal, hon får väl snacka med Hannas chef i Stockholm. De där HR-människorna måste kunna hitta en genväg för att fixa en snabb placering hos oss. Det kan inte vara första gången de rundar ett hörn."

"Jag ska tänka på saken."

Daniel byter samtalsämne. Eftermiddagen är vigd åt ett besök i Amandas skola, de är på väg till Järpen för att tala med personalen på gymnasiet där hon gick.

"Vi behöver tala med Amandas pojkvän igen", säger han. "Med tanke på Hannas upplysningar."

"Absolut", säger Anton. "Han är väl också i plugget så här dags."

Daniel skjuter ut stolen.

"Kom så sticker vi."

Lärarna kanske har ett och annat att säga om Viktors förhållande till Amanda, tänker han på vägen ut. Viktor har definitivt en del att förklara.

57

Flaggan har hissats på halv stång när Daniel och Anton anländer till gymnasieskolan i Järpen.

Stämningen är dämpad när de kommer in i entrén. Den leder direkt till en cafeteria där väggarna är dekorerade med diplom och priser som eleverna vunnit. Klungor av ungdomar samtalar med låga röster. En flicka gråter i ett hörn med ansiktet begravt i händerna.

På ett litet podium står ett foto av Amanda med ett tänt stearinljus bredvid.

En kvinna från kansliet visar dem till ett samtalsrum med gröna sammetsgardiner medan man hämtar Lasse Sandahl, Amandas mentor.

Dörren öppnas och en man i trettiofemårsåldern i jeans och V-ringad tröja kommer in. Han gör ett pojkaktigt intryck även om håret har börjat tunnas ut.

Sandahl hälsar med ett fast handslag och de slår sig ner.

"Vi har förstått att du var Amanda Halvorssens mentor", säger Daniel.

"Ja", nickar Sandahl.

Han suckar tungt.

"Det är fruktansvärt tragiskt, omöjligt att ta in. Jag bara väntar på att Amanda ska dyka upp i korridoren."

"Hur länge har du varit hennes mentor?" frågar Daniel medan han tar fram sitt anteckningsblock.

Kulspetspennan krånglar, han knäpper med den några gånger.

"Sedan första året", svarar Sandahl.

"Hur väl skulle du säga att du kände henne?" fortsätter Daniel.

"Ganska bra, med tanke på hur många elever man har som mentor. Jag har alla som läser EK, alltså ekonomiprogrammet. Arton stycken."

"Hur skulle du beskriva Amanda?" säger Anton.

Läraren tänker efter i några sekunder.

"Amanda var en härlig tjej och en fin kamrat. Hon var smart och hade huvudet på skaft. Dessutom hade hon en stark känsla för rätt och fel, hon argumenterade ofta på lektionerna och drog sig inte för en rejäl diskussion. Hon var särskilt förtjust i samhällskunskap."

Sandahl tystnar. Han verkar genuint berörd av Amandas öde, rösten är beslöjad när han fortsätter.

"Det är overkligt att hon inte finns mer. Hon var en person som man lade märke till, med skinn på näsan. Många tjejer i den åldern vill inte riktigt ta plats, men Amanda stod upp för det hon trodde på."

"Hade hon några problem i skolan som du känner till?" undrar Anton. "Hade hon ovänner?"

Sandahl skakar på huvudet.

"Jag har alltid uppfattat Amanda som en populär tjej. Hon hade många kompisar, hon och Ebba brukade hänga ihop med ett större gäng och klassen kom bra överens. De hade en lucia-fest hemma hos Ebba i torsdags, efter vad jag har förstått."

Det låter från korridoren när en grupp ungdomar går förbi. Även på avstånd går det att uppfatta ett sorgtyngt sorl.

"Hur är det med Viktor, hennes pojkvän?" säger Daniel. "Är du mentor även för honom?"

"Nej, han går på Fordon, alltså Fordons- och transport-programmet."

"Men du vet vem han är?"

"Ja."

"Hur är han som person?"

"Hur menar du?"

"Han har visst dåligt rykte", säger Anton.

Sandahl tvekar.

"Det där kan inte jag uttala mig om."

"Någon uppfattning har du väl?" säger Daniel.

Sandahl ändrar ställning på stolen, blicken glider iväg mot fönstret.

"Han har ett häftigt humör", medger han.

"Vad tänker du på?" frågar Daniel.

"Jag vet inte om jag borde uttala mig om en elev som jag inte är mentor för ..."

Daniel ger honom ett lugnande leende.

"Det här stannar mellan oss."

Sandahl nickar och fuktar läpparna.

"Det var en incident förra året", säger han. "Viktor hamnade i bråk med en annan kille. Han blev så arg att han sparkade in en toalettdörr. Det borde ha anmälts förstås, men föräldrarna betalade alla skador och lyckades övertala rektorn att ha överseende."

Lasse Sandahl tycks inte dela sin chefs åsikt om att låta udda vara jämnt.

"Det verkar som om Viktor var den sista som såg Amanda innan hon försvann", säger Daniel.

"Jag hörde det."

"Hur tänker du kring det?"

"Det känns jobbigt. Jag menar ... jag vill inte misstänka en av våra elever för ett allvarligt brott ..."

Lasse Sandahl avbryter sig, som om han redan har sagt för mycket. Han stryker handen reflexmässigt genom håret.

"Jag är nog lite i chock, som alla andra här på skolan", mumlar han. "Det är ofattbart det som har hänt."

Han blundar och tar ett djupt andetag genom näsan.

"Det går inte att förstå att hon blivit mördad."

58

Mjölksyran brinner i låren. Hanna närmar sig slutet av elljus-spåret i Björnens längdområde, det som ligger på gångavstånd från Lydias hus.

Hon njuter av det stilla landskapet, känslan av att ensam för-foga över den snötäckta naturen. Spåren löper elegant genom skogen i en stor cirkel med en frusen myr som mittpunkt. Granarna bildar en katedral av träd som hon ljudlöst glider igenom. Snöfallet har gjort ett kort uppehåll och hit når inte vinden från fjället.

Hon är inte otränad men har mest åkt utför de senaste åren. Rörelserna sitter ändå i muskelminnet även om ljumskarna protesterar efter nästan femton kilometer. Rytmen bestäms av hennes egna jämna andetag och pulsen som taktfast bultar i bröstet.

Hjärnan får vila medan kroppen arbetar.

Den sista biten är nerförsbacke. Då hon åker utför älskar hon den snabba farten. Med längdskidor håller hon igen. Det är i nerförslutet man slår sig. Längdskidorna är tunna och insta-bila, det är svårt att kontrollera hastigheten.

Hon plogar ner för att inte trilla. När hon kommer fram till platsen där spåren avslutas är hon helt färdig.

Långt bort skäller en hund men skallet dör snart bort mot den mörka skyn.

Någonting har lättat i sinnet. Besöket på polisstationen gav henne ny energi. Det är första gången sedan hon kom hit som hon har velat ge sig ut i spåret.

Svetten rinner nerför ryggen när hon vandrar hemåt med

skidorna över axeln. Det tar knappt femton minuter tillbaka till huset. För en gångs skull är kylan välkommen, andedräkten står som en tjock rök ur munnen.

När hon kommer hem tar hon en lång varm dusch. Hon låter vattnet flöda, slösar med Lydias dyra duschcrème och smörjer in kroppen med ännu dyrare hudlotion som hon aldrig skulle ha råd att köpa själv. Sedan drar hon på sig mjukisbyxor och tröja och går upp till köket för att sätta sig vid datorn.

Lydia har messat namn och adress på deras städfirma. Hanna hade nästan glömt sina funderingar över händelsen med Zuhra igår, men nu dyker tankarna upp igen.

Den där sortens rädda ögon har hon sett förut, hon känner igen den kuvade hållningen.

Hanna googlar på namnet, Fjäll-städ AB, för att ta reda på mer om Zuhras arbetsgivare. Firman ska vara en av de största i Åre. Hon går in på en ekonomisajt som anger olika bolags finansiella ställning och årsredovisningar. Där hittar hon uppgifter om resultat, omsättning och inbetalad skatt för de senaste fem åren.

Fjäll-städ AB har tjugo anställda och en omsättning på tjugotvå miljoner. Förra året gjorde de ett resultat på nästan tre miljoner kronor. Hanna gör ett snabbt överslag. Det blir en vinstmarginal på drygt tretton procent. Inte illa.

Hanna går in och tittar på bolagsstyrningsuppgifterna där vd och styrelse anges. Namnen säger henne ingenting. Samtliga fem ledamöter är vita män, precis som vd:n. Alla är mellan fyrtio och sextio utom ordföranden som är nästan sjuttio. Det faktum att städningen till övervägande del verkar utföras av kvinnor, liksom kontorssysslorna, tycks inte ha slagit igenom i ledningen.

Det ligger något provocerande över ålders- och könsfördelningen hos Fjäll-städ, men så ser det ut i många svenska företag. Kvinnorna gör jobbet och männen sitter på chefspositioner och fattar besluten.

Hanna känner till en del om det.

Hon ser Zuhras oroliga ansikte framför sig. Det verkar inte vara fel på hennes arbetsgivare i alla fall. Kan det finnas en våldsam pojkvän eller en äkta man som hon är rädd för? Hon skulle vilja träffa Zuhra igen och fråga henne rent ut. Det finns hjälp att få för utsatta kvinnor.

Hon lutar sig tillbaka och flätar samman fingrarna bakom nacken.

Mötet på polisstationen i morse är den första ljuspunkten på länge. Antons fråga om hon kunde tänka sig att jobba i Åre kom som en blixt från klar himmel.

Ju mer hon funderar, desto mer intresserad blir hon.

Med glimten i ögat antydde Anton att det är Daniel som bestämmer. Han är ansvarig för utredningen och den tillhör sektionen för Grova brott i Östersund. Om det är någon som kan dra i rätt trådar är det han. Anton är stationerad i Åre och jobbar egentligen med andra saker. Han har inget inflytande över anställningsfrågor.

På impuls går hon in på Google igen och skriver in Daniel Lindskogs namn, plötsligt nyfiken på mannen som kanske, kanske kan få hennes liv på rätt köl igen.

Hon hittar ingen som liknar polisen hon träffade tidigare idag. Han verkar inte ens finnas på Facebook.

Hon gör om sökningen, skriver in Daniel Lindskog + polis, och då får hon napp. Nu hittar hon flera tidningsartiklar i Göteborgs-Posten där han nämns vid namn i samband med olika brottsutredningar.

I en av dem uttalar han sig om en svår mordutredning med kopplingar till ett MC-gäng i en av Göteborgs socialt utsatta förorter. Det handlar om en man som påträffats brutalt misshandlad till döds i skogen. Hon minns det där fallet, det fick stor uppmärksamhet för tre fyra år sedan.

Att döma av reportaget har Daniel jobbat med grova brott i Göteborg under en längre period, han verkar vara en erfaren och rutinerad utredare.

Hanna kan inte låta bli att undra vad en polis med hans bakgrund gör i Åre. I fjällen är det vanligare med rattfylleri eller berusade norrmän i slagsmål, knappast brott som motsvarar Daniels kompetensnivå. Men kanske vill han leva ett annat slags liv? Det är många som flyttar hit för att de tröttnat på storstaden.

Hon läser vidare en stund till innan hon klickar bort sidan och sträcker på sig.

För några dagar sedan var hon övertygad om att hon var värdelös, att hennes karriär var över. Ingen skulle vilja anställa henne igen, inte när Manfred så tydligt ville få bort henne från Citypolisen.

Det oplanerade mötet med Anton och Daniel kan innebära en ny framtid, en som hon inte ens vågat drömma om.

Hon skulle ge sin själ för att få en ny chans.

59

Ludde ligger i en svart plastsäck i garaget. Lena har suttit vid köksbordet en lång stund och bara stirrat på en punkt på väggen. De senaste timmarna är som en dimma. Huset är tomt, Harald har tagit med sig Mimi och Kalle till mataffären för att handla.

Sorgen och smärtan är så stark att kroppen känns främmande, som om den tillhör någon annan.

Finaste Ludde med sina stora bruna ögon. Han har varit hos dem sedan han var nio veckor, den sötaste valp man kan tänka sig. Ett litet pälsknyte av ren kärlek som hela familjen förälskade sig i.

Amanda avgudade Ludde.

Nu är båda två borta, inom loppet av bara några dagar.

Lena förstår inte vad som hände, Ludde var bara fyra år. Hur kan en frisk och livlig hund dö på ett par timmar?

Nyss var han här, varm och levande, och smög tätt intill henne som om han förstod att hon höll på att gå sönder inuti. Igår kväll grät hon mot hans lena huvud och värmde sina iskalla händer mot hans mjuka tassar.

Nu ligger han ute i garaget, lika stel som Amanda när hon hittades i liften.

Tanken är så plågsam att hon inte kan hålla sig uppe. Hon glider ner på köksgolvet och lägger sig i fosterställning, stönar och vaggar fram och tillbaka några gånger. Med kinden mot de kalla träplankorna andas hon lätt och ytligt, flämtar genom munnen precis som Ludde brukade göra ibland.

Harald hann inte ens hem.

När han kom in genom dörren var det redan för sent. Hon satt på golvet med Luddes huvud i knäet, tiggde och bad att han inte skulle ge upp fast han redan var död.

Hon hade kunnat sitta där i timmar om inte Harald fått henne att resa sig och gå ut i köket. Det var han som hämtade plastsäcken och bar ut Ludde till garaget för att tvillingarna inte skulle upptäcka honom när de vaknade.

Barnen vet inte om att han är död än, Harald har bara sagt att Ludde är på djursjukhuset.

Det går inte att berätta sanningen just nu, Mimi och Kalle kan inte utsättas för ännu en förlust så nära inpå Amandas död.

Amanda.

Lena kvider. Hennes dotter är fortfarande på sjukhuset i Umeå där rättsläkaren håller på att skära i hennes döda kropp.

De har inte ens fått se henne än.

Hon skulle göra vad som helst för att vrida tillbaka klockan och träffa Amanda en sista gång. Få säga att hon älskar henne så mycket, att allt tjafs den senaste tiden varit helt oviktigt.

Hon ångrar det så. All onödig irritation som hon släppte fram utan att tänka sig för.

Om hon bara förstått att tiden höll på att rinna ut. Det är så mycket hon skulle gjort annorlunda då.

Lena gråter. Det blir blött under kinden som vilar mot golvet men hon kan inte sluta.

"Amanda", viskar hon för sig själv i halvdunklet. "Älskade Amanda. Kom tillbaka till oss."

60

Bordet i konferensrummet på polisstationen är fyllt av dokument.

Daniel står med en kopp kaffe i handen och försöker göra en mental summering. Han är trött och känner sig närmast uppgiven. De har inte hittat något anmärkningsvärt i familjens ekonomi och banken har meddelat att Amandas kort inte har använts sedan i torsdags. Mobilen är fortfarande borta, trots att de har letat en extra gång utmed E14. Masttömningen är inte klar och de väntar ännu på resultatet av IT-forensikernas ansträngningar att öppna Amandas dator. Där har de dessutom medarbetare som vabbar, så det kan dröja ytterligare några dagar enligt det senaste beskedet.

Daniel suckar och dricker sitt kalla kaffe.

Pojkvännen Viktor har de inte heller fått tag i. De hade tänkt prata med honom efter samtalet med mentorn, Lasse Sandahl, men Viktor var inte i skolan och ingen i familjen var hemma när de ringde på. De ska göra ett nytt försök i morgon. Under tiden har de kontaktat kollegorna i Umeå för att få mer information om händelserna som ledde fram till Viktors straffvarning. Mycket riktigt har han gjort sig skyldig till misshandel. Varningen ströks för bara några månader sedan, det är därför den inte dök upp vid bakgrundskontrollen.

Enligt Daniels uppfattning kom Viktor billigt undan den gången. Hade han varit några år äldre hade han fått ett betydligt strängare straff.

De har även dubbelkollat hans alibi och insett att ingen av hans kamrater kan svära på att Viktor verkligen var kvar hos Ebba efter att Amanda lämnade festen.

Wille, som Viktor uttryckligen hänvisade till, var så full att han inte kan intyga det minsta. Ebba säger samma sak, hon minns inte heller ordentligt. Trots att de har förhört samtliga deltagare på festen är det ingen som till hundra procent är säker på var Viktor höll hus mellan midnatt och klockan tre natten till lucia. Amanda kanske inte alls blev upplockad av en bil. Istället kom Viktor i kapp henne på E14 och sedan gick allt snett.

Daniel kliar sig i nacken.

Han väntar på Anton, de ska ägna den närmaste timmen åt att försöka identifiera de stugägare i Ullådalen som också är skoterägare. Tanken är att ringa in personer som haft möjlighet att transportera Amandas kropp till VM6:an. Teorin om att hon hölls fången i en fjällstuga är fortfarande deras starkaste kort. Han vill se om Viktor har någon koppling till Ullådalen.

Han drar ut en stol och tar fram listorna från Lantmäteriet och Trafikverket. Förteckningen över fastighetsägare är ingenting jämfört med antalet registrerade snöskoterägare i Åre kommun. Vid årsskiftet fanns det drygt femtusen, varav tretusensexhundra var i trafik.

Det här kommer att ta tid.

När Anton dyker upp sitter Daniel med en uppställning över de personer som enbart har stugor i området men inte äger en skoter. Sex män och två kvinnor är listade i bokstavsordning:

Bergstrand, Göran

Björk, Stefan

Grönvall, Arne

Mäkinen, Pentti

Nilsson, Carl-Johan

Pettersson, Torgils

Pihl, Anna-Britta

Risberg, Annika

"Är det där något slags fastighetsmagnat i Ullådalen?" frågar Daniel och pekar på det sista namnet som dykt upp flera gånger.

Anton skakar på huvudet.

"Gammal släkt i trakten. Har nog ärvt stugorna av sin pappa, han gick bort för några år sedan."

Daniel lägger pappret åt sidan och koncentrerar sig på de nyss utskrivna dokument som Anton haft med sig.

Det är listor med namn och hemadresser på personer som *både* har ett ställe i Ullådalen och är registrerade ägare till en snöskoter. Dessa är många fler. Förmodligen för att det knappt går att ta sig till en stuga i Ullådalen utan en skoter. Åttio procent är män, många men inte alla bor i kommunen. De behöver göra hembesök hos männen. Kvinnorna går bort eftersom de i första hand letar efter en manlig mördare.

Även Hanna resonerade i de banorna, erinrar han sig. Statistiken talar emot en kvinna som gärningsman.

Daniel granskar hemadresserna och stönar för sig själv. De får börja med de som finns i närheten. Markägare i andra kommuner får vänta. De behöver även kolla upp samtliga i sina egna register, se om det finns personer med ett kriminellt förflutet som dyker upp i sammanhanget.

Östersund får ta hand om den delen, bestämmer han. De håller redan på att kolla bakgrunden på personer i Amandas vänskapskrets.

Mobilen ringer i samma stund som Anton går ut för att hämta fler utskrifter. Det är Bosse Lundh som söker honom.

"Hur står det till?" frågar Bosse vänligt.

Daniel passar på att resa sig och sträcka på ryggen.

"Vi kämpar på", säger han. "Det är mycket så här i början."

"Jag förstår det", säger Bosse.

De småpratar i några minuter. Bosse harklar sig.

"Jo", säger han, "anledningen till att jag hör av mig är den där presskonferensen som var på tv igår ..."

Daniel gör en grimas, han vill helst glömma eländet.

"Jag hörde att journalisterna undrade om polisen kunde ha samarbetat bättre med Missing People", fortsätter Bosse. "Men jag förstår inte frågan. Vi fick kontakt med familjen och började leta redan på lördagsmorgonen. Jag tyckte att samarbetet flöt på fint."

Han gör en liten paus.

"Det är inte jag som har pratat med pressen om det. Jag ville bara säga det, så att du vet."

Daniel är tacksam för Bosses påpekande. Han kände sig ordentligt ifrågasatt när frågan kom.

"Det trodde jag inte heller", säger han. "Men tack för informationen."

"Om vi kan bistå är det bara att du hör av dig", avslutar Bosse.

Daniel lägger på och återgår till listorna.

"Känner du igen några av de här?" frågar han när Anton kommer tillbaka.

Kollegan studerar dokumenten, pekar ut bekanta namn och konstaterar att ingen skiljer ut sig. Allting ser ut att vara i sin ordning. Det är exakt vad Daniel inte vill höra. Han böjer på huvudet och fortsätter läsa.

"Det hade varit fint om vi varit några till", suckar Anton efter en stund. "Har du förresten funderat på det där med Hanna? Ska du inte kolla med Grip om Citypolisen kan låna ut henne för en tillfällig placering hos oss?"

Daniel ser upp. Hanna Ahlander igen. Hon verkar onekligen ha gjort intryck på Anton eftersom han tar upp det ännu en gång.

Han måste medge att hon framstod som både kompetent och erfaren. Samtidigt tycktes hon inte ha behov av att imponera på sin omgivning. Han skulle gärna jobba tillsammans med henne.

Det kostar ingenting att fråga, som Anton mycket riktigt påpekade när de åt lunch.

Daniel drar fram mobilen ur fickan och fingrar på den. Ska han göra ett försök?

Varför inte?

Han slår numret till Birgitta Grip innan han hinner ångra sig.

61

Hanna sitter och slösurfar i halvmörkret vid det stora matbordet. Fliken med information om Fjäll-städ AB är fortfarande öppen men hon bryr sig inte om den. Istället läser hon om mordet på Amanda. Kvällstidningarna ägnar många sidor åt fallet, spekulationerna går höga och kommentarsfälten är fulla.

Det är en saftig story för den som jagar många klick.

Till slut får hon nog och skjuter ifrån sig datorn. Hon orkar inte läsa mer om den stackars döda flickan.

Klockan närmar sig halv sju.

Blicken glider mot de höga fönstren. Vinden har lagt sig. Hanna skjuter ut stolen, går fram till altandörrarna och ser ut över landskapet.

Åredalen vilar i Renfjällets skugga. Molntäcket har till slut lättat och ersatts av en stjärntäckt himmel. Miljoner gnistrande vita punkter översållar skyn och blinkar mot jorden.

Hon har så många minnen härifrån, både glada och ledsamma. Mest från tiden när Lydia flyttat hemifrån, när det bara var hon och föräldrarna som for till Åre på vinterloven.

Stunderna då hon åkte skidor med pappa, när det bara var de två i liften eller i kaffestugan, tillhör de bästa.

Hanna ser sin pappa framför sig. Han har alltid velat bevara husfriden, aldrig stått ut med konflikter i familjen. Hans avsky för höga röster och dramatiska scener ledde till att mamma ständigt fick sin vilja igenom.

Han var lika stilig som en Hollywoodstjärna men saknade den moraliska styrkan att välja sitt barn framför sin fru.

Märkligt nog är hon inte lika arg på honom som på mamma. Kanske för att han har blivit så gammal? Pappa är åttiosex, elva år äldre än mamma, och har blivit en tyst skugga av sitt forna jag. Han var aldrig den som pratade mycket men nuförtiden säger han nästan ingenting. Han bara nickar och håller med när mamma pratar på.

Förmodligen är han lite dement, men det spelar mindre roll. Den pappa som sårade Hanna så djupt är försvunnen. Hon kan inte vara arg på en person som inte längre finns.

Hanna stirrar ut i mörkret.

Det gamla fritidshuset, det som de alltid brukade hyra, ligger inte långt från VM6:an. Hon har inte velat gå förbi, har nog med sina bekymmer här och nu.

Lite snö rasar ner från taket. Det landar med en duns på uppfarten, en vit liten hög bredvid den mycket större som snöröjningen plogat upp.

Det är inte Åres fel att hon aldrig varit tillbaka som vuxen.

Genom åren har Lydia många gånger bett henne följa med men Hanna har alltid tackat nej. Ändå har hon aldrig slutat älska fjällen, naturen knöt henne till sig med band som fortfarande består. Här känner hon sig hemma, trots att hon inte varit uppe på länge.

Hanna lutar pannan mot det svala glaset och sluter ögonen. Kan barndomens skidort ge henne en ny framtid?

Hon vet inte om hon vågar tro på möjligheten till en ny placering i Åre. Eller om det bara är ännu ett luftslott som kommer att rasa ihop, precis som allt annat har gjort i hennes liv?

62

Daniel kan inte riktigt förklara varför han är på väg hem till Hanna Ahlander så här dags på kvällen.

Birgitta Grip trodde först att han skämtade när han ringde upp henne och föreslog att de skulle ta in Hanna på en tillfällig placering med omedelbar verkan.

"Så går det inte till", fastslog Grip med viss skärpa.

Hon fortsatte prata om rutiner som behövde följas och formella krav. Dessutom var de olika polisregioner, det blev alltid krångligare att låna in personal då.

Daniel stod på sig. Faktiskt överraskade han sig själv med styrkan i sin argumentation. Han framhöll att det vore nästintill tjänstefel att inte utnyttja en kompetent polis som ändå befann sig i trakten. Särskilt som hon var beredd att ansluta med en gång och resurserna, som Grip mycket väl kände till, var hårt ansträngda.

PUG-gruppen behövde verkligen förstärkas.

Han hade kollat upp Hannas bakgrund så gott det gick och lyfte fram hennes tidigare placering på gruppen för Brott i nära relation hos Stockholm City som en tung merit.

Till slut gav Grip med sig. Daniel fick ett halvt löfte om att hon skulle kolla upp möjligheten. Om han gick i god för Hanna och personligen tog ansvar för hennes medverkan i utredningen om mordet på Amanda.

"Det är bråttom", avslutade Daniel samtalet. "Jag vill ta in henne så fort det går."

De kom överens om att höras redan i morgon.

Daniel hoppas verkligen att Grip ska lyckas. Han har bara

träffat Hanna en gång, men han känner igen en bra polis. Det är faktiskt ett bekymmer att de har så få kvinnor i gruppen. Han har lärt sig att många kvinnor har ett annat sätt att se på saker, de fokuserar på andra frågor. Mixade grupper jobbar helt enkelt bättre.

Dessutom är hennes bakgrund perfekt för det här fallet.

Han kör igenom Björnens centrum och svänger in i Sadeln från Fröåvägen. Bilen rullar nerför backen, förbi vallaboden och en rad timrade trevåningshus som inte låg där förra året. Ännu ett resultat av byggboomen.

Han tar av på Västra Sadelviksvägen, söker med blicken efter adressen där Hanna ska bo, och förstår att det enorma huset vid vägens slut måste vara rätt nummer.

Vilken kåk! Det är svårt att inte vissla till.

Tre sekunder senare kör han in på uppfarten och går ur bilen utan att låsa. När Hanna öppnar ytterdörren ser han förvåningen i hennes ögon.

"Är det du?"

Hon är klädd i mjukisbyxor och en urtvättad collegetröja. Daniel ångrar sig nästan. Det här kanske var en usel idé.

"Har du tid att snacka en stund?" frågar han och huttrar till i den bitande kylan.

"Eh, visst. Självklart."

Hon öppnar dörren och tar några steg bakåt för att släppa in honom.

"Kom in", lägger hon till. "Jag blev bara lite överraskad."

Daniel kliver in i hallen som leder till den öppna planlösningen. Det är en enda avlång yta med plats för vardagsrum, bibliotek och matplats som breder ut sig med panoramautsikt mot Åresjön.

Bara entréplanet måste vara minst hundrafemtio kvadrat.

"Shit, vilket ställe", utbrister han. "Hur många bor här?"

"Bara min syster och hennes familj", säger Hanna.

Hon ser lite generad ut och går bort till köksdelen med grå snickerier och en bred köksö i marmor.

"Vill du ha något att dricka?" säger hon. "Kaffe eller vin. En öl?"

"Kaffe blir bra."

Medan Hanna fixar två koppar från en Nespressomaskin ser Daniel sig omkring. Hemmet skulle platsa i vilket inredningsmagasin som helst.

"Törs du ens röra dig inomhus?" säger han. "Vågar man sätta sig i soffan?"

Hanna himlar med ögonen.

"Man får vara försiktig. Det är inte riktigt min stil, om man säger så."

De slår sig ner vid bordet. Daniel sträcker sig efter mjölken som Hanna ställt fram och häller i en skvätt. Det är lika bra att gå rakt på sak, precis som i samtalet med Grip.

"Anton sa att du var intresserad av att börja jobba här uppe."

Hanna nickar entusiastiskt.

"Jag var inte säker på om Anton var allvarlig när han tog upp det."

Daniel sträcker ut armen och lägger den på ryggstödet till stolen bredvid.

"Jag snackade med min chef, Birgitta Grip, som är ansvarig för Grova brott i Östersund. Vi har tre vakanser i gruppen och skulle verkligen behöva förstärkning. Särskilt i och med utredningen om Amanda."

"Jag kan börja med en gång."

Daniel får en känsla av att Hanna inte vill verka angelägen, men ivern spiller ändå över.

Hennes ögon glänser i ljuset från renhornslampan i taket.

"Jag menar ...", fortsätter hon. "Jag har ändå ingenting för mig just nu, det börjar bli rätt långtråkigt att bara gå och dra här uppe. Är man polis så är man."

Hon vrider bort ansiktet en sekund. När hon ser på honom igen är blicken klar och övertygad.

"Ett fall som Amandas måste klaras upp så fort som möjligt. Det måste vara fruktansvärt påfrestande för familjen. Jag skulle gärna hjälpa till."

"Vi har diskuterat möjligheten till en tillfällig placering med omedelbar verkan", säger Daniel.

"Är det sant?"

Hanna slår ut med handen så hastigt att det skvätter om koppen. Hon reser sig hastigt och hämtar en trasa för att torka upp.

"Ursäkta", mumlar hon och sätter sig igen.

"Det är lugnt", svarar Daniel. "Jag hoppas få besked inom de närmaste dagarna. Men du är alltså intresserad om vi kan få Citypolisen att låna ut dig?"

"Självklart."

Det blir tyst i några sekunder. Hanna ritar en liten cirkel på bordet med pekfingret. Just som Daniel ska resa sig för att åka hem öppnar hon munnen.

"Innan du går", säger hon. "Får jag fråga dig en helt annan sak som inte har med det här att göra? Om ett bolag i Åre. Nu när du ändå är här."

"Ja visst."

Hon hämtar datorn, fäller upp locket och klickar fram en flik med siffror och staplar. Det är en företagsanalys på en ekonomisajt.

Överst på sidan står ett namn på ett aktiebolag: Fjäll-städ AB.

"Känner du till den här firman?" frågar hon.

"Det är ett av städföretagen i Åre", säger han. "Det finns några stycken."

"Vet du vad de har för kunder?"

"Förmodligen rätt många av dina grannar."

Han nickar åt husen runtomkring.

"De nybyggda fritidshusen har skapat stor efterfrågan på

städtjänster. Ofta hyrs husen ut när ägarna inte utnyttjar dem, så det är mycket att göra under vintersäsongen."

"Jag förstår."

Hanna öppnar en till flik med bilder på olika personer. Daniel inser att det måste vara styrelsen för Fjäll-städ AB. Fem män i övre medelåldern.

"Vet du vilka det här är?" säger Hanna. "Är det några du känner till?"

Daniel läser. De flesta av namnen är bekanta men inte alla. Anton hade säkert haft bättre koll.

"Känner du till honom, ordföranden?" frågar Hanna och pekar på det översta namnet, Arvid Gustafsson.

Det säger inte Daniel det minsta.

"Det där är en kille som bor i Duved", säger han och nuddar med pekfingret vid raden under. "Anders Matsson. Han är Ica-handlare. Nästa är en av byggmästarna här uppe, Fredrik Bergfors. Han har byggt hus åt många av dina grannar här i Sadeln."

Namnet näst längst ner vet han också vem det är.

"Det där är Bosse Lundh", säger han. "Det är han som är lokal ordförande för Missing People. De hjälpte till med sökandet efter Amanda i helgen."

"Det var därför jag kände igen honom", nickar Hanna.

"Han är en lokal entreprenör från trakten", förklarar Daniel.

Det sista namnet kan han inte placera.

"Varför undrar du?" säger han.

Hanna ler lite.

"Det är en städfirma som min syrra använder. Hon bad mig kolla upp en grej, bara. Tack för hjälpen."

Hanna fäller ner datorlocket igen. Hon gör en svepande gest mot köket.

"Vill du ha mer kaffe? Eller kanske en bit mat? Jag har faktiskt inte hunnit äta middag ännu."

Det är frestande. Daniel hade gärna stannat kvar och bollat

utredningsfrågor med Hanna, men det skulle kunna missuppfattas.

Kvällens möte har förstärkt intrycket han fick i morse, att hon är en engagerad polis som vet vad hon talar om. Det finns mycket som han skulle vilja diskutera men det får bli senare, på stationen.

"Jag måste sticka", säger han. "Tack ändå. Jag hör av mig så fort jag vet om vi kan få igenom en placering hos oss. Min chef i Östersund, Birgitta Grip, kommer att snacka med din chef i Stockholm om det."

Hannas ansikte sluter sig för en sekund. Sedan ser hon ut som vanligt igen.

"Självklart."

"Och har du fler referenser kan du bara skicka över dem till mig", säger han och går mot hallen.

Tisdagen den 17 december

63

Ett mjukt barnjoller väcker Daniel.

Han är vaken på en sekund, sömnen har varit ytlig fast han stupade i säng när han kom hem igår kväll.

Ida sover när han glider ur sängen och varsamt lyfter upp sin dotter. Han gör i ordning en flaska och tar med henne in i vardagsrummet. Ida ammar fortfarande men då och då får Alice ersättning när Daniel matar henne.

Han sätter sig i soffan med Alices huvud mot sin ena armbåge. Det fjuniga håret täcker knappt hjässan där fontanellerna skymtar fram.

Varje gång han ser sin dotter är det ett mirakel. Han kan fortfarande inte riktigt fatta att hon finns till, att Ida och han tillsammans har skapat en ny liten människa.

Smackande ljud hörs när Alices lilla mun sluter sig om nappflaskan. Hennes blick är intensivt koncentrerad på en enda sak, att få i sig maten.

Hans tankar snuddar vid Haralds och Lenas härjade ansikten, smärtan som på bara några dagar gröpt ur deras kinder. Daniel vet inte hur det är att förlora ett barn. Men svåra förluster känner han till.

Ännu en gång önskar han att hans mamma Francesca fått träffa Alice innan hon gick bort. Han söker ständigt i dotterns ansikte efter tecken på likheter mellan dem. Men Alice har blå ögon, inte brungröna. Däremot heter hon Francesca i mellannamn.

Daniel undrar ofta hur hans mamma hade reagerat om hon fått träffa Alice. Förmodligen hade hon älskat sitt barnbarn, att vara farmor. Han vet att hon i hemlighet var ledsen för att han inte fick några syskon.

Vad skulle hon ha tyckt om Ida?

Klockan är nästan fem när han lägger ner Alice igen. Hon somnar omedelbart, ögonlocken fladdrar till och sedan snusar hon belåtet.

Han behöver verkligen sova en stund till. Istället drar han fram en stol och blir sittande med Alices lilla hand i sin.

64

Hur gör man med barnens skolgång när de just har förlorat sin storasyster?

Harald vet inte. Ingenting i hans liv har förberett honom för den här stunden. Igår fick de vara hemma men på något sätt måste vardagen återvända.

Han griper krampaktigt efter rutiner, har lyckats stiga upp, få ungarna påklädda och gått ner till köket på ren autopilot. Nu står han vid diskbänken med en kopp kaffe medan Mimi och Kalle sitter och petar i frukosten.

Ingen av dem säger ett ord, deras vanliga småbråk har upphört som om man tryckt på en osynlig knapp.

Harald minns att han brukade bli galen på alla ljud som alltid fyllde huset. Käbblet som aldrig tycktes ta slut, det ständiga plingandet från paddor och mobiler. Nu äter tystnaden upp honom. Inte ens Luddes tassande hörs längre. Harald förstår fortfarande inte vad som hände. Ludde var en ung hund. I söndags var han fullt frisk.

Lena ser han knappt till. Hon har totalt rasat ihop. När deras husläkare kom förbi med sömntabletter igår kväll kastade hon sig över dem. Sedan dess ligger hon där uppe och sover en tung sömn som låter henne fly undan verkligheten.

Harald vill också fly, men vet inte vart han ska ta vägen. Han längtar efter Mira, vill gråta i hennes famn och för en stund stänga ute den vidriga verkligheten.

Kaffedoften gör honom illamående. Han tömmer koppen i diskhon, får ändå inte i sig det.

Kalle tar en liten klunk av chokladmjölken och ställer ner

glaset mycket försiktigt, som om han är rädd för att blotta ljudet ska störa.

Köksklockan visar halv åtta. Så här dags brukar tvillingarna ge sig iväg till skolan.

Rutiner, tänker Harald. Det är bäst att hålla sig till rutiner.

"Jag kör er till plugget idag", säger han.

Mimi ser på honom med orolig blick. Hon har inte ätit upp sin ostsmörgås.

"Ska inte mamma äta frukost?" säger hon med liten röst.

"Mamma ligger och sover."

Harald lyckas nästan låta som vanligt.

"Hon äter nog när hon vaknar."

"Jag kan göra en macka till henne", säger Kalle.

"Det är bättre att hon får sova färdigt", svarar Harald. "Ta era saker så sticker vi."

"Måste vi gå dit?" säger Mimi.

Hennes underläpp darrar. Huden under ögonen är genomskinlig av sömnbrist. Även hon grät sig till sömns igår.

Harald sätter sig på stolen bredvid och drar henne till sig. Han vill också gråta och stänga in sig i sovrummet som Lena har gjort, men vem ska då hålla ihop familjen?

Innerst inne längtar han efter att någon annan ska ta kommandot och bestämma vad som är rätt och fel. Peka med hela handen så att han slipper fatta alla beslut.

Han är inte troende men om han var det skulle han fråga Gud: Hur kan du vara så grym? Hur kan du låta vår dotter mördas och dessutom ta vår hund ifrån oss?

"Vi struntar i det", viskar han mot hennes hår som fortfarande har en sötaktig, barnslig doft. "Vill ni vara hemma och titta på film istället? Vi kan poppa popcorn om ni vill? Eller äta godis?"

Mimi nickar och Kalle gör likadant.

"Får vi det?" säger hon.

"Det är klart att ni får."

Harald måste knyta handen hårt för att inte tappa kontrollen. Han måste vara stark inför barnen. Måste klara av det här.

I natt har han knappt sovit, bara legat vaken och grubblat med tusen frågor som snurrat i huvudet.

Mobilen vibrerar i fickan. Han hoppas att det är Mira, hon är den enda person han vill träffa just nu. Han messade henne för en stund sedan och frågade om de kunde ses utanför kontoret. Dit klarar han inte av att åka. Om han måste möta kollegornas deltagande blickar bryter han ihop.

"Pappa kanske behöver jobba i några timmar", säger han. "Klara ni er under tiden? Ska jag ringa efter farmor?"

Mimi skakar på huvudet.

Han drar fram mobilen och kastar en snabb blick på displayen.

Det är Mira som har svarat.

Klockan elva på det vanliga stället?

För en stund lättar tyngden från hans axlar. Hon finns där för honom.

65

Hanna sitter vid matbordet med en kopp kaffe och en marme-ladsmörgås till frukost. Det är fortfarande mörkt ute, men hon vaknade tidigt av sig själv.

Det vore fantastiskt om hon kunde få en ny placering här uppe. Daniel förstår nog inte hur lycklig det gjorde henne. I natt kunde hon knappt sova av upphetsning. Bara det faktum att han kom till huset för att prata om det betyder så mycket.

Hon pendlar mellan förväntan och rädsla för att det ska gå i stöpet, men om han inte menade allvar skulle han väl aldrig ha sökt upp henne?

Hon biter i smörgåsen. Det stora orosmomentet är att Daniels chef ska prata med Hannas chef, Manfred Lidwall, som avskyr henne.

Lydia sa att han skulle ge henne goda vitsord. Vågar hon lita på det?

Om Manfred sviker överenskommelsen är det kört. Men Daniel sa att hon kunde skicka fler referenser. Hon måste hitta någon som står på hennes sida.

Hanna går igenom kollegorna på avdelningen. En enda person försökte stötta när bråket kulminerade. Det var Astrid Ståhl, en ärrad polisinspektör som närmar sig pensionen.

Astrid är inte rädd för Manfred. Skulle hon vara beredd att ställa upp för Hanna?

Ljuga för Daniel?

Inte ljuga, rättar hon sig. Bara ge honom en annan version av händelseförloppet.

Hon masserar nacken med ena handen medan hon tänker efter.

Det enda Astrid behöver göra är att ta hans telefonsamtal och säga bra saker om Hannas insats i Stockholm. Förklara att Hanna lämnade sin tjänst för att hon var sliten, trött på den sortens brottslighet som hon jobbat med så länge.

Det ligger dessutom nära sanningen.

Hon har nötts ner av den ständiga strömmen av misshandlade kvinnor och våldsamma män, barn som far illa i destruktiva familjeförhållanden. Det var kanske därför hon reagerade så våldsamt på fallet med Josefin. Att en i kåren, en av hennes kollegor, kunde misshandla en kvinna och dessutom komma undan med det gjorde henne så upprörd att det svartnade för ögonen.

Hanna tittar på klockan. Hon är halv nio, Astrid borde vara på jobbet nu.

Vågar hon ringa?

Vad har hon för val? Hon behöver gardera sig.

Hon slår Astrids nummer och tar ett djupt andetag när hon svarar med en gång. Hanna samlar mod och förklarar situationen.

"Självklart kan du be honom ringa mig", säger Astrid. "Jag ska sjunga din lov, du behöver inte vara orolig. Du är en bra polis, glöm inte det."

Hanna vet inte hur hon ska tacka sin kollega.

"Det här betyder otroligt mycket", stammar hon fram.

"Det är det minsta jag kan göra", grymtar Astrid. "Det är en skandal hur Manfred har behandlat dig. Säg åt den där Daniel att han kan ringa när han vill."

Astrids oreserverade stöd får Hanna att lita på mänskligheten igen. Hon lägger på med en varm känsla i magen. Det finns människor som bryr sig om henne, som faktiskt uppskattar hennes kompetens. Till och med de mörka tankarna på Christian känns lättare.

66

Det piper i Daniels telefon i bakfickan precis när han ska hämta dagens tredje kopp kaffe på polisstationen. Han har nyss lagt på luren efter att ha pratat med Astrid Ståhl, Hannas referens hos Citypolisen i Stockholm. Hon messade kontaktuppgifterna i morse.

Astrid hade bara positiva saker att säga om Hanna.

Han drar fram telefonen igen och ser att det är ett sms från rättsläkaren, Ylva Labba.

Klar med obduktionen. Hör av dig.

Han säger till de andra och går mot konferensrummet. Raffe och Anton ansluter och de slår sig ner vid kortändan av det ovala bordet.

Han slår koden för att koppla upp rättsläkaren via länk. Ylvas ansikte dyker upp på skärmen. Hon bär fortfarande skyddskläder, som om hon nyss lämnat obduktionssalen. Men hon har tagit av sig plasthandskarna och sitter bakom ett skrivbord.

"Det var snabbt", säger hon.

"Vad kan du berätta?"

"Jag höll på till sent igår kväll", säger Ylva. "Sedan har jag dubbelkollat några saker nu på morgonen. Jag har inte hunnit skriva min rapport än men jag tror att jag har bilden klar."

Daniel är så ivrig att han nästan trummar med fingrarna.

"Det var som jag misstänkte från början", säger Ylva. "Flickan frös ihjäl. Kroppen är överlag intakt förutom vissa uppenbara köldskador som är helt normala under omständigheterna. Det jag ser på hjärtat och lungorna stödjer den hypotesen. Jag har naturligtvis skickat prover för giftanalys, men jag räknar med att de kommer att vara negativa."

Hon pausar, som för att släppa in eventuella frågor, och plockar upp en blyertspenna med högerhanden.

"Däremot har jag hittat en del andra intressanta saker, bland annat hudavskrapningar under ett par fingernaglar, förhoppningsvis kan det ge oss gärningsmannens DNA. Det finns också märken på flickans hals, blåmärken som indikerar tryck utifrån. Hon har även utsatts för visst våld mot överarmarna."

Det har börjat blåsa igen utanför fönstret. I natt var det lugnt, nu piskar vinden de smala björkarna som skymtar genom glasrutorna. De böjer sig så långt att de nästan går av på mitten. I Åre kan det blåsa upp till hård storm på en timme.

"Vad drar du för slutsatser?" frågar Daniel.

"Jag tror att gärningsmannen har brukat våld genom att hålla fast henne. Om hon kämpade emot i början kan det förklara märkena på överarmarna. Vid någon punkt har han tagit ett strypgrepp vilket förklarar åverkan på halsen. Troligen har han haft handskar eftersom jag inte hittar några nymånar, alltså avtryck efter naglar mot huden."

"Det har alltså krävts en person med tillräckligt mycket kroppsstyrka för att hålla fast henne så länge?" säger Anton.

Ylva nickar.

Daniel tänker på Viktor i sin svarta hoodie. Han är av medellängd och har breda axlar. Amanda vore ingen match för honom.

"Det har inte varit tillräckligt grovt våld för att döda", fortsätter Ylva. "Jag hittar till exempel inga kraftiga tecken på stas, alltså att blodets passage varit så blockerad att det inte kunde strömma igenom. Struphuvudet är inte heller illa åtgånget. Däremot kan hon ha förlorat medvetandet under en period."

"Hur länge tror du att hon var medvetslös i så fall?" frågar Daniel. "Kan du säga om hon var det när hon frös ihjäl?"

"Du menar om hon hann vakna till och inse att hon var bortförd innan hon faktiskt dog?"

"Ungefär."

Daniel hoppas att svaret ska vara nej.

Han värjer sig inför tanken på att Amanda kom till sans, groggy och nästan naken, på en okänd plats på fjället innan hon avled. Att hon var tillräckligt närvarande för att förstå hur det skulle gå när kylan tilltog och hon inte kunde ta sig därifrån.

Dödsångesten måste ha varit fasansfull.

"Jag vågar inte uttala mig om det", svarar Ylva.

Han ser i blicken att hon förstår varför han ställer frågan.

De avslutar videokonferensen och skärmen blir svart. Daniel drar fram mobilen. Han har fått ett nytt sms som han läser med stigande intresse.

En förare av Skistars pistmaskiner har kontaktat polisen. Han tjänstgjorde sent på lördagsnatten, bara några timmar innan Amanda hittades i liften.

Han tror sig ha sett en person som körde skoter i pisten så dags.

"Kom", säger han till Anton. "Vi måste sticka med en gång."

67

Harald kör mot Undersåker. Han ska möta Mira på Välliste-
gårdens camping. Det är ett bra ställe om man vill ses utan att
folk lägger märke till en.

Alla känner alla i en liten kommun som Åre, han behöver
vara försiktig.

Platsen är tom när han svänger in och stänger av motorn.
Han är tidig och kanske är det lika bra. Det är en lättnad att
komma hemifrån, han behöver vara ensam i några minuter.

Allting hemma påminner om Amanda. Luften är så tung av
sorg att axlarna spänner sig, han blir som paralyserad.

Harald lutar sig tillbaka i förarsätet.

Han önskar att han hade den moraliska styrkan att inte träffa
Mira, men just nu finns det ingen han behöver mer. Hon är den
enda vars närhet han längtar efter, den enda som kan skänka
honom tröst.

Han blev blixtförälskad i henne redan vid den första anställ-
ningsintervjun. Hon var en fantastisk assistent och gled snabbt
in i rollen som hans högra hand. De kom varandra nära, som
man gör i den sortens arbetsrelation.

Det gav honom förhoppningar, men han var noga med att
inte visa det. Istället gjorde han sitt bästa för att vinna hennes
sympati. Han försökte vara en förstående och stöttande chef
och lät henne alltid styra sina arbetstider. Om hon behövde gå
tidigt för dotterns skull uppmuntrade han det.

Ju mer de lärde känna varandra, desto mer förstod han hur
övergiven hon kände sig i sitt äktenskap.

Miras man Fredrik lade ner hela sin själ i sitt företag och det kostade på. All energi gick till verksamheten och äktenskapet blev lidande när han aldrig var hemma. Mira tyckte att hon kom i andra hand.

En kväll på kontoret, när det bara var Harald och hon kvar, bröt hon ihop. Harald gjorde sitt bästa för att trösta. Han lyssnade i timmar medan hon grät mot hans axel.

Sedan kysste han henne och livet förvandlades.

Hon fick honom att bli en annan, tio år yngre och med ny energi.

Han var jublande lycklig trots att han måste ljuga inför Lena och hitta på undanflykter för att träffa Mira. Han tänkte på henne innan han somnade och så fort han vaknade på morgonen.

Men Mira fick kalla fötter.

Hon började prata om sina äktenskapslöften och Fredriks svartsjuka. Hon blev rädd för att han skulle upptäcka dem.

Hon ville dra sig ur.

Det har bara gått en månad sedan hon avbröt relationen trots att Harald desperat försökte få henne att låta bli.

Han har aldrig känt sig så levande som under de sex månader de var tillsammans.

Underbara, förtrollande Mira med sitt glänsande svarta hår och den nätt och jämnt synliga smilgropen i ena kinden.

När han träffade Lena var de så unga, han hade knappt varit tillsammans med någon annan innan de gifte sig och deras älskade Amanda föddes. Åren gick, tvillingarna kom, livet rullade på. Med tiden har deras förhållande blivit ett partnerskap, en vänskapsrelation med gemensamt ansvar för hem och barn. De är inte olyckliga eller ovänner, de är bara inte ... kära.

Känslan av att vara nyförälskad kom han inte ens ihåg när Mira dök upp i hans liv. Först vid fyrtio års ålder förstod han hur passionen kunde se ut mellan en man och en kvinna.

Harald hör motorljud som närmar sig. Efter en liten stund

kommer hennes vita Toyota körande. Det räcker för att fylla honom med längtan.

För ett ögonblick försvinner verkligheten. Upphetsningen bubblar i blodet, han blir torr i munnen.

Det enda som existerar är hon.

68

Daniel är på väg till Rödkullen där Skistar har sina pistmaskiner i ett stort garage.

Det är ett ständigt pågående arbete att preparera backarna. Så fort liftarna stängts går pistmaskinerna igång. Ofta kör de till klockan två på natten, särskilt när det snöar så ymnigt som det har gjort de senaste veckorna. Ibland får de ta ett extra varv vid sextiden på morgonen.

Killen som hört av sig till polisen heter Tor Marklund.

"Måste vara Skelleftebo", säger Anton när de kör västerut från byn. "Alla från Skellefteå heter Marklund i efternamn."

Daniel höjer på ögonbrynen.

"Har du fördomar?"

"Det är sant", insisterar Anton. "Det vet varenda en som är född här uppe."

Daniel kan inte argumentera med det.

Tor Marklund väntar på dem på parkeringen i Rödkullen. Daniel ser honom direkt när han svänger in från vägen, en lång lite kutryggig man med toppluva och röd jacka med Skistars logga.

Han står med benen brett isär på gången mellan bilarna och skidområdet.

"Är det du som är Tor?" säger Daniel när han kommer fram.

"Ja."

Tor hälsar på brett Skelleftemål. Säger ja på inandning genom att dra in luft mellan tänderna.

Anton knuffar Daniel menande i sidan.

"Vi kan vara i stugan", säger Tor.

Han pekar mot en låg servicebyggnad i brunmålat trä som ligger bredvid Rautjoxa, backrestaurangen i Rödkullen. Huset visar sig bestå av ett enda rum med ett fyrkantigt bord och några pinnstolar. Utmed ena väggen finns en bänk med pentry och en Melittabryggare.

En kanna med becksvart innehåll står på plattan.

"Vill ni ha kaffe?" säger Tor och häller upp åt sig själv.

"Det är bra, jag drack nyss", svarar Anton.

Daniel tar emot en kopp som luktar oroväckande beskt.

"Alltså", säger Tor och fingrar på koppen. "Int' vet jag om det här är något att ta upp med er, men sambon tyckte att jag skulle höra av mig till polisen."

"Du får gärna berätta vad du har sett", säger Daniel. "Vi är tacksamma för alla upplysningar."

"Jag var ute med maskin' natten mellan lördag och söndag", börjar Tor. "Det var sent och jag skulle precis avsluta mitt pass. Klockan var lite efter två men jag var försenad. Jag hade varit ute hela kvällen eftersom det snöat så jävligt."

Han tar fram en snusdosa och stoppar in en prilla under överläppen så att den buktar ut.

"Jag vart' precis klar med toppen av Stjärnbacken när jag såg en snöskoter komma körande nedanför min plats. Det gick ju int' att höra något genom motorbullret men jag såg ljusen från strålkastarna när den närmade sig."

"Varifrån kom den?" säger Anton. "Från vilket håll?"

Tor rättar till prillan, rynkar pannan som om han anstränger sig för att minnas.

"Den kom västerifrån. Han körde på fyrtiosjuans transport-led, den som går från Rödkullen och slutar vid Hummelliften."

Daniel försöker minnas hur pistkartan ser ut. Hela Åre-området har ett hundratal backar om man räknar in Duveds och Björnens pister.

"Kan du beskriva mer noggrant var du befann dig då?" säger han. "Var så precis som möjligt."

"Låt se."

Tor gör sig ingen brådska. Han rättar till mössan och kliar sig ovanför ena örat.

"Jag stod en bit nedanför VM6:ans toppstation, kanske ett hundratal meter från transportleden. Pistmaskinen stod på skrå i riktning mot berget, så strålkastarna pekade uppåt."

"Då kan föraren inte ha sett dig?" säger Daniel.

"Skulle inte tro det."

"Vad hände sedan?" undrar Anton.

"Skotern vek av från transportleden och körde ner i Stjärnbacken. Det verkade som om den fortsatte i riktning mot VM6:ans påstigningsplats, men den försvann bakom träden så det gick inte att se exakt."

"Var det något särskilt som fick dig att reagera eftersom du kontaktade oss?" frågar Daniel.

"Det var väldigt sent, som jag sa. Så dags brukar det bara vara vi och snöläggarna som är ute och rör sig."

"Vilka är snöläggarna?" frågar Daniel.

Termen är ny, han känner inte till vad de jobbar med.

"De som sköter kanonerna som producerar konstsnön. En del snökanoner är automatiska men somliga måste stängas av eller sättas på manuellt. Dessutom behöver de viss tillsyn, rensas från snö och sådant."

Tor Marklund får det att låta som den mest självklara saken i världen.

"Mellan november och februari producerar vi konstsnö så att det ska räcka säsongen ut", lägger han till. "Det måste alltid vara minst femtio centimeter snö i pisterna."

"Jag förstår", säger Daniel utan att röja att han inte är insatt i ämnet konstsnö. "Det var alltså den där snöskotern som fick dig att reagera?"

"Grejen är att snöläggarna alltid åker två och två. Det är inte tillåtet att åka på egen hand, av säkerhetsskäl. Därför misstänkte jag att det var en privat skoter som var ute och körde. Det fanns liksom inget skäl till att den skulle vara där."

Tor dricker kaffet och grinar illa.

"Riktigt rävgift, det här", säger han.

"Minns du hur den såg ut?" undrar Daniel.

"Det var faktiskt det som fick mig att reagera. Den var alldeles för mörk för att tillhöra Skistar. Den exakta färgen vågar jag inte uttala mig om men jag gissar att den var svart eftersom den var svår att uppfatta."

"Hur ser era skotrar ut?" säger Anton.

"De har orange stripes mot vit bakgrund. Tanken är att de ska synas ordentligt, även när det är dåligt väder. Förarna har dessutom varselkläder, jackorna är neongula upptill. Alla skotrar har också extrautrustning, det sitter till exempel en flagga vid styrstången."

Daniel lyssnar spänt. Det är inget fel på Tors iakttagelseförmåga.

"Så här i efterhand kanske jag borde ha reagerat snabbare", fortsätter han, "men när jag såg den tänkte jag mest att några ungdomar var ute och busskörde. Eller var på väg hem efter en sen fest. Tonåringarna genar över backarna ibland och det är inte så mycket att göra åt saken."

Han ser ner på sina stora händer. Lite snus har fastnat på pekfingret och färgat fingertoppen brun.

"När jag såg nyheten på tv om den där stackars flickan i VM6:an började jag fundera. Jag berättade det för min sambo och hon tyckte att jag skulle höra av mig till er."

"Det är jättebra att du kontaktade oss", säger Daniel. "Kan du minnas vad det var för märke på snöskotern?"

Tor rynkar pannan.

"Skistar använder mestadels Lynx, även om man har några Ski-doo. Det här var nog ett annat märke. Det kan ha varit en Yamaha, men jag vågar inte säga säkert. Det var som sagt väldigt mörkt och det gick ganska fort. Jag fick bara en känsla av att något var konstigt, jag kan inte riktigt förklara varför."

Daniel blir oväntat tacksam över att Tor tycks vara en äkta Skelleftebo, eller i varje fall en sådan som intuitivt kan se skillnad på olika skotermärken. Själv skulle han inte kunna skilja det ena från det andra.

"Kanske att det var en Polaris", lägger Tor till. "Men det är bara en gissning. Ni får ta det för vad det är."

Lynx är ett av världens ledande snöskotermärken, precis som Ski-doo. Yamaha är en mindre tillverkare men mycket populär. Det måste finnas hundratals skotrar av dessa märken i trakten.

Det är ändå intressant information.

"Du råkade inte se registreringsnumret?" säger Anton.

Tor skakar på huvudet.

"Tyvärr inte. Den var alldeles för långt bort."

"Men du är säker på att den fortsatte mot VM6:an?"

"Ja. Jag såg hur ljuset från strålkastaren rörde sig över snön när den lämnade transportleden och vek av mot dalen. Ljuskäglan plöjde genom mörkret i den riktningen, det gick inte att missa."

"Minns du något annat?" frågar Daniel. "Alla detaljer kan vara värdefulla."

Tors blick glider mot fönstret. Utanför rör sig ankarliftarna som går upp till bergstationen i Rödkullen. Synen är nästan hypnotisk, byglarna som regelbundet matas fram, sakta svänger runt och sedan försvinner iväg i en jämn rytm.

"Det var faktiskt en sak till. Jag är nästan säker på att föraren hade en skoterkälke med sig. Jag tyckte jag såg det när han svängde ner. Att någonting verkade glida med och lystes upp av baklyktorna."

Daniel och Anton växlar ett ögonkast.

"Du ska ha stort tack", säger Daniel. "Om du kommer på fler saker får du inte tveka att höra av dig till oss."

Det kan omöjligt vara en slump att en snöskoter är ute och kör så sent i närheten av VM6:an, några timmar innan Amanda hittades i liften.

Kälken är en viktig upplysning, den kan förklara hur kroppen transporterades. Med en skoterkälke är det inga problem att förflytta en död kropp.

Dessutom kom den från väster.

Ullådalen ligger i väster.

69

Harald märker att Mira noga ser sig omkring innan hon lämnar sin egen bil och går fram för att kliva in hos honom. Hon har dragit ner mössan och bär svarta solglasögon trots att det är december.

När hon slår sig ner i passagerarsätet kan Harald inte styra sig själv längre. Han drar henne nära, kysser henne med sådan kraft att han inte märker att hon spjärnar emot.

Inte förrän hon ropar "Sluta!" och knuffar bort honom kommer han till sans.

Harald sjunker ihop.

"Förlåt", mumlar han. "Jag var tvungen ..."

Han kan inte förklara sig, vet inte vad han borde säga, så han slår bara ut med händerna i en ordlös, ursäktande gest.

Miras ögon är fulla av medlidande när hon möter hans blick. Hon tar hans hand och smeker ovansidan med fågellätta rörelser. Värmen från hennes fingertoppar sprider sig i Haralds kropp.

"Jag är så ledsen för det som hände med Amanda", säger hon med skrovlig röst. "Det är förfärligt."

Han orkar inte tala om sin döda dotter. Det enda han vill just nu är att röra vid Mira, känna hennes mjuka kropp mot sin. Få en chans att glömma allt, om så för bara några minuter.

Han försöker kyssa henne igen men hon viker undan.

"Gör inte så", säger hon.

"Snälla."

Mira flyttar sig en liten bit närmare dörren på sin sida. En skugga glider över ansiktet.

"Det är slut mellan oss", säger hon. "Du vet det."

"Jag behöver dig." Harald stönar lågt. "Jag klarar inte det här själv. Jag drunknar."

Han måste pressa ena knogen mot munnen för att inte tappa kontrollen fullständigt.

"Det går inte", säger Mira.

Han förstår inte att hon kan säga så efter det som hänt. Han är förkrossad, han behöver henne. Det måste hon väl begripa?

Men Miras röst är helt nollställd när hon fortsätter:

"Det vi gjorde var inte rättvist, varken mot din eller min familj. Vi var överens om det."

Hon tystnar och betraktar sina vigselringar. De är i gult guld, den ena har en vacker glittrande diamant mitt på det smala bandet.

"Särskilt inte nu", säger hon. "Du måste tänka på Lena och tvillingarna. De behöver dig mer än någonsin."

Harald är gråtfärdig.

Lena sov fortfarande när han satte sig i bilen och åkte sin väg. De klarar inte av att stötta varandra genom det här, det har han redan förstått.

Han tar Miras hand och kramar den hårt, vill inte tigga men kan inte låta bli när hon sitter så nära.

"Bara en sista gång", vädjar han.

Hon drar snabbt tillbaka handen och tar på sig handskarna.

"Förlåt", mumlar han.

Mira tar upp ett rosa läppglans från handväskan, som om hon vill ge honom chansen att samla sig.

"Du kan inte messa mig sent en söndagskväll som du gjorde", säger hon. "Det går inte."

Tonen är mild, budskapet glasklart.

Harald har glömt bort att han skickade sms till henne när vodkaruset tog över. Nu skäms han ännu mer.

"Jag blev tvungen att hitta på en historia om att det rörde ett akut politiskt ärende i kommunstyrelsen", fortsätter Mira.

"Men jag tror inte att Fredrik gick på det."

Hon stoppar ner läppglanset igen. De mörka ögonen är fyllda av oro.

"Jag tror att han känner till vad vi har gjort, Harald. Du skulle ha sett hur han såg på mig ... Han vet om att vi har varit tillsammans."

"Det kan han inte göra", invänder Harald. "Vi har varit så försiktiga."

"Fredrik känner alla häromkring. Vem som helst kan ha upptäckt oss och berättat för honom ..."

Mira biter sig i läppen.

"Du vet hur han är. Fredrik är inte en person som har ... lätt att förlåta."

Harald har träffat honom flera gånger, både privat och i jobbet. Fredrik är en storvuxen man med allvarlig läggning och bister uppsyn, helt olik sin nätta och kvicka fru. En entreprenör som framgångsrikt byggt upp en egen byggfirma genom hårt arbete. Byggboomen i Åre har skapat stora affärsmöjligheter för entreprenörer, hela orten har levt upp när Skistar satsat. Många har lockats att köpa fritidshus och Miras man är en av dem som varit med och byggt i Sadeln.

"Du får inte kontakta mig utanför arbetstid igen", säger hon.

Rädsla skymtar fram i den mjuka rösten.

"Du måste lova mig det."

Harald betraktar Miras vackra profil, den raka tydliga näsan som definierar ansiktet, de långa mörka ögonfransarna som ramar in ögonen.

Hon har fått något fjärran i blicken, som om hon redan undrar över vad Fredrik skulle ta sig till om sanningen kom fram.

Harald skulle kunna göra vad som helst för att få henne.

"Jag älskar dig", säger han hest.

När Mira vrider huvudet mot honom är ögonen fulla av medkänsla, inte åtrå.

"Du är fortfarande i chock", säger hon. "Du vet inte vad du pratar om."

Harald stirrar ut genom vindrutan. Det har slutat snöa. Allting runtomkring dem är vitt, förutom de svarta trädgrenarna som spretar mot den mulna himlen. Campingplatsen är tom och övergiven, ingenting påminner om sommarens liv och rörelse.

Det finns inte ens fotspår i snön.

Mira pressar ihop läpparna och verkar fatta ett beslut. Hon öppnar dörren på sin sida och den iskalla luften rusar genast in.

Med sin vänstra hand klappar hon honom lätt på knäet.

"Åk hem till Lena. Det är det bästa du kan göra."

Sedan går hon ur bilen och stänger dörren.

Harald blundar. Han har svårt att ta in det hon nyss sagt. Hans dotter är mördad, han befinner sig i sitt livs svåraste situation, och Mira har avfärdat honom, bara så där.

När han ser upp sitter hon redan i sin bil och backar för att köra därifrån. Hon ger honom inte ens ett ögonkast då hon svänger runt. Det tar bara några sekunder för Toyotan att försvinna bortåt vägen.

Harald lindar armarna tätt om överkroppen och kramar hårt. Han gungar fram och tillbaka på sätet med oseende blick.

Allting gör ont.

70

Harald har tillbringat timmar i bilen.

Efter mötet med Mira blev han sittande. Till slut fick kylan honom att starta motorn igen och lämna campingen. Han körde mot norska gränsen utan att riktigt vara medveten om vart han var på väg. Så småningom hamnade han i Storlien, sju mil hemifrån.

Storlien är en byggarbetsplats den här vintern, ett stort gränshandelscentrum håller på att uppföras. Som kommunstyrelsens ordförande har han stöttat idén. Det är en viktig investering för orten och dessutom är det bättre om norrmännen handlar här. Då slipper man alla Teslor som täpper igen trafiken inne i Åre.

Idag kastar han bara en flyktig blick på den halvfärdiga handelsplatsen med sina bullrande maskiner. Sedan vänder han och åker tillbaka. Tankarna på Amandas död och Miras farväl bultar i honom som blödande sår.

När han närmar sig Åre igen har det blivit mörkt. Snart ska han passera Ängarna, området som ligger bara fem minuter väster om Åre.

Där bor Mira.

Det hugger till i bröstet. Han har svängt förbi några gånger när han behövt lämna dokument eller en påskrift. Det ligger på andra sidan byn från hans eget hem men det är inte långt mellan adresserna.

Han borde åka hem till barnen, han har redan varit borta för länge.

Istället svänger han av E14 och kör mot Miras hus. Det ligger en bit ovanför motorleden med vacker utsikt över Åresjön. Ett gediget rött trähus med vita knutar.

Ett riktigt byggmästarhus.

Harald viker in på Miras väg. Han krypkör förbi byggnaden och spejar efter tecken på liv. Ingen verkar vara hemma. Det står inga bilar på parkeringen och Miras vita Toyota syns inte till.

Hon är förstås på jobbet. Medan han tillintetgjord satt kvar på campingplatsen stack hon till kontoret som om ingenting hänt.

Han fortsätter köra. När vägen tar slut vänder han och åker tillbaka, stannar vid Miras brevlåda och stirrar dumt upp mot den stora byggnaden i sluttningen. Där inne ligger hon varje natt vid sin mans sida.

Fredrik, som hon varken vill eller vågar lämna.

Hon är förlorad och hans eget liv ligger i ruiner.

Harald ser ut genom vindrutan och andas häftigt. På uppfarten syns hjulspår i snön, förmodligen efter Fredriks stora SUV. Harald har sett den flera gånger när han hämtat Mira efter jobbet.

En ny tanke slår honom. Om Fredrik fått reda på Haralds och Miras affär ... om han vet att han har blivit bedragen ...

Poliserna frågade om det fanns någon som hyste agg mot dem och Harald svarade nej, inte som han kände till. Fredrik är den enda som faktiskt har motiv att vilja skada honom och hans familj.

Munnen blir torr.

Skulle Fredrik kunna göra sig skyldig till en så hemsk sak som att döda hans dotter? Som straff?

Behärskade, fåordiga Fredrik som älskar Jämtland och ofta tar snöskotern ut på fjället för att vara ifred.

Hur Harald än vänder och vrider på allting fastnar han i samma slutsats. Det finns ingen annan som kan vilja honom så ont.

71

Rastlösheten driver Hanna ur huset i Sadeln. Det går inte att stanna i det stora huset med alla tankar som far runt i huvudet.

Det enda hon gör är att vänta på ett telefonsamtal från Daniel.

Minuterna har släpat sig fram hela dagen medan hon har oroat sig för att Manfred ska tala illa om henne.

Hon tar Lydias bil och kör ner till byn. Hon behöver träffa människor, sysselsätta sig, annars blir hon tokig. Ska hon åka och undersöka städfirman där Zuhra jobbar? När hon slog upp datorn på morgonen låg ekonomisidan, som hon visade Daniel igår, kvar på skärmen. Företaget har sitt kontor på Årevägen, det kan inte ta lång tid att svänga förbi.

Hon har bestämt sig för att lita på sin instinkt. Efter alla år hos Citypolisen och alla kontakter hon haft med utsatta kvinnor känner hon att någonting är fel.

Det går förvånansvärt lätt att hitta en parkeringsplats. Hon lämnar bilen mittemot Åregårdens hotell och ser sig omkring i eftermiddagsmörkret.

Adventsstämningen är omöjlig att motstå, de olika affärerna runt Åre torg har vacker julskyltning som glimmar inbjudande. Alla träd är dekorerade med vita ljusslingor och små, små ljus lyser upp rimfrosten i trädkronorna.

De skimrande snökristallerna skapar en överdådig julstämning, som om självaste Disney varit där och strött glitter över hela byn.

Det har slutat snöa, men är fortfarande så kallt att den torra snön knarrar ljudligt under fötterna.

Hanna styr stegen mot adressen där städfirman ska ligga. Årevägen 100 B. Det visar sig vara ett brunmålat trevåningshus en bit upp i backen. Hon hittar ingången på baksidan. Namnet på företaget, Fjäll-städ AB, är utskrivet på en smal metallskylt ovanför dörren.

Det är inte låst, så Hanna öppnar och kliver in i en mörk hall med linoleumgolv och en sliten dörrmatta. En klädhängare med en ensam jacka står i ett hörn.

"Hallå?" ropar hon försiktigt.

Hon tar några steg och ser att hallen leder till ett större, sparsamt möblerat, rum. Ett skrivbord med en dator är placerat intill fönstret. På väggarna hänger några tryck med fjällmotiv, de är uppsatta med X-krokar som skymtar ovanför ramarna. Hinkar med städutrustning är uppställda utmed ena kortväggen, en rad röda moppskaft sticker upp i givakt.

Bredvid datorn på skrivbordet ligger högar med papper utspridda.

En dörr öppnas bakom Hannas rygg och en brunhårig kvinna med glasögon kommer ut från en toalett. Hon är klädd i stickad tröja och jeans och har en mobiltelefon i handen. En liten skylt på bröstet berättar att hon heter Linda.

Hon ser förvånat på Hanna, som snabbt letar efter något att säga.

"Åh hej, så bra, jag undrade just vart alla hade tagit vägen", får hon ur sig.

"Har du bokat tid?"

En svag misstänksamhet anas i rösten.

Hanna backar några steg.

"Inte precis", säger hon och försöker hitta på en trovärdig förklaring till sitt besök. "Jag heter Hanna. Är det här Fjällstäds kontor?"

"Ja", säger kvinnan kort och sätter sig bakom skrivbordet.

Hon lägger ifrån sig de runda glasögonen.

"Kan jag hjälpa dig?"

"Er städerska var hemma hos oss igår och glömde en sak", säger Hanna. "Jag ville bara få hennes telefonnummer så jag kan ringa henne och säga det."

Kvinnan skakar på huvudet.

"Jag beklagar, men vi kan inte lämna ut telefonnummer till våra anställda."

"Jag förstår."

Hanna fingrar på kragen. Hon är varm och har redan börjat svettas under den tjocka dunjackan. Hon vet inte vad Zuhra heter i efternamn, kan inte själv söka efter hennes telefonnummer.

Men känslan av att det är viktigt att få tag i henne vill inte gå över.

"Jag kan lämna ett meddelande till henne om du vill?"

Hanna tvekar.

Zuhra har egentligen inte glömt någonting, vad ska hon hitta på som ursäkt för att komma i kontakt med henne?

"Det spelar ingen roll", säger hon. "Hon kan hämta det när hon kommer nästa gång."

"Det bestämmer du."

Kvinnan tar på sig glasögonen igen och pekar ursäktande på datorn.

"Jag har en del att göra", säger hon.

En tydligare signal om att Hanna borde gå kan hon knappast få.

"Tack ändå", säger hon.

Tack för ingenting, tänker hon.

På tröskeln lägger hon till: "Du kan väl hälsa Zuhra från mig. Hon är väldigt duktig."

Kvinnan ser upp.

"Vem då?"

"Zuhra. Er städerska."

"Vi har ingen anställd med det namnet."

"Förlåt?"

"Vi är inte så många som jobbar här. Jag känner allihop."

"Men hon var hemma hos mig igår?"

"Du måste ha tagit fel på företag."

Lydia brukar sällan ta fel. Men det finns inget skäl till att den här människan skulle ljuga för henne.

"Finns det andra städbolag i trakten som heter som ni?" frågar hon för säkerhets skull.

"Det finns många firmor i Åre. Du kan säkert hitta dem på nätet."

Hanna öppnar ytterdörren och går ut igen.

Det är någonting som inte stämmer, men hon känner sig också lite bortgjord. Hon får släppa det här nu, det räcker om hon frågar Zuhra när hon kommer till huset nästa gång.

Hanna korsar Åre torg och går tillbaka mot bilen. En kvinno-röst ropar efter henne.

"Hallå där!"

När hon vänder sig om ser hon Karro i backen från järnvägs-stationen.

"Tack för senast", säger hon och kramar om Hanna. "Kul att du hängde på. Det måste bli lite ensamt där uppe i Sadeln."

"Tack själv", säger Hanna och tar några steg tillbaka. "Det var roligt att komma ut en sväng."

"Vad har du för ärende på byn?"

Hanna kan inte säga sanningen. Det känns fortfarande som om hon lagt näsan i blöt.

"Jag tänkte bara ta en kaffe", säger hon och pekar mot Åre kafferosteri femtio meter därifrån. "Har du tid med en fika?"

"Gärna. Jag har precis slutat för dagen."

De går bort till den lilla kaffebutiken och har tur, ett av de få borden är lediga. En ljuvlig doft av nymalda kaffebönor hänger i luften när de kommer in. Hanna beställer och betalar för båda, som ett litet tack för att Karro bjöd med henne till Supper.

Det tar inte lång tid innan samtalet kommer in på Amanda. Efter viss tvekan bestämmer sig Hanna för att inte säga något om att hon kontaktade Karros bror om Viktor. Chansen till en tillfällig placering i Åre håller hon också tyst om, hon vågar inte hoppas för mycket innan det är klart.

Kaffet är precis så fantastiskt som doften lovar.

Karro lutar sig fram över bordet med uppspärrade ögon.

"Förresten", säger hon. "Jag måste bara berätta en sak för dig som är polis. Vet du vad jag fick höra igår?"

Tonen i rösten är förväntansfull, som om hon sitter på riktigt bra skvaller.

"Amanda hade en affär med sin mentor i skolan. Och kan du tänka dig, han är dubbelt så gammal som hon."

"Förlåt?"

Hanna är inte säker på att hon har hört rätt.

"Vilken grej, va? Jag fick veta det av min granne Pia som är elevassistent på Amandas skola."

"Är du säker på att det är sant?"

"Jag kan inte tänka mig att Pia skulle hitta på det."

Hanna vet inte riktigt vad hon ska tro.

"Visst är det creepy?" fortsätter Karro. "Stöta på unga tjejer när man är lärare. Vilket äckel. Men det kanske kan förklara ett och annat."

Hon sänker rösten så att gästerna vid de andra borden inte ska höra.

"Tänk om han har något med Amandas död att göra?"

Karro ryser.

"Har du hört talas om ett sådant fall förut, när du jobbade i Stockholm?"

Hanna skakar på huvudet.

"Vet du vad mentorn heter?" säger hon.

"Nej. Men det kan väl inte vara så svårt att ta reda på."

Hanna tvekar. Går det att lita på informationen? Så sent som i söndags lät det som om pojkvännen låg bakom försvinnandet. Nu går tydligen skvallret om en lärare som kan vara inblandad.

Karro verkar veta allt om alla, men utan bevis är det bara spekulationer.

Fast om det är sant är det en viktig sak att följa upp.

"Har du berättat det här för din bror?" säger hon till Karro. "Det kan kanske vara bra att nämna det."

"Anton?"

Karro slår ut med händerna och ler brett.

"Han skulle aldrig lyssna på mig."

Hanna tänker efter. Hon vill diskutera den nya informationen med Anton eller Daniel, men hon kan knappast kontakta dem en gång till innan de hört av sig om det nya jobbet. Särskilt inte med lösa påståenden som hon snappat upp på byn. Det sista hon vill är att de ska uppfatta henne som oprofessionell.

Samtidigt borde Karros uppgifter undersökas.

Hon vet precis hur hon skulle lägga upp ett förhör med Amandas mentor om hon fick chansen.

Hon sticker ner handen i fickan med mobilen och stryker metallen, önskar intensivt att Daniel ska höra av sig.

Det finns ingenting hon hellre vill just nu än att bli placerad i Åre och få jobba som polis igen.

72

Lena syns inte till när Harald alldeles för sent kommer hem till Pilgrimsvägen och kliver in i hallen.

Mimi och Kalle sitter uppslukade framför tv:n precis som de gjorde när han lämnade dem. De har gjort mackor, i köket syns spåren av deras framfart. En svettig ost står på köksbänken bredvid ett varmt smörpaket och en halvtom mjölkförpackning.

Det är smulor överallt.

Tvillingarna märker knappt att han är tillbaka.

"Var är mamma?" ropar Harald.

"Hon sover", svarar Mimi utan att vrida huvudet från skärmen.

Harald är på väg in i köket för att städa upp när den fasta telefonen ringer. Först vill han inte ta det, han är orolig för att det ska vara en journalist. När det ringer för tredje gången blir instinkten att svara för stark.

Harald rycker åt sig luren.

"Hallå?"

En kvinnoröst presenterar sig.

"Hej, jag heter Alina Nilsson, jag är veterinär i Undersåker."

"Jaha?"

"Jag tror att din fru pratade in ett meddelande till mig igår angående er hund."

Harald försöker tänka efter. Lena sa att hon ringt kliniken när hon upptäckte att Ludde var dålig.

"Jag har gått igenom symptomen hon nämnde", fortsätter veterinären. "Det låter nästan som om er hund har blivit allvarligt nikotinförgiftad."

"Förlåt?"

Harald är osäker på om han har hört rätt. Han skjuter till dörren mot vardagsrummet för att slippa ljudet från tv:n.

"Vet du om han kan ha fått i sig några cigarettstumpar, snus eller tobak?"

Veterinären gör en liten paus.

"Jag vill inte oroa dig, men ifall din hund inte redan har kräkts och blivit bättre så behöver du komma hit med honom. Nikotin i stora doser är mycket farligt för djur. Om han har fått i sig nikotintuggummi kan han dessutom lida av xylitolförgiftning."

"Ludde är död", säger Harald tonlöst.

"Förlåt?"

"Han dog igår."

"Så tråkigt att höra."

Han hör äkta deltagande i veterinärens röst.

"Då måste din hund ha fått i sig väldigt mycket på en gång."

Harald sitter med telefonluren i handen.

"Kan det röra sig om e-cigaretter?" fortsätter hon. "De har så mycket flytande nikotin i varje patron att det motsvarar minst två vanliga. Om din hund råkade få tag i ett paket med patroner kan det förklara saken. Jag har tyvärr sett det hända tidigare."

Det spelar ingen roll längre, tänker Harald.

Ludde är död.

Amanda är död.

Det blir tyst i några sekunder.

"Vill du att vi ska obducera din hund så att vi får reda på vad han dog av?" säger veterinären. "Det kan vara bra att undersöka det, om inte annat för försäkringens skull."

Luddes kropp ligger kvar i garaget. Harald har knappt ägnat sin döda hund en tanke de senaste tjugofyra timmarna.

Men vad var det hon just sa om dödsorsaken?

"Vad menar du med förgiftad?" frågar han.

Det blir tyst i några sekunder.

"De symptom din fru beskrev på telefon tyder på att han blev svårt nikotinförgiftad", säger Alina Nilsson.

Hon verkar inte vara medveten om att hon talar med pappan till den döda flickan som tidningarna skriver om. Rösten saknar det där medlidsamma anslaget som finns hos alla andra som hör av sig.

Harald försöker smälta den nya informationen.

"Hur skulle det ha gått till?" får han fram.

"Det är faktiskt inte så ovanligt."

"Vi röker inte", säger Harald. "Ingen i familjen gör det. Vi snusar inte heller."

"Oj då."

Det hörs att veterinären blir förvånad.

"Det var märkligt", säger hon. "Eftersom er hund avled så snabbt måste han ha fått i sig mycket nikotin. Det räcker inte med att tugga på en eller annan fimp från gatan."

Hon avbryter sig, han hör att hon blir fundersam.

"I så fall måste man undra om det var en olyckshändelse", säger hon till sist.

Harald minns när han kom hem på morgonen och Ludde låg hjälplös på golvet med ett vitaktigt drägel runt nosen och munnen.

Han måste ta stöd mot diskbänken när han inser vad hon menar.

"Menar du att man avsiktligt skulle ha förgiftat vår hund?"

"Jag kan inte säga det säkert, men det är svårt att bortse från möjligheten."

Harald blir stående med telefonen i handen när han avslutat samtalet. Det har inte fallit honom in att Ludde inte skulle ha dött av naturliga orsaker. Han har tagit det för givet och förbannat ödet som låtit det ske dagen efter att hans dotter hittades död.

Nu låter det som om någon medvetet har dödat även hans hund.

Tanken gör honom förfärad.

Han kan inte låta bli att snegla ut genom fönstret, som om det skulle stå en mördare där och lurpassa i mörkret.

Han går ut i hallen och vrider om låset ordentligt fast de alltid brukar ha det olåst på dagarna.

Sedan sjunker han ner vid köksbordet med samma tankar som tidigare då han satt utanför Miras hus.

Det finns bara en person som kan vilja göra dem så illa.

73

Det brinner inga marschaller utanför familjen Landahls hus
när Daniel parkerar vid infarten sent på eftermiddagen. Där-
emot är det tänt i flera fönster, så någon borde vara hemma
den här gången.

Renfjället på andra sidan sjön går knappt att se i snödiset.
Molnen sluter tätt om det tysta berget.

Dubbelgaraget närmast vägen har stängda dörrar. Där inne
ska det finnas en snöskoter av märket Yamaha, registrerad på
Viktors pappa. Efter besöket i Rödkullen har Daniel kollat upp
det. Så snart han fick reda på saken bestämde han sig för att
åka raka vägen hit.

Att Viktor har tillgång till fordonet, även om han saknar
förarbevis för snöskoter, är ingen vild gissning. Han har dess-
utom körkort, tog det bara en vecka efter artonårsdagen.

Hannas upplysningar om Viktors förflutna har varit till stor
hjälp. Ju mer Daniel får veta om grabben, desto mer misstänk-
sam blir han.

Enligt skolan har Viktor inte visat sig på lektionerna den
här veckan.

Daniel låser bilen och går uppför den skottade gången. Ande-
dräkten lever sitt eget liv, är en ström av vit rök i den iskalla
luften. Temperaturen ligger på minus sjutton och ett vitt spets-
mönster av frost täcker den gröna brevlådan.

Det är Viktor själv som öppnar, i samma luvtröja som sist.

Daniel studerar pupillerna. Idag verkar han nykter.

"Är det du?" muttrar Viktor.

"Får jag komma in? Jag har några kompletterande frågor."

Viktor släpper in honom i hallen, som är betydligt stökigare nu än i lördags då föräldrarna hade glöggmingel. Det ligger kängor och skor på golvet. På ena väggen sitter en rad med krokar där jackorna hänger huller om buller.

Landahls är en stor familj, Viktor har två yngre syskon och en äldre storasyster som fortfarande bor hemma. De flyttade hit när Viktor skulle börja gymnasiet. Förmodligen för att slippa skvaller och blickar från andra föräldrar och grannar som kunde känna till misshandeln som ledde till Viktors straffvarning.

"Är du ensam hemma?" frågar Daniel.

"Ja."

Daniel har hoppats på det. Det är det första skälet till att han åkt hit istället för att kalla Viktor till stationen. En situation som denna blir betydligt enklare utan föräldrarnas närvaro. Inte för att han begår ett formellt fel. Viktor har fyllt arton och kan höras utan någon annan närvarande.

Det andra skälet är att han inte ville ge Viktor tid att förbereda sig.

"Ska vi sätta oss i köket?" säger Daniel och gör en gest inåt huset.

"Okej."

De slår sig ner vid ett ovalt matbord med många sittplatser framför ett stort fönster med utsikt mot Åresjön. Lite snö har lagt sig på spröjsen. Taklampan speglas i rutorna.

På diskbänken står använda muggar och tallrikar. Ett paket bacon och en flottig stekpanna står framme.

Daniel nickar åt oredan.

"Sen lunch?"

Viktor rycker på axlarna.

"Jag fixar det innan morsan kommer hem."

Han börjar bita på ena tummens nagelband där huden är röd och sårig.

"Du vet att din flickvän blev mördad?" säger Daniel.

Det är ingen idé att linda in sanningen. Den här gången protesterar inte Viktor mot ordet *flickvän*.

"Mmm", mumlar han.

"Hur känns det?"

Viktor kisar mot honom under lugg. Ansiktet är lite kantigt, med markerade ögonbryn. Det halvlånga håret hänger fram och får honom att se nonchalant ut.

Förmodligen är han en cool kille bland sina jämnåriga.

"Det är ... jobbigt", mumlar Viktor.

Han väger på stolen, har svårt att sitta stilla. Ena knäet rör sig upp och ner när foten trummar mot köksgolvet.

"Det vanligaste i sådana här fall är att förövaren är en person som offret kände väl", säger Daniel. "Någon som befann sig i hennes omedelbara närhet. Det är mycket sällsynt att en ung flicka mördas av en främling som hon inte har träffat förut."

Han låter orden sjunka in, hoppas på en reaktion och väntar tills Viktor ser upp igen.

"Du har begått övergrepp mot unga flickor förut", säger han. "Du har gjort dig skyldig till misshandel."

Rent tekniskt är det en överdrift, men orden får exakt den effekt som Daniel vill.

Viktor drar efter andan.

"Hur vet du det?" utbrister han.

"Trodde du verkligen att jag inte skulle få veta att du redan har misshandlat en tjej?"

"Det var ett missförstånd", protesterar Viktor. "Jag menade aldrig att göra henne illa."

"Lägg av", säger Daniel skarpt. "Hon var bara femton. Du slog henne så illa att hon fick en spricka i käken och måste läggas in på sjukhus. Hon fick använda sugrör och leva på flytande föda i flera veckor."

"Det var inte så det gick till", ropar Viktor.

"Enligt utredningen var du så rasande att du var utom all kontroll."

Viktor försöker protestera men Daniel låter honom inte avbryta. Han har noga läst igenom den gamla utredningen. Minns exakt beskrivningen av en utflykt som spårade ur en fin sensommarkväll. Resultatet: en allvarlig käkskada och en ung man som borde ha straffats hårdare om han inte varit så ung och haft en duktig advokat vid sin sida.

Daniel är förvånad över att han kom undan med en varning. Han håller upp en hand för att tysta Viktor.

"Du tappade humöret och skrek och svor åt alla som var där. Din flickvän blev rädd. Dina kompisar försökte lugna dig men du brydde dig inte om dem när du började slå henne."

"Lyssna på mig!"

Viktor reser sig till hälften och drämmer näven i bordet.

"Jag var jävligt full, jag erkänner det. Men jag ville aldrig skada Frida. Jag råkade slå till henne i ansiktet när jag blev så förbannad att jag slängde iväg en full ölflaska. Hon kom i vägen. Det var inte avsiktligt."

Viktor är röd i ansiktet. Han andas med halvöppen mun och lite spott har fastnat i ena mungipan.

Daniel möter Viktors ursinniga blick. Är det hans sanna personlighet som visar sig nu? Den loja personen från i lördags är borta.

I så fall finns förklaringen till Amandas försvinnande framför honom.

"Jag slog Frida av misstag", väser Viktor sammanbitet. "Jag har bett om ursäkt för det hur många gånger som helst."

Daniel ställer sig upp så att de står mittemot varandra.

"Gjorde du samma sak med Amanda?"

"Vad menar du?"

"Tappade du humöret och gav dig på henne, precis som du gjorde med Frida? Med den skillnaden att din flickvän dog den här gången?"

"Säg inte så."

"Jag ska berätta vad jag tror hände i torsdags natt", säger Daniel och lutar sig närmare.

"Jag tror att du följde efter Amanda när hon lämnade festen hos Ebba. Jag tror att ni kom i bråk och att det slutade med att du gömde henne någonstans i Ullådalen eftersom du inte visste vad du skulle göra. Sedan ångrade du dig och lämnade hennes kropp i VM6:an så att hon kunde hittas. Du använde din pappas snöskoter för att transportera henne. Det finns ett vittne som såg dig komma körande på skotern mitt i natten."

Daniel brer på, Tor Marklund har inte identifierat Viktor som föraren, men det får bli en senare fråga. Han tänker pressa killen, även om han får skit för det i efterhand.

Viktor ser panikslagen ut.

"Det är inte sant", stammar han. "Det var inte jag som dödade henne."

Daniel låter sig inte hejdas.

"Vet du vad vi har fått reda på genom att snacka med dina kompisar som var med på festen?"

Han lägger armarna i kors. Bockar mentalt av vittnesmålen som samlats in under de senaste dagarna.

"Det finns vittnen som såg dig bråka med Amanda sent på kvällen", säger han. "Precis när hon var på väg att gå sin väg. Du försökte hindra henne genom att hålla fast henne, hon knuffade ner dig på golvet. Du skrek och svor medan hon sprang ut genom dörren. Efter det är det ingen som kan intyga var du befann dig. Du hänvisade till din kompis Wille, men han hade slocknat och kan inte styrka att du var kvar."

"Det var inte jag."

"Ingen backar upp din story. Ingen."

Viktor har blivit mycket blek.

"Jag har inte gjort något!" skriker han.

Daniel noterar ljudet av en bil som svänger in på garageuppfarten utanför.

Han lutar sig fram och byter tonfall. Hittills har han spelat den elaka polisen, gått ut så hårt han bara kan. Nu testar han en mjukare framtoning.

Han vill få Viktor att känna sig trygg igen, så trygg att han vågar erkänna.

"Medge att du blev förbannad när Amanda inte gjorde som du sa. När hon lämnade festen mot din vilja."

"Det var inte jag."

"Vi vet att det var du som mördade Amanda."

Daniel går runt bordet och ställer sig nära Viktor.

"Du har inget alibi och du är redan dömd för misshandel av din förra flickvän."

Genom fönstret ser han en skugga på väg mot ytterdörren.

"Tala om vad som hände den där kvällen", uppmanar han Viktor. "Jag lovar att du kommer att må mycket bättre då."

"Det var inte jag", viskar Viktor. "Jag har inte gjort det."

74

Känslan av misslyckande hänger i när Daniel kommer tillbaka till polisstationen. Klockan är nästan sju, det är mörkt i korridorerna och alla andra har gått hem. Han sätter sig i kontorsstolen och tänder skrivbordslampan.

Han var så nära att få Viktor att erkänna. Ändå lyckades han inte knäcka killen. Nästa gång får han ta in honom på stationen och hålla ett regelrätt förhör. Men då är överraskningsmomentet borta.

Problemet är bevisningen, den räcker inte fullt ut. Daniel är medveten om att det finns hål i resonemanget. Familjens snöskoter, Viktors brottsregister, hans ofullständiga alibi, allt detta är bara indicier.

Han vet inte om de har tillräckligt ens för att få Viktor anhållen. Kan nästan höra åklagaren Tobias Ahlqvists röst när han frågar efter tyngre bevis. Särskilt när grabben är så ung, under tjugo är det alltid svårt så fort det handlar om frihetsberövande.

Det knarrar till när Daniel lutar sig tillbaka i stolen. Han knäpper händerna bakom nacken och försöker tänka.

Det första budordet i en brottsutredning är att inte låsa sig för tidigt. Varken vid en viss hypotes eller en misstänkt gärningsman. Alla dörrar måste hållas öppna.

Det är lättare sagt än gjort när mycket talar för en viss person. En ung man som dessutom stod offret nära.

Om det inte är Viktor som är skyldig, vem är det då?

De håller på att kolla upp en rad frågor, personerna som äger hus i Ullådalen, alla registrerade snöskotrar som finns i trakten, gärningsmannens DNA som fanns under Amandas naglar och eventuella spår på hennes kläder.

I bästa fall kan det komma fram teknisk bevisning som överbevisar Viktors utsaga, så till den grad att han bryter ihop och erkänner.

Där är de inte nu.

Magen kurrar. Han borde åka hem men behöver sortera sina tankar först.

Daniel reser sig och går ut i pentryt. En fläckig banan ligger i en skål. I kylen hittar han ett halvtomt mjölkpaket som räcker till ett glas.

Stående mot diskbänken äter han frukten och häller i sig mjölken.

Viktor har ett hett temperament. Det är ännu ett faktum som i Daniels ögon talar för skuldbördan. Han vet en hel del om det eftersom han själv lider av samma sak.

Daniel har aldrig helt kunnat kontrollera sitt humör. När pulsen rusar och raseriet byggs upp går det inte att hålla emot. I de ögonblicken kan han inte styra sig själv, det är som om vreden måste få ett utlopp, vad det än kostar honom. De arga orden flödar med ett enda syfte, att såra och göra andra illa. De han tycker mest om hamnar ofta i vägen, vilket hans mamma fick uppleva alldeles för ofta.

Daniel skäms fortfarande över utbrottet kvällen före sin studentexamen. Det var någonting med kostymen, han minns inte ens vad det handlade om. Men det slutade med att han i blint raseri slet sönder studentmössan framför ögonen på en förskräckt Francesca. Nästa dag var han den enda som gick ut med bart huvud efter att hon suttit uppe halva natten och förgäves försökt laga den.

Kanske är det därför han misstänker Viktor, även en vanlig grabb kan bli så rasande att han gör det otänkbara.

I stunder då humöret tar över är man inte tillräknelig.

Daniel har inte svårt att föreställa sig Viktor som gärningsman. Han känner igen alla tecken. Det tog inte lång stund att reta upp Viktor så mycket att han tappade besinningen. Med för mycket alkohol i kroppen kan det bara ha blivit värre.

Om han bråkade med Amanda på luciafesten kan vad som helst ha inträffat.

75

Lena ligger i sovrummet hopkrupen under den rosa pläden. Det är mörkt och gardinerna är fördragna.

Tårarna rinner ner i kudden. Hon bryr sig inte om att torka bort dem fast örngottet blir kallt och fuktigt.

Hon får inte plats i sin egen kropp. Allting värker, huden sticker och stramar som om chocken fått den att krympa. Musklerna är så hårt spända att hon ligger och darrar, men det går inte att slappna av.

Om hon bara kunde få fly in i sömnen för alltid, domna bort och gömma sig i barmhärtig medvetslöshet.

Slippa vakna igen.

Varför måste Amanda dö? Varför kunde inte hon själv ha fått dö istället?

Amanda var bara arton, hon hade hela livet framför sig.

Det är inte rättvist.

Var Harald och tvillingarna håller hus vet Lena inte. Hur lång tid som har gått sedan hon stapplade uppför trappan och föll ihop i sängen kan hon inte säga.

Världen har blivit svart.

Hon förstår inte hur hon ska kunna möta alla släktingar och vänner igen. Många hörde av sig medan Amanda fortfarande var försvunnen. De ville prata om saken, dela oron med henne.

Nu, när allt är för sent, kan hon inte ta emot deras sorg och medkänsla. Det är omöjligt att dela förlusten av ett barn.

Hon fryser, trots ullpläden.

Harald har varit inne i sovrummet flera gånger och sagt åt henne att komma ut, att hon måste äta och duscha. Tvillingarna behöver henne. Han behöver henne. Hon kan inte stänga av på det här viset.

Han förstår inte.

Det är inte det att hon inte vill visa sig. Hon vet bara inte hur man gör. Hon minns inte längre hur man får kroppen att röra sig och munnen att formulera meningar.

Amanda är död.

Ludde är död.

Hur fungerar man som människa efter det?

Lena kan inte svara på det.

76

Det är dags att åka hem. Daniel gäspar, det är sent och han har missat Alices kvällsbad igen.

Han ser hennes lilla ansikte framför sig och grips av dåligt samvete. Han älskar de där stunderna med sin dotter, den enorma kärleken som fyller hjärtat och tar över allt annat.

Sedan tänker han på Amandas frusna kropp och vet varför han har stannat kvar alldeles för länge.

Han har svårt att åka hem för att vara med sin egen dotter när Amandas mamma och pappa aldrig mer får träffa sin.

Han lovar sig själv att vara extra omtänksam mot Ida och Alice så snart fallet är uppklarat. Kanske överraska Ida med en romantisk middag bara de två om han kan få hennes mamma att sitta barnvakt några timmar.

Just som han ska logga ut ringer mobilen. Det är Birgitta Grip. Förhoppningsvis har hon goda nyheter. Han kan behöva det efter sitt misslyckade förhör med Viktor.

Han har inte pratat med sin chef sedan han åkte hem till Hanna igår kväll, bara slängt iväg ett hastigt mejl där han sammanfattade morgonens positiva samtal med Hannas referens, Astrid Ståhl.

"Lindskog", svarar han snabbt.

Grip är inte en person som slösar tid på småprat. Hon låter alltid aningen andfådd i telefon, som om hon är på väg någonstans.

"Jag har snackat med Citypolisen i Stockholm och ordnat en tillfällig kommendering för Hanna Ahlander hos oss", säger hon. "De lånar ut henne i tre månader till att börja med, på vår budget."

Grip har levererat. Daniel känner hur ett stort leende bryter fram.

"Lysande!" säger han. "Jag tror att Hanna kan bli ett utmärkt tillskott till gruppen."

"Jag såg ditt mejl i morse. Hon fick ett väldigt fint omdöme av sin referens."

Det var ingen tvekan om att Astrid Ståhl uppskattade Hanna både som polis och kollega.

"Ja", svarar han. "Jag snackade ju med en av utredarna på sektionen där Hanna jobbade. Hon var verkligen positiv."

"Utmärkt. Du får ringa HR med alla uppgifter så att de kan ordna pappersarbetet."

Grip gör en liten paus.

"Det är på ditt ansvar, glöm inte det."

Så fort de lagt på ringer Daniel till Hanna.

"Det gick vägen", säger han. "Jag har precis fått klartecken från Östersund för en placering hos oss i minst tre månader. HR ska bara ordna med det formella."

"Är det sant?" utbrister Hanna. "Jag vågade nästan inte tro att det skulle funka."

"Det är bara att köra."

"Det är fantastiskt! Jag ser verkligen fram emot det här."

Hennes entusiasm är smittsam. Ju fortare hon ansluter, desto bättre. Det är väl inte hela världen om pappren inte är klara?

"Du skulle faktiskt kunna komma redan i morgon om du vill?" säger han. "Du har väl ditt datakort så att du kommer åt alla system och register?"

"Absolut", svarar Hanna. "Det är med. Vilken tid ska jag vara där?"

"Klockan åtta blir bra. Vi har en avstämning med Östersund kvart över sju, efter det kan jag presentera dig för gänget och gå igenom status."

Han borde lägga på men dröjer. Huvudet är fullt av motstridiga tankar efter mötet med Viktor. Han skulle gärna stämma av sina intryck när han ändå har henne på tråden.

"Har du tid att diskutera en annan fråga som rör utredningen?" säger han.

"Självklart. Vad gäller det?"

Daniel beskriver de två mötena han haft med Viktor och det som hans skolkamrater berättat om festkvällen. Hur Viktor envist hävdade sin oskuld när Daniel pressade honom under förhöret tidigare på dagen.

Daniel är medveten om att han gick över gränsen för att få fram ett erkännande.

Han vill gärna höra Hannas uppfattning. Kan de vara fel ute när de betraktar Viktor som huvudmisstänkt?

"Det är mycket som talar för hans skuld", avslutar han.

"Borde han inte ha erkänt i så fall?"

"Hmm", mumlar Hanna.

Det blir tyst i luren i några sekunder.

"Det är en sak som står ut", säger hon sedan. "Sa du inte att han var väldigt full på luciafesten?"

"Jo."

Han kan nästan höra hur hon rynkar pannan.

"Jag hakar upp mig på den uppgiften", säger hon. "Det krävs sinnesnärvaro för att genomföra det händelseförlopp du just beskrev. Både att ta ett strypgrepp som får någon att bli medvetslös och att handskas med konsekvenserna av det. Alltså att ta med sig en medvetslös Amanda och gömma undan henne."

Hon tystnar, som för att tänka efter.

"Klarar man av att göra allt det där om man är i ett sådant skick som Viktor verkar ha varit?" säger hon.

Det låter nästan som en retorisk fråga.

"Jag håller med om att det är mycket som talar för att han är skyldig", fortsätter hon, "fast det låter också som om han var alldeles för berusad för att vara tillräckligt beräknande."

Daniel har inte riktigt sett saken ur den vinkeln. Han har

tvärtom tänkt att alkoholen måste ha varit den utlösande faktorn för Viktor. Det och ett hett temperament som inte gick att styra.

Hanna får honom att inse att mängden alkohol som Viktor drack den där kvällen paradoxalt nog kan användas som ett slags alibi.

Att han var så full att han inte var kapabel att överfalla och föra bort Amanda.

Hannas förmåga till resonemang, hennes sätt att vrida och vända på olika situationer, gör intryck även denna gång.

"Det känns som om det krävs en viss nivå av nykterhet för att vara så kallblodig", säger Hanna.

"Tillbaka på ruta ett, alltså", säger Daniel.

"Det är för tidigt att säga. Jag skulle bara inte låsa mig alltför mycket vid Viktor innan det finns mer teknisk bevisning."

Hon tystnar, gör ett litet ljud som om hon har en annan sak på tungan.

"Var det något mer?" frågar Daniel.

"Alltså ... hur är det med Amandas mentor? Har ni talat med honom?"

Hon måste mena Lasse Sandahl, läraren som de träffade igår.

"Hurså?" säger han.

"Jag fikade med en kompis från trakten i eftermiddags", börjar Hanna.

Hon gör en liten paus, som om hon tvekar inför fortsättningen.

"Det kanske bara är löst prat, men hon nämnde att det gick rykten om Amandas mentor, att han är ... intresserad av yngre tjejer. Hon sa till och med att han hade en affär med Amanda."

Daniel minns inte att det var något med Sandahl som fick honom att reagera. Men upplysningen är definitivt värd att följa upp.

"Det känns som om man borde kolla upp honom", lägger Hanna till.

"Vi får titta på det i morgon", säger Daniel.

Han lägger på och tar fram sammanfattningen av samtalet med Lasse Sandahl. Läser det noga en gång till för att se om det finns saker i utskriften som kan ge en vink om det som Hanna berättade.

Det plingar från mejlen. Ett anonymt tips har kommit in.

Daniel skummar texten och visslar till.

"Det var som fan", säger han halvhögt för sig själv.

Det verkar som om Harald Halvorssen har haft en utom-äktenskaplig affär med sin assistent, Mira Bergfors.

Den anonyma källan påstår att maken kan ha velat hämnas på Harald.

Onsdagen den 18 december

77

Parkeringsplatsen utanför polisstationen är knappt halvfull när Hanna kommer dit klockan åtta på onsdagsmorgonen. Magen är en klump av nervositet. Allt har gått så fort, hon kan knappt tro att hon är på väg till sitt nya jobb.

Att de faktiskt ville ha henne.

Hon sänder en tacksam tanke till Lydia som fick Manfred att ge henne goda vitsord så att omplaceringen gick igenom.

Lydia har räddat henne. Igår kväll, mitt under glädjeruset, messade hon systern och berättade vad som hänt. Att hon fått ett nytt jobb.

Astrid Ståhl ställde också upp, påminner Hanna sig. Det finns faktiskt folk som bryr sig om henne, hon måste komma ihåg det när hon mår dåligt.

Daniel står redan och väntar i receptionen. Hans varma leende får det att kännas bättre. Han drar sitt kort i dörröppnaren och visar in henne i samma lokaler som hon besökte i måndags.

"Här ska du sitta", säger han och leder henne till ett rum längre bort i korridoren där det redan ligger ett nyckelkort framme.

Det är litet men den vackra utsikten över Åresjön gör henne genast på gott humör. Den här gången ska ingenting gå snett, lovar hon sig själv. Katastrofen i Stockholm ska inte upprepas, hon ska hålla låg profil, lyssna och smälta in i gänget.

Daniel presenterar henne för en ny kollega, Rafael.

"Kalla mig Raffe", säger den mörke skäggige killen med ett sympatiskt flin. "Kul att du kunde börja så snabbt."

"Häng med", säger Daniel.

Han går mot konferensrummet där bilderna på Amanda är uppsatta.

"Tjenare!" hör hon en röst säga bakom ryggen. "Välkommen."

Hanna vänder sig om och upptäckter Anton.

"Tack", svarar hon. "Det är verkligen roligt att vara här."

"Det tycker vi också."

Han blinkar åt henne.

"Bara så du vet, nu är det för sent att ångra sig."

De slår sig ner i konferensrummet, alla fyra. Daniel förklarar att de haft en genomgång på länk med Östersund precis innan hon kom.

Han ler snett mot Hanna.

"Det fungerar lite annorlunda här i glesbygden", säger han. "Det är större avstånd och många videokonferenser. Alla sitter utspridda och hembesök tar längre tid."

Så fort diskussionen börjar känns det mer hemtamt. Överläggningar i ett pågående fall har Hanna varit med om många gånger.

Hon märker att Daniel är tongivande, att de andra lyssnar när han talar. Det är ingen tvekan om vem som leder förundersökningen.

Han går igenom status och den senaste informationen som kommit in. De väntar fortfarande på att komma in i Amandas dator som IT-killarna har på sitt bord. En rad fastighetsägare i Ullådalen har kontaktats men många återstår och inget intressant har hittills framkommit den vägen. Amandas kläder och hudavskrapningarna under hennes naglar har skickats till NFC, Nationellt Forensiskt Centrum, för analys.

Hanna blir inte förvånad över att det kommer att ta veckor innan de får svar därifrån, köerna hos NFC är hopplöst långa.

Daniel byter ämne.

"Hanna berättade att det går rykten på byn om att Amanda hade en affär med sin mentor, Lasse Sandahl, som vi träffade i förrgår."

Anton stryker sig om hakan.

"Det får vi följa upp", säger han. "Bra jobbat, Hanna."

Hanna blir generad av hans beröm. Det är hans syster som borde få cred för informationen. Men hon är glad att de andra tar det på allvar.

"Apropå affär", säger Daniel. "Vi fick in en annan intressant uppgift igår kväll. Ett anonymt tips om att kolla upp Harald Halvorssens assistent Mira. Eller rättare sagt hennes man, Fredrik Bergfors. Det verkar som om Mira och Halvorssen har haft ett förhållande."

Daniel samlar ihop sina papper.

"Jag tänkte åka och byta några ord med Bergfors", säger han och tittar på Hanna. "Vill du hänga med? Vi skulle kunna göra ett besök hos den där mentorn också."

Hanna ser osäkert från Daniel till Anton. Om det är de två som brukar jobba ihop vill hon inte tränga sig på.

Men Anton verkar inte ha det minsta emot förslaget.

"Utmärkt", säger han. "Då kan Raffe och jag fortsätta kartlägga stugägarna i Ullådalen."

Mötet avslutas. Hanna tar sin jacka och följer efter Daniel ner i garaget med tjänstebilarna. Hon är spänd av förväntan men lovar sig själv att ligga lågt under förhören.

Den här gången ska hon inte trampa på någons tår.

78

Borde han ringa polisen och berätta om Ludde?

Harald sitter i det mörka köket med armbågarna på bordet. Det är en timme tills solen ska visa sig. Han gick upp alldeles för tidigt, har kastat sig fram och tillbaka hela natten. Sömnen kom bara i korta stunder, gång på gång vaknade han med gråten i halsen och sorgen efter Amanda som en sten i bröstkorgen.

Frågan om Luddes förgiftning har malt i honom sedan samtalet med veterinären. Men vad skulle polisen kunna göra i det här läget? De har frågat om Harald har några fiender, om han vet någon som bär agg mot honom eller familjen.

Den enda han kan föreställa sig är Fredrik Bergfors.

Harald prövar tanken på nytt.

Han fruktar redan att det är Fredrik som ligger bakom Amandas död. Kan han även ha förgiftat deras hund som straff för affären med Mira?

Hon var skräckslagen för att han skulle ha fått reda på deras relation. Harald hörde tydligt rädslan i hennes röst igår.

Han går några varv i köket. Smulor från barnens härjningar i köket krasar under fötterna.

Det finns ingen han kan tala med om saken. Lena gömmer sig i sängen, hon har knappt visat sig på flera dagar. Han sov i gästrummet i natt, orkade inte gå in i deras sovrum där den instängda luften dryper av förtvivlan.

Bladen på de röda julstjärnorna på fönsterbänken slokar men det får vara. Istället lutar sig Harald över diskbänken och försöker tänka, med pannan vilande mot det svala överskåpet.

Fredrik är stark och vältränad. Om Harald minns rätt är han

gammal fjälljägare. Det innebär att han är utbildad elitsoldat, tränad i att utföra våldsdåd.

Harald tar fram ett glas och låter kranen spola. Fyller det med iskallt vatten och dricker långsamt. Mira har berättat att Fredrik älskar sin familj över allt annat, han skulle göra vad som helst för deras skull.

Innebär det att han också är beredd att hämnas till varje pris?

Harald vill inte tro det, men Amanda är mördad och Ludde förgiftad. Det krävs en särskild sorts raseri för att begå den sortens handlingar.

Vem skulle det annars vara?

Hur Harald än vänder och vrider på resonemanget landar han i samma slutsats. Det finns ingen annan som kan vilja göra honom illa, inte på det viset.

Den tillit Harald känt till sina medmänniskor i hela sitt liv ligger i ruiner. Han har läst om människor som gjort sig skyldiga till vidriga handlingar.

Han har bara aldrig trott att han skulle få uppleva det själv.

79

Strax efter nio kommer Hanna och Daniel fram till Sadeln där Fredrik Bergfors befinner sig på ett av sina byggen.

Himlen rodnar i öster när de parkerar utanför det nästan färdigbyggda huset på Björnhyllan. Läget är ett av de bästa, tänker Hanna, med ogenerad utsikt över sjön. Det ligger ett stenkast från den flacka Hermelinenbacken, med äkta ski-in/ski-out-läge.

På gatan står skåpbilarna i rad. När Hanna och Daniel kliver in får de förklaringen. Det råder febril aktivitet i huset. Ett myller av hantverkare bär bort virke och slänger skräp i en stor container utanför. Det liknar fortfarande en byggarbetsplats men allting tycks vara på väg att forslas bort.

Fredrik Bergfors står vid balkongdörrarna och resonerar på engelska med en kille som verkar vara förman.

Hans ljusa ögonbryn drar ihop sig när han ser Daniel, som håller upp sin polislegitimation.

"Vi har ett par frågor vi behöver ställa", säger Daniel. "Finns det någonstans där vi kan tala ostört?"

Bergfors pekar på ett av sovrummen där det står ett litet plastbord med fyra stolar.

"Vi kan gå in dit", säger han.

"Mycket på gång?" säger Daniel med en blick på aktiviteterna.

Bergfors nickar utan att kosta på sig ett leende.

"Kommunen kommer hit för slutinspektion i morgon. Alla vill bli klara till jul. Så är det jämt i december."

De sätter sig i det som förmodligen ska tjäna som master bedroom. En dörr leder till ett lyxigt badrum en-suite som skymtar genom dörröppningen.

Hanna undrar hur Daniel tänker inleda. Hon vet hur hon skulle ha lagt upp samtalet men vill inte ta befälet, är livrädd för att framstå som pushig första dagen på nya jobbet.

"Vi har några frågor till dig som rör mordet på Amanda Halvorssen", säger Daniel.

Fredrik Bergfors rör inte en min.

"Jaha?"

"Hur väl känner du familjen Halvorssen?"

"Min fru jobbar med Harald, hon är hans assistent. Jag kan inte påstå att jag känner familjen."

"Hur länge har hon jobbat hos honom?"

"I drygt tre år."

"Skulle du säga att de kommer bra överens?"

"Jag antar det."

Daniel nickar, antecknar i sitt block.

"Skulle du kunna berätta var du befann dig natten mellan den tolfte och trettonde december?"

"Jag var hemma och sov", säger han.

"Finns det någon som kan intyga det?"

"Min hustru Mira. Hon låg bredvid."

"När gick du och lade dig?"

Bergfors ser avvaktande ut.

"Ganska sent, tror jag. Det är mycket att göra så här års."

Han gör en gest mot resten av huset. En mansröst ropar en mening på polska, sedan hörs en duns.

"Hur sent då?" säger Hanna.

Hon kan inte hålla sig fast hon tänkt låta Daniel hålla i förhöret.

Hon får en axelryckning till svar.

"Jag kommer inte riktigt ihåg."

"Före eller efter midnatt?" säger Hanna.

"Det kan ha varit efter tolv."

"Var din hustru vaken när du gick och lade dig?"

"Hon låg och sov."

"Så hon kan inte intyga vilken tid du gick till sängs?" slår Hanna fast.

Fredrik Bergfors skjuter ut stolen en bit. Benen skrapar högljutt mot trägolvet. Han är så storvuxen att klappstolen verkar för liten, han får knappt plats på det solkiga sätet av vit plast.

"Vad handlar det här om?" säger han och tar fram en e-cigarett som han stoppar i munnen. "Jag har ingenting att säga om Harald. Han är min hustrus chef."

Tonen avslöjar mer än han tror. Den är iskall.

"Vi har hört att han är mer än det", fortsätter Daniel.

Han låter nästan provocerande lugn.

"Vad menar du?"

"Vi har en källa som påstår att din fru har ett förhållande med Harald."

Daniel går verkligen rakt på sak.

Hanna har noterat att han nog inte är en person som oroar sig för att såra någons känslor. Samtidigt känner hon igen taktiken. Ibland är det bra att gå hårt ut från början. Genom att chocka en förhörsperson kan man få honom att släppa garden. Blir man överrumplad är det svårare att ljuga.

Bergfors käkar är sammanbitna när han svarar.

"Det känner jag inte till."

"Inte?"

Tystnaden sträcker ut sig.

Daniel verkar lika lugn som tidigare.

"Om det nu vore så att din hustru har ett förhållande med Harald Halvorssen förmodar jag att du inte är särskilt förtjust i honom ..."

Inte ett ord kommer över Bergfors läppar.

"Det är lätt att tappa humöret i sådana fall ...", säger Daniel. "Börja umgås med tankar på hämnd ..."

Hanna lutar sig fram.

"Varifrån kommer rivsåret du har på hakan?" frågar hon.

Bergfors för handen mot ansiktet.

"Jag lekte med min dotter häromkvällen och hon råkade riva mig."

"Kan en treåring riva så hårt?" säger Daniel.

Kommentaren är perfekt tajmad, som om han och Hanna repeterat in replikerna i förväg.

Bergfors rycker på axlarna igen. Kroppen är spänd i irritation.

"Använde du din skoter i helgen?" säger Daniel.

I bilen berättade han för Hanna att skoterregistret anger Bergfors som ägare av en snöskoter av märket Ski-doo.

"Under natten mellan lördag och söndag, till exempel?" fortsätter han.

Bergfors reser sig oväntat. Rörelsen är så häftig att stolen faller omkull.

"Jag vet inte varför ni är här, men nu har jag inte tid med er längre."

"Om du vill följa med till stationen för fortsatt förhör är du välkommen", säger Daniel.

"Då får ni kalla mig tillsammans med min advokat", säger Bergfors.

Hanna söker Daniels blick när Bergfors försvinner ut genom dörren med uppretade kliv.

Det finns mycket mer hon vill ha svar på.

Hon är inte klar med Fredrik Bergfors än.

80

Det är rast när Hanna öppnar dörren till gymnasiet i Järpen för att söka upp Amandas mentor, Lasse Sandahl. Daniel kommer strax efter, med mobilen pressad mot örat.

Efter att de träffat Fredrik Bergfors fortsatte de direkt till skolan. Hanna inser att de får återuppta samtalet med honom när de har mer att gå på.

Det rådde ingen tvekan om Fredriks starka antipati mot Harald.

Om påståendet om en affär mellan Fredriks hustru och Harald är sant så har han ett starkt motiv. Å andra sidan finns det inte mycket annat som knyter honom till mordet, även om han äger en snöskoter och en sådan SUV som vittnet trodde sig uppfatta på parkeringsplatsen där Amanda försvann.

Hanna ser sig omkring i entrén.

Ett myller av tonåringar rör sig i korridorerna. De verkar vara indelade i samma klickar som under Hannas egen skoltid. Runt ett bord sitter det populära gänget med coola killar och söta, omsorgsfullt sminkade tjejer. Längre bort står nördarna, vars kläder och glasögon avslöjar deras grupptillhörighet. I en av fönstersmygarna sitter en ensam tjej med näsan i en bok. Hon bär svarta kläder och utstrålar att hon vill vara ifred.

Det kunde ha varit Hanna som ung.

De visas till ett tomt klassrum av en vaktmästare medan man hämtar Lasse Sandahl. Rummet ger ett dystert intryck. Grå träpanel går halvvägs upp på väggarna, stolarna har grå sitsar. Till och med golvet är grått.

Hanna ställer sig vid ett av fönstren och ser ut över den snötäckta skolgården. Den liknar mest en parkeringsplats, många bilar och lite grönska.

Det är lika grått ute som inne.

Lasse Sandahl dyker upp efter några minuter. Han är bredaxlad men har en begynnande kula på magen. Den sorten som uppstår hos någon som tränat mycket i ungdomen men lagt av och förlitat sig aningen för länge på sin grundkondition.

Daniel presenterar Hanna och de sätter sig vid ett av de rektangulära borden där eleverna i vanliga fall sitter två och två.

"Tack för att du hinner prata med oss igen", säger Daniel. "Vi har några kompletterande frågor som rör Amanda."

Sandahl nickar medan Hanna studerar honom ingående.

Han ser sympatisk ut, verkar vara en person som har lätt för att kommunicera med elever och föräldrar. Daniel har berättat att Amandas mamma tyckte att han var trevlig.

Är de fel ute i sina misstankar? Det enda de har att gå på är löst skvaller. Samtidigt måste allt som verkar märkligt följas upp.

De har diskuterat upplägget på väg till skolan och Daniel har föreslagit att hon ska leda samtalet. Till hennes lättnad berömde han hennes medverkan i förhöret med Bergfors, de skarpa följdfrågorna när de första svaren inte gav tillräckligt.

"Kan du berätta lite mer om din relation till Amanda?" börjar hon.

Lasse Sandahl nickar. Han ger intryck av att vara en man som vill bli omtyckt.

"Vi hade en bra och rak kommunikation. Jag hoppas att hon tyckte detsamma."

"Vad talade ni om den sista gången du såg henne?"

"Vi hade ett mentorsamtal förra veckan, ett par dagar innan hon försvann. Vi gick igenom hennes olika kurser, hur hon låg till betygsmässigt. Det gamla vanliga."

Han rycker på axlarna.

"Var det något som avvek från det normala?" frågar Daniel.

"Inte direkt. Ingenting som jag minns särskilt."

"Fanns det ingenting som Amanda verkade bekymrad över?" säger Hanna.

Sandahl kliar sig på halsen så att det blir en röd fläck.

"Hon verkade faktiskt lite okoncentrerad de senaste veckorna", medger han.

"Hur var det med frånvaron?" säger Hanna. "Var allting okej på den fronten?"

"Nu när du nämner det", säger Sandahl. "Vi pratade faktiskt om det på mentorsamtalet. Att hon hade varit borta mer än vanligt. Hon sa att hon skulle bättra sig."

"Förklarade hon vad det berodde på?"

Sandahl drar ner en tröjärm som åkt upp. Den grå V-ringade pullovern är noppig på armbågen.

"Det var något med hennes jobb som jag minns det."

"Hennes jobb?" säger Daniel.

Hanna får en känsla av att det är ny information även för honom.

"Vad arbetade hon med?" säger hon.

"Jag vet inte. Vi talade inte om det."

Han kliar sig i tinningen. Det ljusa håret är noggrant kammat för att dölja ett vikande hårfäste.

"Det är inte ens en vecka sedan vi sågs", säger Sandahl. Rösten är ansträngd.

"Det var förra tisdagen."

Han ler ett sorgset leende som tycks fastna i mungiporna.

"Hur är det med dina egna familjeförhållanden?" säger Hanna.

Hon gör ingen sak av att hon slår in på ett nytt samtalsämne. Lasse Sandahl rynkar ändå frågande på pannan.

"Hurså?" säger han.

"Vi behöver bara lite bakgrundsinformation", säger Hanna med ett lugnande leende.

"Är du gift eller kanske sambo?"

"Ingetdera."

"Du kanske har en flickvän?" föreslår hon.

"Inte just nu."

"Du dejtar väl i alla fall?"

"Ja, jo. Det gör jag."

Lasse Sandahl mumlar sina svar, som om han är osäker på vart frågorna ska leda.

"Hur gammal var din senaste flickvän?"

"Förlåt?"

Hanna försöker låta helt saklig.

"Vi har hört att du gillar unga flickor", fortsätter hon. "Även skolflickor."

Sandahl fingrar på ena örsnibben.

"Jag skulle aldrig ...", börjar han.

"Aldrig vad då?" säger Hanna. "Aldrig ha ihop det med en elev?"

Hans flackande blick säger henne allt hon behöver veta. Han har försökt närma sig Amanda. Kanske inte gått hela vägen men tillräckligt för att det ska bli obekvämt.

Det gamla föraktet kommer tillbaka. Dessa förbannade män som utnyttjar sin maktställning mot yngre kvinnor. De finns överallt.

"Gav du dig på Amanda?"

Hennes ton blir avsiktligt skarpare.

"Utnyttjade du henne?"

"Va? Nej, absolut inte."

"Vi kommer att få reda på om du ljuger för oss", varnar Daniel.

"Jag lovar, jag har ingenting med hennes död att göra. Jag har inte gjort något mot henne."

Lasse Sandahl slickar sig om läpparna.

"Du har försökt kladda på henne?"

Hanna går ut hårt, men det är tanken. Sandahl ska ställas mot väggen, det var även Daniel med på.

"Det var inte så det gick till."

Han ser ner i golvet.

"Ni får det att låta så smutsigt."

Det *är* smutsigt.

"Du ska få en chans att berätta vad som hände mellan er", säger Hanna. "En enda."

Sandahl stirrar på en punkt på väggen.

"Jag har inte legat med henne."

Hanna väntar på fortsättningen.

"Jag ville bara vara ett stöd", mumlar han. "Ifall hon behövde en vuxen att vända sig till."

"Har du försökt kyssa henne?"

"Ja."

Rösten är så låg att den är svår att uppfatta.

"När då?" säger Daniel.

Frågan kommer som ett piskrapp.

"På Valborgsfirandet i våras. Jag hade druckit alldeles för mycket."

Som om det skulle vara en ursäkt.

"Hur reagerade Amanda?" säger Hanna.

"Hon var inte intresserad. Hon stack därifrån. Det är allt, jag svär. Jag ångrade mig med en gång."

Hanna fixerar honom med blicken.

"Var befann du dig natten mellan den tolfte och trettonde december när Amanda försvann?" säger hon med uttryckslös min.

"Jag var hemma i min lägenhet."

"Har du någon som kan intyga det?"

"Nej. Jag lever ensam, jag har redan berättat det."

"Har du en bil?" frågar Daniel.

"Ja."

"Vilket märke?"

"Det är en Volvo."

"Färg?"

"Mörkblå."

Daniel nickar. Gesten är övertydlig, avsedd att uppfattas av Sandahl.

Han ser ut som om han är på väg att brista i gråt.

"Jag har inte skadat Amanda", viskar han.

81

Så länge Lena stannar i det mörka sovrummet är det som att vara i en kokong där ingen kan komma åt henne.

Hon vill inte vara vaken, bara ligga under täcket och aldrig mer gå upp, men till slut driver kroppens behov henne att lämna sängen.

Hon glider som en skugga in i det tomma badrummet, sätter sig på toalettsitsen och gör det hon ska.

En frän lukt av intorkad armsvett och otvättad kropp når näsan. Hon vet att hon borde duscha och tvätta håret, men sitter kvar utan att röra sig.

Det får vänta. Det är för stor ansträngning, hon orkar inte.

Hon orkar knappt spola.

Ljudet av tv:n i vardagsrummet och ett lågt mummel från tvillingarna tränger igenom badrumsdörren. Det kommer från en annan värld, en som inte angår henne längre.

Haralds röst saknas. Hon bryr sig inte om det heller. Han måste ha sovit i gästrummet i natt igen, för hon har inte sett till honom sedan igår kväll.

Det spelar ingen roll.

På någon nivå vet hon att Mimi och Kalle behöver henne, att hon måste skärpa sig, ta sig samman, men hon förstår inte hur det ska gå till.

Var ska hon hitta kraften att fortsätta vara deras mamma?

Det hon hittills tagit för givet, det som varit hennes tillvaro i så många år, finns inte mer. Livet med en stor bullrig familj, ungarna och deras kompisar, ett evigt plockande och tjafsande. Tvätt, matlagning och skjutsningar.

Allt är förbi.

Hon har alltid sett sig som en kapabel person, en som kan hantera både med- och motgångar. Nu har livet prövat henne och det hon trott på har visat sig vara en illusion. Hon är vek och svag, en ömklig spillra som inte duger.

Lena vaggar tyst fram och tillbaka på toaletten.

Allt som återstår av henne är ett tomt skal, en pappersfigur så platt av sorg att den saknar innehåll.

Efter en stund drar hon med tungan över tänderna, känner beläggningen och sträcker sig efter tandborsten.

Sedan låter hon handen falla.

Varför ska hon borsta tänderna när tillvaron ändå saknar mening?

Tvillingarnas skratt når henne från vardagsrummet.

De är unga, de kan komma över sorgen. De kommer att bygga sig ett nytt liv där minnet av Amanda tonar bort allt-eftersom de växer upp.

De har inte gått sönder som hon har gjort.

Lena vet att hon aldrig mer kan bli hel.

Hon försöker ställa sig upp och måste ta stöd mot handfatet för att inte vackla till. Sedan smyger hon tillbaka till sovrummet och stänger dörren så hon slipper höra barnen där nere.

82

På vägen mot Åre stannar Daniel och Hanna vid Hållandsgården för att äta lunch. Han är glad över att hon har börjat hos dem, redan förhöret med Sandahl visade hur erfaren hon är.

Det känns som om de kommer att jobba bra ihop.

Medan de tar för sig av de hemlagade köttbullarna, serverade med lingonsylt, brunsås och potatismos, berättar Daniel det han känner till om stället. Att det är ett kristet pilgrimscentrum som ligger precis vid S:t Olofs pilgrimsled utmed Indalsälvens forsar. Heliga Birgitta lär ha passerat här på trettonhundratalet.

Daniel känner hur spänningen från de senaste förhören släpper medan han rabblar upp turistinformationen.

"Fint ställe", säger Hanna och nickar åt omgivningen. "Alla kan behöva en själastuga då och då."

De tar sina brickor och slår sig ner vid ett fönsterbord. Pratar sporadiskt medan de äter. Först när tallrikarna är tomma och de hämtat varsin kopp kaffe återvänder samtalet till utredningen.

"Vi borde låta topsa både Bergfors och Sandahl", säger Hanna, "med tanke på hudresterna som fanns under Amandas naglar."

"Tror du Bergfors frivilligt går med på det?"

Hanna slår ut med händerna. Hon har ett livligt kroppsspråk, det har Daniel redan märkt. Hennes ljusbruna tofs rör sig när hon pratar.

"Förmodligen inte", medger hon.

"Han har i varje fall ett rejält motiv", konstaterar Daniel. "Han såg jävligt arg ut när vi tog upp hustruns affär."

"Sandahl kan också ha motiv", påpekar Hanna. "Amanda kanske hotade med att avslöja honom för skolans ledning."

"Mer än ett halvår efter att han försökte stöta på henne?"

"Det är Sandahls egen uppgift att det har gått så lång tid. Det kan ha inträffat något vid mentorsamtalet förra veckan. Tänk om han gjorde nya närmanden som gjorde henne upprörd. Hon kanske tänkte berätta det för rektorn eller föräldrarna?"

Hanna snurrar på kaffekoppen.

"Sandahl kände säkert till att Ebba skulle ha fest i torsdags eftersom hela klassen var inbjuden", säger hon. "Han kanske lurpassade utanför och hoppades att han skulle få en chans att reda ut allting med Amanda."

"Du menar att han skulle ha suttit utanför hela kvällen och hoppats på att hon skulle visa sig, alldeles ensam?"

Det låter långsökt i Daniels öron.

Vittnet som hörde av sig såg bara en mörk bil stanna vid parkeringsfickan där Amandas halsduk hittades. De tror att hon följde med frivilligt, förmodligen för att hon kände igen föraren.

Det går inte att utesluta att det var läraren som befann sig i bilen den kvällen.

Samma resonemang går att applicera på Fredrik Bergfors. Även Viktor kan ha haft tillgång till en bil, det finns en mörk SUV registrerad på pappan.

"Tycker du att Sandahl stämmer in på bilden av en typisk mördare?" frågar Daniel.

"Hur ser en sådan ut?" undrar Hanna retoriskt.

"I vilket fall skulle jag gärna gå igenom både Bergfors och Sandahls bilar för att leta efter Amandas DNA", säger Daniel.

Han vet redan att Tobias Ahlqvist aldrig kommer att gå med på det utan starkare bevis. Han lät skeptisk redan vid den senaste genomgången.

En chartrad vit buss stannar utanför och släpper av ett tjugotal besökare. De försvinner i riktning mot stavkyrkan som ligger bredvid.

"Vi behöver prata med både Mira Bergfors och Harald Halvorssen", säger Hanna.

Hon ställer ifrån sig kaffekoppen på brickan.

"Vad sägs om att göra det på tillbakavägen? Jag skulle gärna vilja veta vad Harald har att säga om Fredrik Bergfors."

83

Det är mörkt i alla fönster utom ett när Hanna och Daniel kommer fram till familjen Halvorssens hus.

Hanna kan nästan känna sorgen som vilar tung över hemmet när hon ringer på.

Harald öppnar.

"Är det du?" säger han till Daniel och griper tag om dörrkarmen.

Klockan är bara två på eftermiddagen men spritlukten från andedräkten går inte att dölja.

"Får vi komma in?" säger Daniel och presenterar Hanna som sin nya kollega.

"De har hund", säger han till Hanna. "Du är väl inte allergisk?"

"Ludde är död", säger Harald.

Rösten brister. Ögonen är glansiga när han fortsätter:

"Han dog i förrgår."

Hanna lägger en hand på hans arm.

"Jag beklagar."

Harald ser ut som om han är på väg att säga något mer, men ångrar sig.

De slår sig ner i köket där ett hav av smutsig disk breder ut sig.

"Är barnen i skolan?" frågar Hanna.

Harald skakar på huvudet.

"Min mamma har dem i några timmar. Vi låter dem slippa skolan den här veckan."

Hanna lutar sig fram. Hon har tänkt på det där mentorn

sa om Amandas extrajobb. Det fanns inga uppgifter om det i utredningen och det visade sig att Daniel inte heller kände till det. Dessutom känns det bättre att inleda med en sådan sak än att gå direkt på frågan om affären med Mira Bergfors.

"Det här med Amandas extraknäck", säger hon. "Var ligger det? Vi skulle behöva tala med hennes chef."

Harald verkar förvånad.

"Hon hade inget", säger han. "Vi ville inte att hon skulle jobba under terminerna. Det var bättre att hon fokuserade på skolan."

Han torkar sig under näsan med handryggen.

"Hon fick disponera sitt studiebidrag som hon ville. Vi ansåg att det räckte, tillsammans med det hon tjänade på sitt sommarjobb i glasskiosken."

Hanna förstår inte. Lasse Sandahl sa att Amanda skyllde sin bristande koncentration på sitt extrajobb. Nu säger pappan att hon inte hade ett. Hur hänger det ihop?

Mamman kanske vet?

"Är Lena hemma?" säger Daniel som på beställning.

Harald pekar mot övervåningen.

"Lena mår inte så bra ... Hon ligger och vilar."

"Jaha", säger Hanna och ser på Daniel i en tyst överenskommelse om att gå vidare med den egentliga anledningen till deras besök.

"Det är nog lika bra att vi tar nästa fråga enbart med dig", säger Daniel.

Harald sitter närmast apatisk framför dem.

"Vi har fått in ett anonymt tips som handlar om dig och din assistent", fortsätter han.

"Mira?"

Harald verkar bli på sin vakt.

"Vår källa påstår att ni har ett förhållande."

Hanna tänker att Daniel låter betydligt vänligare nu än när de träffade Sandahl och Bergfors.

Den här gången söker han inte konfrontation.

Harald blinkar några gånger.

"Vi undrar om hennes man kan ha fått reda på det?" säger Daniel. "När vi talades vid häromdagen sa du dig inte ha några fiender. Om det här är sant så förändrar det saken."

Harald lutar pannan i handen.

"Det stämmer", säger han med sprucken röst. "Men det tog slut för ett tag sedan. Lena vet inte om det. Ni får inte säga det till henne, hon skulle inte klara det just nu."

Hanna bestämmer sig för att fråga rakt på sak om deras hypotes.

"Kan det vara så att Fredrik Bergfors har velat hämnas?" säger hon. "Genom att ge sig på din familj?"

Harald bleknar.

"Jag har faktiskt tänkt på det. Jag fick veta igår att vår hund dog av nikotinförgiftning. Veterinären ringde. Det verkar som om han blev avsiktligt dödad."

"Tror du att det var Fredrik?" säger Daniel.

"Jag vet inte", viskar Harald. "Vem skulle det annars vara?"

Hanna söker hans blick men får inte kontakt.

Harald knyter båda händerna i knäet.

"Ni måste göra något", vädjar han. "Han får inte komma undan."

84

Några timmar senare är Hanna på väg hem. Hon är tagen av alla intryck men också lättad. Det känns som om det gick bra, Daniel verkade nöjd med hennes insats.

Klumpen i halsen, den som suttit där så länge, är borta för första gången på länge.

Hon sitter i bilen när telefonen ringer. Det är Lydia.

"Stort grattis till nya jobbet", säger Lydia. "Det är ju toppen. Du kan behöva lite flyt efter allt som hänt."

Hanna berättar om den första dagen och sin nya chef, Daniel Lindskog. Hur Daniel ansträngde sig för att fixa en tillfällig placering åt henne. Det första mötet i måndags när Anton slängde ur sig frågan om att arbeta i Åre.

"Det har gått så fort", avslutar hon och hör att glädjen bubblar fram i rösten. "Men det känns fantastiskt."

Det är underbart att börja jobba på en plats där de har förtroende för henne.

Lydia harklar sig.

"Du", säger hon med plötsligt allvar i rösten. "Vi måste prata om en annan sak. Jag har talat med Christian om lägenheten, att han inte bara kan ta den."

Det kniper till i Hanna.

Hon vill inte tänka på Christian. Inte idag när allting känns så bra.

"Han är jävligt förbannad, vet du det?"

Hanna är också jävligt förbannad. Fast det tjänar ingenting till att påpeka det.

"Ja", svarar hon bara.

"Han säger att du avsiktligt har förstört hans kostymer och skor, kläder för många tusen kronor."

Hanna biter sig i kinden. Var det bara en vecka sedan det hände? Det känns som ett annat liv.

Hon önskar att Lydia inte fått reda på saken.

"Gjorde du det?" frågar Lydia.

"Vad då?"

"Fåna dig inte. Har du på riktigt klippt sönder Christians italienska kostymer?"

"Kanske det."

I dagsljus, så här flera dagar senare, förefaller det obegripligt att hon faktiskt gjort något sådant. Hanna hade aldrig trott det om sig själv. Ändå stod hon där med saxen i högsta hugg.

Hon ångrar det inte, men vet att det var en vansinnig och omdömeslös handling.

"Han berättade att du hade sprutat ketchup och senap i hans skor också. De är tydligen totalförstörda. Är det sant?"

"Ja", mumlar Hanna.

"Allvarligt talat. Hur tänkte du?"

"Jag vet inte. Jag var bara så arg och ledsen."

Ilskan vaknar igen när hon tänker på det. Hur Christian gjorde slut med henne, bara så där.

"Han säger att han tänker polisanmäla dig."

"Va?"

Hanna tror inte sina öron. Christian har svikit och bedragit henne. Tänker han hota henne med polisen också? Vad är han för slags människa?

"Jag försökte resonera med honom", fortsätter Lydia. "Han har tydligen redan talat med en advokat. De vill anmäla dig för skadegörelse, du kan få villkorlig dom eller böter. Förstår du hur allvarligt det här är?"

"Jag känner till straffet för skadegörelse", muttrar Hanna. Jävla Christian.

"Vad sa du?"

"Det var ingenting."

Lydia suckar i hennes öra. Plötsligt låter hon precis som deras mamma.

"Som jag ser det är enda möjligheten att du ringer honom och framför en ordentlig ursäkt. Så att han kanske tänker om."

Hanna kan inte förödmjuka sig på det viset. Huden knottrar sig bara hon tänker på det. Hon vill aldrig se Christian igen, än mindre prata med honom.

Blotta tanken på att be honom om förlåtelse är omöjlig.

"Det går inte", säger hon med stela läppar.

"Jag vet vem hans advokat är", säger Lydia. "Erfaren och slipad när det kommer till brottmål. Du är ingen match för honom."

Hon låter trött. Hanna kan inte klandra henne. Vem orkar städa upp sin lillasysters skit hela tiden?

Hon kör i trettio, har precis svängt in mot Sadeln från E14. Den smala vägen slingrar sig uppför backen i snäva kurvor som påminner om Alperna.

"Du måste lösa situationen med Christian", säger Lydia med skärpa i rösten. "Om han gör allvar av sitt hot och lämnar in en polisanmälan kan Citypolisen backa på överenskommelsen. Hur går det då med ditt nya jobb?"

Hanna kör lite för fort genom Björnens centrum. Hon passerar Skistars reception och släpliftarna som ska öppna till helgen. Bakhjulen sladdar till ordentligt när hon svänger in i Sadeln.

Hon prövar tanken att ringa upp Christian.

Allting i henne vrålar *nej*.

"Jag klarar inte av att be honom om ursäkt", viskar Hanna. "Tvinga mig inte till det."

Lydia suckar ännu en gång.

"Jag förstår att det känns så, men du måste. Så fort som möjligt innan han gör en anmälan."

85

När klockan blivit halv åtta har Hanna suttit i köket länge och försökt stålsätta sig inför telefonsamtalet med Christian. Det går inte att skjuta upp, trots att tanken gör henne illamående.

Varför ska hon be honom om ursäkt när det är han som uppfört sig som ett svin?

Impulsen att hälla upp ett glas vin är stark. Hon behöver, nej *längtar*, efter alkohol. Något som kan bädda in tankarna och fungera som en sköld mot förödmjukelsen.

Bara självbevarelsedriften får henne att låta bli och istället ta ett glas Coca-Cola. Det skulle vara förödande att dricka alkohol just nu. Om hon ska ta sig igenom ett samtal med Christian måste hon vara nykter. I annat fall skulle han höra hur det låg till.

Dessutom kan hon inte vara bakis på det nya jobbet i morgon.

De två vägglampetterna över köksbänken lyser med ett milt gult sken. Taklampan är släckt. Hon sitter i halvmörkret och bläddrar igenom bilder på Christian i mobilen. Vet att hon borde radera dem, men har inte kraften.

Hon försöker tänka på alla parmiddagar då Christian i efterhand recenserade hennes uppförande. När han frågade varför hon inte kunde anstränga sig för att vara mer social, "lite kul", som han uttryckte det. Måste hon vara så seriös hela tiden?

Efter en lång dag på jobbet, där hon mött ännu en blåslagen kvinna som försökte skydda sin våldsamma partner, var det inte alltid så lätt att ställa om till festhumör.

Hon har aldrig varit bra på att stråla på beställning.

Det gick aldrig att förklara för honom. Istället teg hon och försökte anstränga sig mer nästa gång. Till slut visste hon inte vad som var rätt och fel.

I efterhand skäms hon för att hon anpassade sig så mycket, trots att Christian aldrig tyckte att det var tillräckligt.

Hanna kommer att tänka på Daniel, hur bra de samarbetade under dagens förhör. Skulle han kritisera sin partner på det sättet? Förmodligen inte, han skulle säkert stötta henne istället. De har knappt träffats men han känns som en sådan person.

Hon kan inte låta bli att undra om han befinner sig i ett förhållande. Men självklart gör han det, alla trevliga killar i hans ålder har redan hittat en partner.

Det plingar till i mobilen.

Har du ringt Christian? Hur gick det?

Lydia har hjälpt Hanna mer än hon kan begära, men hon kan också vara obegripligt tondöv. I Lydias värld fattar man ett beslut och får saken uträttad. Sedan är det bara att gå vidare.

Om det vore så lätt.

Hon skriver ett snabbt svar till Lydia att hon är på väg att ringa och drar upp fötterna under sig i stolen. De runda vita tygklädda matstolarna är nästan som fåtöljer, rymliga och bekväma med generösa armstöd.

Hon fipplar med telefonen, trycker fram Christians nummer och stirrar på siffrorna.

Så här dags sitter han förmodligen på mäklarkontoret och rundar av dagens arbete. Eftersom det är onsdag har han nog inte en visning på kvällen, måndagar och tisdagar är de mest intensiva i hans bransch.

Kan hon messa och be om ursäkt?

Ett sms kan hon nog klara av, det gör inte lika ont som att ringa upp. Men Lydia sa att Hanna måste ta det på telefon för att få honom att vekna. Eftersom han gått så långt som att kontakta en känd advokat måste han vara ordentligt upprörd.

Hanna har ändå svårt att ångra sig helt och hållet.

Hon visste hur mycket han älskade sina italienska kostymer

och skor, det var därför hon gjorde det. För att han skulle bli lika upprörd och förtvivlad som hon.

Det kan hon inte erkänna. Det skulle bara göra saken värre.

Hanna drar till sig datorn istället, hon kan unna sig några minuters surfande för att skingra tankarna.

När hon lägger undan telefonen välter hon ut glaset med Coca-Cola. Det rinner ner från bordet och bildar en stor pöl på golvet, precis som häromdagen när Zuhra oavsiktligt välte ut flaskan med såpa i hallen.

Med allt som hänt har Hanna inte haft tid att tänka igenom gårdagens besök hos Fjäll-städ. Det var ändå märkligt att kvinnan som jobbade där inte kände till Zuhra. Då måste hon jobba någon annanstans, men var?

När hon har torkat upp allting går hon in på Google för att kolla upp olika städfirmor i Åre. Det borde gå att hitta Zuhra.

Hanna lovar sig själv att ringa Christian om högst en halvtimme.

Hon vet att hon måste kontakta honom, men allting tar emot.

86

Daniel sitter bakom skrivbordet och läser utskrifter från samtalen med stugägarna i Ullådalen som Raffe har genomfört tillsammans med Anton och en av utredarna i Östersund.

Samma frågor och samma intetsägande svar upprepas gång på gång. Få var ute med skotern i helgen eftersom vädret var så dåligt. Ännu färre har lagt märke till något ovanligt i området de senaste dagarna. Ingen har noterat en mörk skoter som var ute och körde mitt i natten.

Daniel vrider huvudet fram och tillbaka några gånger. Klockan är mycket och nacken stel. Han borde åka hem men är inte färdig. Tänk om det finns en väsentlig detalj som han missar?

Han har nyss talat med åklagaren om Fredrik Bergfors. Daniel vill få igenom en husrannsakan. Ahlqvist vill ha mer på fötterna för ett sådant beslut.

Det var inte första gången Daniel argumenterade med en åklagare men ikväll höll tålamodet på att brista. Han var nära att slänga mobilen i väggen efter samtalet.

Telefonen ringer. Det är Ida.

Hon undrar förstås om han är på väg hem.

"Hej älskling", säger han och försöker verka på gott humör.

"Var är du?"

Hon låter stressad. Alice skriker i bakgrunden.

"På jobbet förstås."

"Vet du vad klockan är? Nästan halv nio."

Är det så sent?

"Förlåt", säger han. "Tiden bara försvann."

"Kunde du inte ha messat att du skulle bli försenad? Jag har gjort middag till oss."

Självklart borde han ha gjort det. Han menar inte att försvinna in i jobbet, det bara tar över.

"Jo", försöker han släta över. "Förlåt, jag vet inte riktigt vart tiden tog vägen."

"Allvarligt talat."

Det går inte att ta miste på ogillandet i Idas röst.

"Du har missat Alices badtid igen. Och hon har jättesvårt att somna, hon bara skriker."

"Jag kommer hem så fort jag kan", lovar Daniel. "Jag ska bara läsa klart de sista rapporterna."

Torsdagen den 19 december

87

Det sägs att vargtimmen inträffar precis mellan natt och gryning. När Hanna slår upp ögonen är natten på väg att ta slut.

Hon har sovit oroligt, vaknat gång på gång och sedan somnat om i ytlig slummer. Kroppen är fortfarande klibbig av svett efter den senaste mardrömmen.

Hon är lättad över att vara vaken men känslan av katastrof dröjer kvar.

I drömmen sökte hon upp Christian och möttes av hånfulla ord när hon försökte be om ursäkt. Sedan dök Daniel upp med besviken min och undrade varför hon teg om att polisen i Stockholm ville bli av med henne.

Hon klarade inte av att ringa Christian igår kväll. Ångesten över situationen ligger och maler. Hur kan hon inbilla sig att det ska gå att få en ny chans?

Han kommer att polisanmäla henne och sedan går allting åt skogen. Hon kommer inte att få vara kvar i Åre, vem vill ha en ny kollega som blivit polisanmäld för skadegörelse?

Hon drar täcket över sig och blundar. Precis då viner det hårt runt knuten, som om naturen håller med henne. När hon ser mot fönstret, där rullgardinen bara är nerdragen till hälften, inser hon att det blåser full storm utomhus. Snön kastas mot rutorna i så ursinniga pustar att de lämnar frostiga spår.

Vad ska hon göra?

Hon sjunker tillbaka mot kudden, ser Daniel framför sig, vet att hon skulle älska att jobba med honom under lång tid om hon fick chansen. Han tar henne på allvar. Han lyssnar på hennes resonemang. Han får henne att känna sig som en riktig polis igen.

Dessutom är det något med honom som får henne att slappna av. Hon blir inte stressad av att sitta tyst i hans närvaro.

Hanna kan inte riskera det nya jobbet för att hon inte klarar av att kontakta Christian. Hon *måste* ta tag i det idag.

Stormen får det att knaka olycksbådande i fasaden.

Naturen sjuder, precis som hennes inre.

Trots allt slumrar hon till igen, för nästa gång Hanna ser på klockan är hon nästan sju. Stormen har avtagit. Den stora granen utanför sovrumsfönstret böjer sig inte längre lika plågat, även om det fortfarande blåser ordentligt.

Ljudet av en bil som närmar sig får henne att kika ut mot vägen. Det är en mörkgrå Golf som stannar två nummer bort, framför ett av husen med gammeldags torvtak.

En figur i bylsig dunjacka kliver ut på passagerarsidan och öppnar bakluckan för att hämta saker. Det är svårt att se ordentligt genom mörkret och snöyran, men det liknar städutrustning. Föraren stiger också ur och går mot dörren för att låsa upp.

Hanna pressar ansiktet mot rutan för att se bättre. Visst är det Zuhra som kånkar grejerna mot entrén?

Hon försvinner in i huset medan Golfen backar ut och kör iväg.

Hanna reagerar instinktivt. Hon drar på sig jeans och en tröja, skyndar till hallen för att rycka åt sig jacka och stövlar.

Sedan öppnar hon dörren och går ut i vinden.

88

Kylan är som en iskall vägg när Hanna korsar gatan. Plogbilen har inte varit där ännu, hon får pulsa fram i snön. Det andra huset ligger en bit nedanför Lydias, med souterrängvåning i slänten mot pisten.

Hanna halkar nerför backen som leder till ytterdörren.

Ingen öppnar när hon knackar på. Hon prövar igen men det är fortfarande tyst innanför dörren.

Konstigt, hon såg ju Zuhra gå in alldeles nyss. Dessutom är det tänt inomhus.

Till slut prövar hon att trycka ner handtaget och upptäcker att det är olåst. Efter en sekunds tvekan öppnar hon och kommer in i en hall med ett golv av grå skifferplattor. Krokar för skidkläder sitter på väggen mittemot, en avlång bänk med ljusa fårskinn står nedanför.

"Hallå?"

Ingen svarar.

Hanna vill verkligen få en chans att prata med Zuhra. Hennes rädda reaktion i söndags väcker en särskild sorts minnen. Den där blicken har hon sett förut, hos de misshandlade kvinnor hon utrett så många gånger i Stockholm.

Den ständiga rädslan för att bli bestraffad sipprar igenom. Osäkerheten i att inte veta vad som är rätt eller fel, hur man än gör, eftersom våldsmannens nycker inte går att förutse. När den sortens otrygghet fått fäste går den inte att dölja.

Hanna ropar igen inåt huset.

Vart har hon tagit vägen? Så snabbt kan hon inte ha försvunnit. Dessutom var det inte låst.

Hanna kliver ur kängorna och kikar runt hörnet. Där ligger ett stort vardagsrum med en mullvadsfärgad soffgrupp. Den övergår i en köksdel med matplats för tio personer. Hemmet verkar förberett för uthyrning. Hanna kan inte upptäcka några personliga ägodelar, inga foton eller prydnadssaker som skvallrar om ägaren.

Ett skrapande ljud hörs från undervåningen. Är det där Zuhra befinner sig?

Plötsligt inser Hanna vad hon sysslar med. Hon har just gått in i ett främmande hus utan tillstånd. Om det inte är Zuhra som är där nere får hon svårt att förklara sig, hon kan till och med anklagas för hemfridsbrott.

Hon har inte råd att hamna i mer trubbel.

Ändå fortsätter hon.

Så rädd som Zuhra blev häromdagen ska man inte behöva vara.

Hanna går några steg ner i trappan, ropar "Hallå" en gång till utan att få svar. Sedan smyger hon ner och hamnar i ett stort tv-rum. Två sovrum ligger i vardera ändan av undervåningen. Längst bort hör hon en dammsugare från ett av dem. Det måste vara där Zuhra befinner sig.

Hanna följer ljudet. Zuhra är mycket riktigt där inne. Hon har huvudet djupt nerböjt och dammsuger en golvlist med koncentrerad min.

"Ursäkta", säger Hanna högt för att Zuhra ska märka att hon är där.

När hon inte reagerar knackar hon henne försiktigt på axeln.

Zuhra snor runt med halvöppen mun och skräck i ögonen.

Det tar ett par sekunder innan hon registrerar vem det är. Då lugnar hon sig, axlarna sjunker, ansiktet slätas ut.

Rädslan ersätts av ett frågande uttryck.

"Hej", säger Hanna på engelska och försöker låta förtroendeingivande. "Minns du mig? Du städade där jag bor i söndags."

Zuhra nickar. Det är tydligt att hon fortfarande är på sin

vakt. Hon håller hårt om dammsugarens teleskoprör.

Det är svårt att prata över brummandet.

"Kan vi stänga av den där?" undrar Hanna.

Utan att svara böjer sig Zuhra ner och trycker på knappen.

De ser på varandra i den plötsliga tystnaden. Hanna har inte tänkt igenom vad hon vill säga, men inser att hon bör välja orden väl. Hon vill få Zuhra att öppna sig för henne. Om hon befinner sig i en farlig situation behöver hon hjälp.

"Har du tid att snacka en liten stund?" säger hon.

Zuhra skakar på huvudet så att det mörka håret faller fram.

"Måste jobba", mumlar hon med nerslagen blick.

"Bara fem minuter. Det tar inte lång tid."

När Zuhra sneglar mot dörren ser Hanna henne i profil. Ett mörkt blåmärke breder ut sig över den högra kinden.

Hanna har sett liknande blåmärken tillräckligt många gånger för att veta vad det betyder.

Någon har gett Zuhra en hård örfil. Det går nästan att se avtrycket efter den öppna handflatan.

Alla varningsklockor börjar ringa.

Hanna sätter sig på dubbelsängen som väntar på att bli bäddad. Hon klappar med handen på madrassen för att uppmuntra Zuhra att slå sig ner bredvid.

"Det går fort", säger hon. "Jag vill bara fråga dig några saker."

Motvilligt sätter sig Zuhra bredvid henne, allra ytterst på kanten.

"Jag undrar mest om du är okej?" säger Hanna försiktigt.

Hon nickar åt den mörka skuggan över Zuhras kind. På nära håll syns det att skadan är relativt färsk. Det har inte börjat skifta i lila och gult än.

"Har du blivit slagen?"

Zuhra för handen mot ansiktet.

"Det är ingenting", mumlar hon.

"Det verkar som om du behandlas illa?" försöker Hanna. "Du kan berätta om det för mig."

Ska hon säga att hon är polis?

Problemet är att det kan skrämma henne ännu mer. I många länder är polisen inte en trygg instans för misshandlade kvinnor. Om Zuhra inte har ordning på sitt uppehållstillstånd är en polis den sista hon vill tala med. Då kan hon sluta sig helt.

Zuhra svarar inte, men ögonen fylls av tårar.

Hanna sneglar på hennes händer. Hon bär ingen vigselring, då är det förmodligen inte en äkta man som skadat henne.

"Har din pojkvän varit dum mot dig?" prövar hon.

Zuhra skakar på huvudet.

"Kan du prata med din chef om det?"

Zuhra ser ännu räddare ut.

"Inte prata med chef", viskar hon. "Snälla. Chef bli jättearg."

Hon far upp igen, böjer sig efter dammsugarslangen och trycker på knappen så att rummet fylls av oljud.

Den bortvända ryggen signalerar tydligt att Hanna ska gå sin väg.

"Måste jobba", mumlar Zuhra.

Alla Hannas instinkter säger henne att något är allvarligt fel. Problemet är att Zuhra verkar vara alldeles för rädd för att anförtro sig åt henne.

Hanna har hållit många förhör med misshandlade brottsoffer genom åren. Hon vet att det är viktigt att visa förståelse och deltagande eftersom de flesta kvinnor känner stor skam över att ha blivit slagna. Samtidigt behöver man gå rakt på sak, för att inte osynliggöra våldet och markera att det inte kan accepteras. Genom direkta och tydliga frågor kan man ibland lyfta på spärren som får kvinnorna att tiga om sanningen.

Hanna försöker igen.

"Vem har slagit dig?" säger hon i mjuk ton. "Du kan berätta för mig, jag står på din sida."

Ibland kan det vara en lättnad för ett brottsoffer att berätta om misshandeln, men Zuhra tycks inte tillhöra den skaran.

Hon fortsätter städa utan att se på Hanna.

"Har du en mobiltelefon?" frågar hon.

Zuhra skakar på huvudet.

"Du gå nu", viskar hon. "Chef så arg när jag pratade med ... andra tjej."

Vilken andra tjej?

"Vem då?"

Zuhra svarar inte.

"Vem har du pratat med?"

Zuhra tiger med bortvänt ansikte.

Hanna vill så gärna hjälpa henne. Hon ser sig om i rummet efter papper att skriva på. I lådan till sängbordet hittar hon en penna och ett gammalt kvitto från en av mataffärerna i byn.

Hon skriver ner sitt mobiltelefonnummer.

"Här", säger hon och räcker över lappen. "Du kan ringa mig när som helst om du behöver hjälp. Mitt i natten om det behövs."

Zuhra stoppar snabbt ner pappersbiten i fickan på jeansen. Hennes ögon glänser av återhållna tårar.

"Du gå", ber hon och böjer sig över dammsugaren. "Snälla."

89

Daniel är på väg mot konferensrummet för en genomgång med Östersund. Han är trött och på dåligt humör. Ida var irriterad när han till sist kom hem på kvällen. Alice har vaknat och gråtit många gånger under natten. Mejlkorgen är redan full, trots att han jobbade sent igår och kom in tidigt.

Han räcker inte till någonstans.

Anton och Raffe är på plats men Hanna saknas. Precis när han kopplar upp dem mot Östersund skyndar hon in med en stor bunt papper under armen.

"Förlåt att jag är sen", mumlar hon med blossande kinder. "Väckarklockan gick inte igång."

Håret är rufsigt och minen urskuldande när hon drar ut stolen bredvid Anton.

Birgitta Grip och två kollegor dyker upp på skärmen. Åklagaren är inte med men det hade Daniel inte väntat sig heller.

"Välkommen i gänget", säger Birgitta Grip vänligt till Hanna innan Daniel får ordet.

Han sammanfattar förhören med Sandahl och Bergfors och Harald Halvorssens uppgifter om den förgiftade hunden. Anton redogör för stugägarna de pratade med under gårdagen. Det har inte kommit någon ny information från dem. Det har kommit in ett antal tips på tipstelefonen, men ingenting som bedöms vara viktigt. Ett par personer i Amandas kompiskrets har dykt upp i polisregistren men inte för saker som gör att de bli misstänkta i det här fallet, det har mest handlat om olovlig skoterkörning och en mopedstöld.

Diskussionen går fram och tillbaka.

Fredrik Bergfors ringas in som en möjlig gärningsman. Framförallt har han ett tydligt motiv, det går inte att bortse från den saken. Han äger både en SUV och en snöskoter av märket Ski-doo och är en van skoterförare som ofta rör sig i fjällmarkerna. En tidigare affärspartner, som hamnat i rättslig tvist med Bergfors, har uppgett att han är "en långsint jävel".

Han har fysiken för att handskas med Amandas döda kropp. Samtidigt är de inte klara med pojkvännen. Också Viktor kan vara en tänkbar förövare och även han är tillräckligt stark för att både ha kunnat övermanna Amanda och bära henne när hon var medvetslös.

Hans våldsamma bakgrund talar emot honom, precis som statistiken. Daniel har själv sett honom tappa humöret och det finns vittnen från festen som har berättat om bråket med Amanda precis innan hon lämnade Ebbas hus.

Daniel gör sitt bästa för att hålla ett öppet sinne. Det gäller att inte låsa sig vid en teori alltför tidigt.

"Hur är det med Sandahls bakgrund?" säger Grip och påminner om mentorn som också finns med i bilden. "Nu när han har erkänt att han tafsade på flickan får vi betrakta honom som misstänkt."

Anton nickar och gör en anteckning.

Daniel ser på honom.

"Kan du kolla upp Sandahl i registren och undersöka om han eller Bergfors har en koppling till Ullådalen?"

De fördelar arbetsuppgifterna mellan sig. Hustrun, Mira Bergfors, måste höras snarast eftersom maken hänvisat till henne som alibi natten då Amanda försvann. De behöver dessutom få hennes syn på förhållandet med Harald.

"Ska vi inte följa upp det där med Amandas jobb?" säger Hanna. "Det är konstigt att mentorn säger en sak och pappan en helt annan."

Daniel hade nästan glömt bort det.

"Amanda kanske drog till med något?" föreslår han. "För att skylla ifrån sig."

"Vi skulle kunna prata med hennes bästa kompis igen", säger Hanna. "Hon kanske vet saker som föräldrarna inte kände till. Jag kan ta hand om det."

"Okej", nickar Daniel. "Gör så."

Sedan ändrar han sig. Det känns bra att jobba tillsammans med Hanna de här första dagarna. Han har bara några saker han måste ta hand om först.

"Eller, vi gör det tillsammans", säger han. "Vi sticker om en timme, svänger först förbi Ebba och sedan Mira Bergfors efter lunch."

90

Ebba är ensam hemma när det ringer på ytterdörren. Mamma och pappa är på jobbet och hennes lillebror är i skolan. Hon ligger i sängen och surfar precis som hon gjort de senaste dagarna.

All energi är borta.

Hon har inte varit i plugget sedan dagen då Amanda försvann och förstår inte hur hon ska kunna gå dit igen. Hon orkar inte möta de andras frågande blickar, alla vet att hon och Amanda har varit bästa vänner sedan lågstadiet. De har skåpen bredvid varandra. Så många gånger som de har stått där och tramsat, skvallrat om killar och klagat på jobbiga lärare.

Hur ska hon kunna öppna sitt eget skåp och veta att Amanda aldrig mer ska öppna sitt?

Dörrklockan ringer ännu en gång. Ebba går nerför trappan för att öppna. Den är den där polisen som står utanför, Daniel, tillsammans med en kvinna i mossgrön stickad mössa.

Pulsen går genast upp.

Viktor messade och berättade att Daniel var där i tisdags och trakasserade honom. Han anklagade honom på ett helt sjukt sätt.

"Hej Ebba", säger Daniel och låter snällare än sist, men Ebba litar inte på honom. "Får vi komma in?"

Hon kan inte hitta på en bra ursäkt för att säga nej utan väntar i hallen medan de tar av sig ytterkläderna.

"Kan vi sätta oss någonstans?" frågar Daniel.

Ebba går före in i köket och drar ut en stol.

Poliserna följer efter, kvinnan presenterar sig som Hanna.

"Hur är det med dig?" säger hon.

Rösten är mycket vänligare än Daniels. Det räcker för att Ebbas ögon ska fyllas med tårar.

"Inte så bra", mumlar hon.

"Jag förstår det. Det är inte lätt att förlora sin bästa vän."

Hanna reser sig och hämtar lite hushållspapper från hållaren vid diskbänken. Ebba snyter sig några gånger, försöker pressa tillbaka gråten och återfå kontrollen.

"Orkar du prata en stund?" frågar Hanna.

Ebba nickar.

"Vi har fått reda på att Amanda arbetade extra och att det gick ut över skolarbetet. Vi undrar om du känner till det?"

Frågan kommer helt oväntat. Ebba vet inte vad hon ska säga.

Det har varit hennes och Amandas hemlighet, att de jobbade några timmar då och då och fick pengar rakt ner i fickan. Ingen visste om det och det var bra betalt, för varje pass fick de hundra spänn i timmen som de kunde köpa smink och kläder för. Saker som studiebidraget aldrig skulle räcka till.

"Va?" stammar hon.

"Amanda hade tydligen ett jobb vid sidan av skolan", säger Daniel. "Vi behöver veta mer om det. Jag hoppas att du kan hjälpa oss."

Han betraktar henne forskande.

Vad ska hon svara?

Ebba är inte dum. Att erkänna för polisen att hon och Amanda har jobbat svart är knappast smart. Men hon vet inte hur mycket de redan känner till. Det måste vara någonting eftersom de har kommit hem till henne.

Ebba biter på tumnageln.

Hon minns Amandas upprördhet den sista gången de pratade om hela grejen.

De har jobbat för Linda i två säsonger. Det var ett perfekt extraknäck, som ingen behövde få reda på. När de behövde pengar skickade de bara ett meddelande via Messenger. Så fort de var klara fick de betalt via Swish.

"Ebba", säger Daniel med en hård klang i rösten. "Om du känner till Amandas extrajobb måste du berätta det för oss. Det är viktigt."

Ebba börjar gråta igen. Hon vill hjälpa till, det vill hon faktiskt.

Men hon vågar inte.

91

Zuhra borde snart vara klar med städningen av grannhuset om Hanna räknat rätt.

Hon sitter i bilen på sin egen uppfart, halvt dold bakom den stora snöhögen som plogbilen lämnat efter sig. Direkt efter besöket hos Ebba skyllde hon på ett hantverkarbesök för att kunna åka hem en stund.

Förhoppningsvis kommer Zuhra att bli upphämtad av föraren i den mörkgrå Golfen, samma som också släppte av henne. Det finns ingen möjlighet att hon kan promenera i det här vädret och dessutom har hon så mycket städutrustning att släpa på. Om Hanna kan få tag i Golfens registreringsnummer kan hon nysta vidare i härvan.

Det var därför hon smet en timme från det nya jobbet fast allt fokus borde vara på Amanda.

Det är helt enkelt för mycket som inte stämmer. Hon känner igen alla tecken på en hårt kontrollerad kvinna.

Att hon inte har en mobiltelefon är också misstänkt.

På något sätt handlar det om trafficking, det blir Hanna mer och mer övertygad om. Enligt FN:s senaste rapport anses det vara en av de mest lönsamma kriminella verksamheterna i Europa som omsätter många miljarder kronor.

De flesta tror att utsatta kvinnor som kommer till Sverige tvingas till prostitution eller tiggeri. Men en tredjedel hamnar i olika former av slavarbete, i situationer där de måste arbeta utan ersättning eller rättigheter. Män och kvinnor lockas hit med löften om välbetalda jobb så att de ska kunna skicka hem pengar till familjen. När de kommer fram visar det sig att arbetet innebär långa dagar till ytterst låga löner. Dessutom påstås de stå i skuld för resan. Resultatet blir en ond cirkel som inte går att ta sig ur. Om det dessutom förekommer hot och våld sitter de i en riktig fälla.

Hanna sneglar på instrumentpanelen, det är minus nitton ute. Hon fryser, fingrarna och tårna har blivit kalla och hon skruvar på sig i sätet för att få igång blodcirkulationen.

Klockan närmar sig tolv på förmiddagen, snart måste hon åka tillbaka till stationen. Tillsammans med Daniel ska hon söka upp Mira Bergfors.

Hon grubblar över mötet med Ebba nyss. Det var uppenbart att hon ljög om Amandas extrajobb, hon visste mycket mer än hon ville berätta men någonting höll henne tillbaka.

Det måste gå att vinna Ebbas förtroende så att hon säger allt hon vet.

Ett dovt motorbuller får Hanna att rycka till. Ljuset från två strålkastare skär genom snöyran. När Hanna spanar ut ser hon den mörkgrå Golfen köra nerför backen till huset där Zuhra städar.

Bilen stannar utanför dörren och tutar ett par gånger. Det går inte att avgöra om det sitter en kvinna eller en man bakom ratten, avståndet är för långt och föraren har en jacka med huva.

Dörren öppnas och Zuhra visar sig på tröskeln. Hon kommer ut med en hink och mopp i ena handen och dammsugaren i den andra. Hon öppnar bakluckan på bilen, stoppar in utrustningen och sätter sig på passagerarsätet.

Under tiden kliver föraren ut och låser ytterdörren. Det går fortfarande inte att urskilja personens utseende. Men handlingen visar att Zuhra inte är betrodd med nycklarna.

Det säger ännu mer om hennes utsatta situation.

Hon är bara en marionett som forslas från plats till plats för att städa rika människors fritidshus.

Golfen backar, vänder och börjar köra åt öster.

Nummerplåten syns tydligt innan den försvinner.

När Hanna och Daniel kommer fram till familjen Bergfors hem är klockan närmare ett. Det visade sig att Mira vabbar idag så de behövde inte åka till Järpen där kommunstyrelsen har kontor.

Daniel kör, Hanna sitter bredvid och har skjutit oron för Zuhra åt sidan. Hon skrev ner Golfens registreringsnummer och ska undersöka det så snart hon kan. Nu måste de fortsätta utreda vad som hänt med Amanda.

Mira öppnar när de ringer på.

Hon är osminkad och klädd i jeans och tröja. Ögonen är rödsvullna. Ändå är hon mycket vacker med mörkt tjockt hår som hänger fritt över axlarna. Vid sidan av sin långe och bredaxlade man ser hon antagligen ännu mer petite ut.

Ett litet barn som inte verkar ett dugg sjukt kommer springande. Daniel förklarar deras ärende och de slår sig ner i det julpyntade vardagsrummet. En tavla på väggen avbildar ett helgon. Krukor med vita amaryllis står i fönstren.

Huset påminner en del om Lydias, med öppna ytor och stora fönster mot Åresjön. Men det är inte lika trendriktigt inrett. Högar med leksaker ligger på golvet och Hanna kan svära på att sofforna kommer från Ikea.

Plötsligt smyger en elegant blå Burmakatt in i rummet. Mira ler blekt när den stryker sig mot hennes ben. Den spinner ljudligt och hoppar upp i hennes knä.

"Vi behöver tala med dig om ditt förhållande till Harald Halvorssen", börjar Daniel.

Mira sitter mycket stilla.

"Harald är min chef", säger hon.

"Vi har anledning att tro att han är mer än det."

Mira sneglar mot dottern som är fullt upptagen med att bygga ett torn av röda och blå legoklossar.

"Kan du beskriva er relation?" säger Daniel. "Det är viktigt att du är ärlig mot oss."

"Vi hade ett förhållande, men det är avslutat", säger Mira lågt.

"När tog det slut?" frågar Daniel.

"För en dryg månad sedan. Det var jag som tog initiativet." Hon sväljer.

"Det var inte rätt mot Fredrik."

"Känner han till din affär?" undrar Hanna.

Miras ögon blir blanka.

"Ja."

"Hur har han tagit det?"

Hon ser ner, klappar katten med smala fingrar.

"Inte så bra."

"Vad gjorde Fredrik när han fick reda på att du haft en kärleksaffär med Harald Halvorssen?" frågar Hanna.

Mira får svårt att sitta still, hon ändrar ställning fram och tillbaka. Burmakatten ser först förnärmad ut, sedan hoppar den ner på golvet igen och försvinner bort mot köket.

"Han ... blev väldigt arg."

"Slog han dig?"

Mira sätter sig rakt upp.

"Fredrik har aldrig slagit mig. Han är inte den sortens person."

Rösten är upprörd när Mira försvarar sin man, ändå får Hanna en stark känsla av att hon döljer något.

Det finns många män som aldrig skulle bruka våld. Tills den dagen de gör det. Under vissa omständigheter, särskilt om alkohol skulle vara inblandat, kan spärrarna brista. Också en återhållsam personlighet som Fredrik Bergfors kan gå över gränsen om han känner sig tillräckligt provocerad.

Men kanske slog han inte just sin fru. Kanske tog han ut det på en annan.

Daniel harklar sig.

"Din man säger att han var hemma natten mellan den tolfte och trettonde december. Kan du intyga det?"

Mira verkar först bli förbryllad. Sedan förstår hon vad det handlar om och slår handen för munnen.

"Absolut", säger hon och nickar med eftertryck. "Han var hemma hela tiden."

"Gick ni och lade er tillsammans?" frågar Hanna.

"Jag minns inte riktigt."

"Varför inte då?"

"Jag är kvällstrött och brukar lägga mig vid tiotiden, Fredrik sitter ofta uppe och jobbar ett tag."

"Gjorde han det den kvällen?"

"Jag tror inte det."

"Kan du verkligen intyga att han låg i sängen hela natten?" säger Daniel.

Miras kinder har blivit röda.

"Ja."

"Hur då?"

"Jag skulle ha märkt om han inte kom och lade sig."

Hanna betraktar henne forskande. Mira ändrar sig inte. Hon stirrar stint tillbaka och ger sin man alibi.

"Han var där", upprepar hon.

Hanna bestämmer sig för att byta ämne.

"Skulle du beskriva din man som hetlevrad?" säger hon.

Mira skakar på huvudet.

"Fredrik är en lugn person. Han är behärskad av sig."

"Vad händer när han tappar humöret?"

Frågan gör Mira ställd. Hon sväljer några gånger, som om hon söker de rätta orden.

"Jag vet inte riktigt", säger hon.

"Alla blir väl arga ibland? Skriker han, slänger han saker?"

"Nej ..."

Hanna väntar på en fortsättning men Mira tiger.

"Det verkar som om någon har förgiftat familjen Halvorssens hund", säger Daniel. "Känner du till det?"

Mira stoppar ner händerna i fickorna på sin cardigan.

"Är Ludde död?"

Daniel nickar.

"Kan det ha varit din man som ligger bakom förgiftningen?" fortsätter han.

"Fredrik skulle aldrig göra en sådan sak", säger Mira.

Hon har blivit mycket blek, trots att kinderna har röda fläckar.

"Han är inte sådan."

"Du förstår att din man har motiv för att skada Harald Halvorssen och hans familj?" säger Hanna. "Det är viktigt att du berättar sanningen för oss."

Mira lyfter hakan och ser rakt på henne.

"Fredrik skulle aldrig ge sig på Amanda. Han var med mig den natten."

93

När Lena vaknar till är asken med sömntabletter på sängbordet det första hon ser. Burken med lugnande tabletter står bredvid.

Hon betraktar medicinerna med ögon så gråtsvullna att det bultar i ögonlocken. Det är ändå ingenting jämfört med smärtan efter Amanda.

Den klöser sönder henne inifrån.

Hon sträcker sig efter asken, väger den i handen. På etiketten står ett ord som inte säger henne särskilt mycket, Imovane.

Husläkaren gav henne den häromdagen. Innehållet ska räcka de kommande två veckorna. En tablett per kväll gör att hon får sova ordentligt. På dagen kan hon ta lugnande för att hålla ihop.

"Vi börjar så här", sa han och klappade henne på handen.

"Och sedan?" viskade Lena.

"Om du fortfarande har svårt att sova efter det kan jag skriva ut mer, men det är ganska starka saker du har fått. Jag vill inte ge dig för mycket. Du får inte bli beroende."

Som om det skulle spela någon roll.

Amanda är död, vad kan bli värre?

Läkaren sa att medicinen behövs främst under den första svåra tiden, fram till begravningen.

Tanken på att hennes vackra fina dotter ska ligga i den fuktiga jorden är outhärdlig.

Lena kramar asken i handen för att tvinga bort synen av Amanda i en mörk kista.

Efter en stund öppnar hon den och granskar innehållet. En

karta med elva tabletter. De ska hjälpa henne att komma till ro i ytterligare elva nätter.

När hon övergår till att kontrollera burken med lugnande räknar hon till sjutton tabletter.

Lena lägger ifrån sig medicinerna på bordet, bredvid glaset med ljummet vatten.

Hon kryper ner under täcket igen medan hon räknar efter. Elva plus sjutton blir tjugoåtta. Det går att skölja ner i några klunkar. Om hon tar alltsammans på en gång.

Det borde räcka för att sova för alltid.

Tanken tröstar lite.

94

Hanna är trött när hon kommer hem på kvällen. Hon har till-bringat timmar med att läsa in sig på utredningen och försöka sätta sig in i alla frågor. Tillsammans med Daniel och Anton har hon diskuterat paret Bergfors fram och tillbaka. Till slut, när klockan nästan var sju, gav hon upp och åkte hem.

Hon borde laga middag men sätter bara på lite tevatten. Sedan tar hon fram datorn och går in på Transportstyrelsens hemsida för att knappa in den mörkgrå Golfens registrerings-nummer. Hon har undrat hela eftermiddagen över vem det var som körde Zuhra till grannhuset men ville inte använda polisens dator för att söka.

Efter en kort sekund får hon fram en rad uppgifter. En kvin-na står som ägare, Kristina Risberg. Hon bor i Undersåker, på Albins väg 11.

Hanna går in på Google Maps och klickar fram gatuvyn så att hon kan se hur huset ser ut. Det visar sig vara ett parhus.

Allt hon behöver göra är att åka dit och se om Golfen står parkerad utanför. Sedan kan hon gå vidare och undersöka vad Zuhra är inblandad i.

Vattenkokaren slår av och hon gör en stor kopp te med sock-er och mjölk innan hon slår sig ner framför datorn igen och försöker summera det hon känner till.

Zuhra reagerade starkt när Hanna frågade om hon kunde prata med sin chef om sin situation. Ändå förnekade kvin-nan på Fjäll-städs kontor att de hade någon med Zuhras namn bland sina anställda. Men Lydia har bekräftat att företaget hon anlitar heter så, alla fakturor kommer från dem.

På något sätt måste det hänga ihop.

Än en gång knappar Hanna in "Fjäll-städ" i sökrutan och kommer till sidan som visar företagets ekonomiska ställning. Vinsten har stadigt ökat sedan 2016. Det tänkte hon inte på senast hon såg efter.

Det slår henne att året innan, 2015, var samma år som den stora migrationsvågen kom till Sverige på grund av inbördeskriget i Syrien. Sverige tog emot flest flyktingar i hela Europa. Alla kommuner fick ta hand om en andel och hon har läst att många kom till Åre. Ett av hotellen, Continental Inn, omvandlades till flyktingförläggning när läget var akut.

Kan det vara en ren slump att året för den stora flyktingströmmen och Fjäll-städs stadigt ökande vinst sammanfaller?

Det kanske var så det började, tänker hon sedan. Att Fjällstäd rekryterade nyanlända, eftersom staten subventionerade anställningarna för att skapa instegsjobb för människor med sämre språkkunskaper och brist på högre utbildning. Så småningom blev flyktingarna mer etablerade, de flyttade från kommunen eller hittade andra och mer välbetalda jobb. Vid det laget hade förmodligen Fjäll-städ insett hur lönsamt det var med billig arbetskraft.

Därifrån var steget inte långt till att sätta det i system, även om det krävdes illegala arbetare.

Hanna söker vidare och hittar fakta om Sveriges många pappperslösa flyktingar. Det är huvudsakligen två kategorier: människor som fått avslag på sin ansökan om uppehållstillstånd och därför gått under jorden eller personer som ska avvisas men inte kan, eftersom mottagarlandets rättssystem inte uppfyller kraven för hemtransport. Hon får fram att nästan femtiotusen av flyktingarna som kom till Sverige 2015 har fått avslag på sin asylansökan. Färre än hälften har lämnat landet frivilligt.

Det innebär att det borde finnas över tjugofemtusen personer bara från flyktingkrisen som håller sig gömda. Utöver det kommer varje år fler desperata människor som söker ett nytt hemland men får avslag. Hos Migrationsverket hittar hon en förteckning över de tio vanligaste ursprungsländerna bland migranter i Sverige. Zuhra kommer från Uzbekistan. Det ligger på fjärde plats.

Hanna ser på klockan. Halv åtta, det är inte för sent att köra bort till adressen i Undersåker. Hon hämtar bilnycklarna och tar på sig jackan. Egentligen är hon trött efter den långa dagen, men bilden av det stora blåmärket på Zuhras kind lämnar henne inte ifred.

Det tar Hanna knappt tio minuter att komma fram till infarten från E14 som leder in i Undersåker. Hon följer byvägen och låter GPS:en i mobilen visa henne rätt. Det går halvbra, hon passerar Stamgärde skola innan hon inser att hon åkt för långt och får köra tillbaka en bit.

Där, på höger sida, ligger Albins väg. Efter trehundra meter ser hon det som måste vara rätt hus, nummer 11. Hon känner igen det från sin googling. Det är en röd trävilla som ligger med utsikt mot vattnet, som så många andra fastigheter i trakten. Den ser rymlig ut, fasaden är nymålad och knutarna vita.

I trädgården står en gungställning, kanske bor det även småbarn här?

Hanna stannar en bit bort och går ur bilen, hon vill inte dra till sig för mycket uppmärksamhet.

Det har blivit mörkt och det lyser ur fönstren på undervåningen i den ena delen av parhuset.

När Hanna kommer närmare ser hon endast en röd bil på parkeringen. Det finns ett garage, men dörrarna är stängda, det går inte att säga om det står en mörkgrå Golf där inne.

Hon fortsätter längs gatan. Två brevlådor sitter på en ställning vid infarten. Hon sticker ner handen i den första. Den är tom men i den andra hittar hon några fönsterkuvert adresserade till Kristina Risberg.

Då är hon förmodligen inte hemma än. Kanske håller hon på att skjutsa Zuhra någonstans?

Hanna kikar mot byggnaden. Genom ett av de upplysta fönstren skymtar ett kök med teckningar på väggen. Där bor nog en barnfamilj som redan tömt brevlådan. Alltså borde de äga den röda bilen.

Hanna ser sig om igen. Hon är fortfarande ensam, ingen annan rör sig utomhus.

Hon hukar och halvspringer fram till den delen av huset som är nersläckt. De två ingångarna ligger inte bredvid varandra, utan på vardera gaveln.

Härifrån syns hon inte.

Adrenalinet ökar när hon smiter uppför trappan till ytterdörren och känner på handtaget. Det är naturligtvis låst, men hon behöver inte leta länge för att hitta en reservnyckel. Den ligger under en tom blomkruka bredvid dörren. På landet har man alltid en reservnyckel lätt åtkomlig, det minns hon från barndomen.

Det är komplett vansinne att gå in i en annan persons hus utan tillstånd, men nu är hon ändå här.

Frestelsen är för stor.

Hon låser upp och glider in med en sista blick mot vägen.

95

Det tar några sekunder innan Hannas ögon vänjer sig vid mörkret i den dunkla hallen, sedan kan hon orientera sig och smyger vidare in i huset.

Hon kommer till ett stort vardagsrum i anslutning till ett mindre kök. Här är det lättare att se, flera adventsljusstakar avger ett milt sken som räcker precis för att skingra mörkret.

Hon fortsätter till köket som är snyggt och prydligt, ingen disk står framme. Om Kristina Risberg, ägaren till Golfen, bor här verkar hon vara en ordentlig person.

Att döma av ytterplaggen i hallen lever hon ensam. Det finns inga ytterskor som ser ut att tillhöra en man eller några barn.

Hanna vet inte riktigt vad hon letar efter men lyfter på tidningsbuntar och pappershögar som ligger framme.

Om hon bara kunde hitta dokument, vad som helst som bevisar att det finns en länk till Fjäll-städ.

Eller illegal arbetskraft.

Hon finner ingenting på entréplan och sneglar uppför trappan. Ska hon ta risken att gå upp på övervåningen? Hon bestämmer sig för det och glider ljudlöst upp till en liten hall med en öppen dörr till ett sovrum. Där inne är det lika prydligt som i köket, sängen är bäddad.

Hanna drar försiktigt ut lådorna i sängborden men ser bara småsaker som tandtråd och pennor.

Hon går tillbaka till hallen, hittar ett badrum och inser att det längst bort finns en stängd dörr.

När hon trycker ner handtaget hamnar hon i något som verkar vara ett hemmakontor. Vid fönstret står ett skrivbord med en dator. Hon går fram och hittar omedelbart dokument med Fjäll-städs logotype på.

Bingo.

När hon klickar med musen lyser skärmen upp, men datorn frågar efter ett lösenord som hon inte har. Det är ingen idé att gissa, det kan vara precis vad som helst. Hon bläddrar bland pappren där siffror i långa rader står uppställda.

Hon drar fram mobilen och fotograferar allt hon ser.

Plötsligt hörs ett motorljud från vägen. Hanna stelnar till. När hon kikar ut genom det lilla fönstret ser hon ett par strålkastare svänga in på uppfarten.

Det går inte att avgöra om ljusen kommer från den mörkgrå Golfen.

Hanna trycker sig mot väggen medan hjärnan arbetar. Om ytterdörren öppnas måste hon gömma sig tills hon kan smita ut.

Hon får inte bli påkommen, inte på några villkor. Hur kunde hon vara så dumdristig att hon gick in i huset utan tillstånd?

Det hamrar fortare och fortare i bröstet medan bilen stannar och parkerar. Kan hon ha sådan tur att den tillhör familjen som bor i det andra huset? Att de har två bilar?

Hon håller andan.

En dörr smäller igen och hon ser en lång man i arbetsbyxor gå mot den andra entrén.

En barnröst ropar:

"Pappa!"

Lättnaden gör henne knäsvag. Det susar i öronen av stress. Hon måste ta sig härifrån med en gång.

Snabbt fotograferar hon några fler dokument innan hon smiter nerför trappan och försvinner ut med bultande hjärta.

Hon hukar och springer tillbaka till sin bil i skydd av mörkret. Just som hon lämnar tomten dyker ett par nya strålkastarljus upp längre bort på vägen. Hanna hinner precis gömma sig bakom ett träd när den mörkgrå Golfen dyker upp.

Den saktar ner och svänger in på uppfarten.

En kvinna kliver ut och går mot ytterdörren. Är det Kristina Risberg? Hanna följer henne med blicken tills hon försvunnit in i huset.

Inte förrän hon sitter i sin egen bil vågar hon andas igen.

96

Flaskan med konjak på köksbordet framför Harald är halvtom när han slår upp ögonen. Han måste ha somnat till en stund i köket efter att han lagt barnen.

Armen är stum där huvudet har vilat.

Lena gömmer sig fortfarande i sovrummet med sina sömntabletter. När Harald senast tittade in låg hon hoprullad i fosterställning med slutna ögon.

Det luktade unket i rummet.

Mobilen ringer, det är signalen som väckt honom.

Han svarar och det går en stöt genom kroppen när han förstår vem det är.

Miras mjuka stämma skapar omedelbart en orkan av känslor som han inte kan hantera.

"Vad vill du?"

"Jag ville bara ... höra hur det är med dig?"

"Varför då?"

Han kan höra hennes andetag i luren, de kommer stötvis. Han känner henne tillräckligt väl för att veta att hon är upprörd.

"Harald", vädjar hon. "Snälla. Jag bryr mig fortfarande om dig, kan du inte förstå det?"

Harald tänker inte gå på Miras försök att låtsas som om han fortfarande är viktig för henne.

"Det lät inte så i förrgår."

"Det är inte särskilt lätt just nu."

Hon har fel. Det är väldigt enkelt. Hon vill inte ha honom och hennes man kan ha mördat hans dotter.

"Jag måste berätta något för dig", säger Mira.

Det låter som om rösten är på väg att brista.

"Det är Fredrik", viskar hon. "Polisen har varit här och ställt frågor ..."

"Jaha?"

Mira sitter i skiten. Vad rör det honom?

"Jag har inte tid längre", avbryter Harald.

Han är precis på väg att lägga på när Mira skriker:

"Du måste lyssna!"

"Varför då?"

Det är onaturligt tyst i köket. Harald stirrar på adventsstjärnan i fönstret, den som Lena behövde stå på en pall för att hänga upp.

I ett annat liv.

"Fredrik har berättat för mig att han åkte hem till er i måndags morse när han var så arg. Han upptäckte er hund utomhus."

Rösten är kvävd.

"Han gav sig på Ludde för att hämnas. Ludde kämpade emot och rev honom men Fredrik är stark och han var galen av vrede ... Harald, han förgiftade honom."

Miras ord studsar mot Haralds trumhinnor. Sedan landar de i hans medvetande och den fulla innebörden går upp för honom.

Innan hon hinner fortsätta lägger Harald på.

Han behöver inte höra mer.

Han lägger ifrån sig mobilen, öppnar och knyter händerna några gånger. Det är så lite kvar av hans gamla liv, bara saknad och outplånlig smärta.

Om Fredrik är skyldig till hans dotters död måste han sona för det.

97

Det är tyst och mörkt i lägenheten när Daniel låser upp ytterdörren hemma.

Klockan har blivit nästan tio på kvällen, Ida sover nog och han har missat Alices kvällsbad och nattning igen.

Det var inte meningen att bli sen, han bara fastnade på stationen bland alla mejl och rapporter. Han försöker hinna med allting och samtidigt går det alldeles för långsamt. Det är som att trampa vatten, de kommer ingenstans.

Frustrationen får det att krypa i skinnet.

Dessutom plågas han av dåligt samvete. Småbarnslivet är svårare än han hade föreställt sig. Det tär på relationen, särskilt när Ida tveklöst drar det tyngsta lasset just nu. Det känns som om alla sliter i honom hela tiden.

Han har inte hunnit äta middag och smyger in i köket. Kanske finns det rester? Men i kylskåpet är det nästan tomt, förutom en kartong ägg som står längst in bredvid en folköl. Det får bli äggmacka på rostat bröd.

Ett ljud bakom ryggen får honom att vända sig om.

Ida står i dörröppningen. Hon har dragit på sig en morgonrock över nattlinnet, håret är lite rufsigt och hon har svaga sömnränder i ansiktet efter kudden.

"Förlåt om jag väckte dig", säger Daniel.

Han tar fram en stekpanna och häller i en matsked rapsolja. När det börjar fräsa knäcker han äggen och häller ner dem.

"Hur går det med utredningen?" frågar Ida.

Till Daniels lättnad låter hon varken arg eller besviken, bara trött.

"Så där", säger han.

Han är också trött. Amanda upptar alla hans tankar och all hans vakna tid.

"Du är väl rädd om dig?" säger Ida och låter liten på rösten.

Daniel vänder på äggen så att de blir stekta på andra sidan.

"Det är ingen fara. Du behöver inte vara orolig för mig."

När äggen är färdiga lägger han dem på två rostade brödskivor, häller på ketchup och strör över svartpeppar. Med tallriken i ena handen och ölen i den andra sätter han sig vid matbordet och hugger in.

Ida slår sig ner mittemot.

"Du kan inte jobba så här", säger hon. "Du är igång dygnet runt. Tänk om du bränner ut dig?"

"Jag tror inte att det finns risk för det", säger han med munnen full av mat. "Jag klarar mig."

"Jag är rädd för att någonting ska hända med dig."

"Det kommer inte att ske", försäkrar Daniel.

Ida lutar sig fram över bordet och lägger sin hand på hans.

"Finns det ingen annan som kan jobba med den här utredningen?" säger hon. "Så du slipper?"

Det sista Daniel vill är att en kollega ska ta över fallet. Han har lovat Birgitta Grip att han kan hantera utredningen, särskilt nu när han fått mer resurser i form av Hanna.

"Älskling", säger han. "Det ingår i mitt jobb."

Idas ögon blir glansiga.

"Tänk på Alice", utbrister hon. "Om någonting hände med dig skulle hon bara ha mig."

Det går rätt in. Daniel har svårt att avgöra om det som sticker till är dåligt samvete eller irritation.

Måste hon vara så dramatisk?

"Men för guds skull", säger han. "Jag är faktiskt polis."

Det kommer ut alldeles för skarpt. Han ångrar sig i samma sekund som han säger orden men Idas blick har redan blixtrat till.

"Hur kan du vara så självisk?" utbrister hon. "Bryr du dig inte om oss längre?"

"Det är klart att jag gör. Förlåt, det var inte meningen att låta okänslig."

Han hoppas att hon ska acceptera hans ursäkt så att de kan sluta tjafsa och gå till sängs. Daniel längtar efter att få lägga sig. Han är sliten och vet att han inte förmår nyansera sig på det sätt som Ida behöver just nu. Hon är fortfarande full av hormoner, Alice är bara tre månader.

De har varit igenom den här sortens gräl tidigare och det slutar aldrig bra. Nu önskar han nästan att Ida skulle ha fortsatt sova. Han vill inte ha den här konversationen ikväll.

Han koncentrerar sig på maten och hoppas att hon ska lugna ner sig.

Men Ida tolkar hans tystnad helt fel.

"Lyssna på mig", fräser hon. "Du har en egen familj nu. En liten dotter. Du kan inte leva som du gjorde förut."

Det är det sista han gör, det borde hon veta, men orden svider.

Det är nog meningen.

Åren i Göteborg formade honom, under lång tid var jobbet hans främsta prioritet. Hans räddning också, efter Francescas död. Det händer att han saknar tiden då han bara behövde rå sig själv och inte ta hänsyn till någon annan.

Men det hon anklagar honom för är inte sant. Han tänker hela tiden på att han borde vara hemma mer och ta hand om Alice. Han försöker göra sitt bästa, problemet är att det inte räcker.

"Mamma sa att du skulle reagera så här", säger Ida. "Att du inte skulle lyssna på mig."

"Har du diskuterat mig med din mamma?"

Tanken på att Ida beklagat sig inför sin mamma får frustrationen att växa.

"Vem skulle jag annars tala med? Det är inte precis som om du visar dig här."

Han vill verkligen inte brusa upp. Det kommer ingenting gott av det. Det får inte bli ett stort gräl ikväll.

Daniel lägger omsorgsfullt ihop besticken på tallriken och dricker den sista klunken öl. Han tar några djupa andetag för att hitta sitt inre lugn.

"Det enda du tänker på är ditt jobb."

Den vassa tonen är mer än han står ut med.

"En ung flicka har blivit mördad", säger han. "Tycker du att det är läge att bråka om det just nu?"

"Hur kan det gå före mig och Alice?"

"Det gör det inte."

Tårar av ilska har börjat rinna nerför Idas kinder. Hon torkar bort dem i en otålig gest.

"Du har aldrig tid för oss. Det är som om vi inte räknas längre."

Daniel är så trött på alla skuldkänslor. Han gör sitt bästa, han försöker hela tiden. Varför ser hon inte det?

"Kan vi inte gå och lägga oss nu?" vädjar han. "Snälla?"

"När ska vi prata i så fall? Du är ju inte hemma."

"Vi kan prata i morgon. Jag ska försöka komma hem i god tid, jag lovar."

Han reser sig för att duka av.

"Jag måste verkligen sova nu", lägger han till. "Jag ska upp jättetidigt."

"Hur tror du det känns att gå här med Alice när du bara struntar i oss?"

Ida ser bittert på honom.

"Mamma hade rätt om dig hela tiden. Du är fruktansvärt självupptagen. Jag borde ha fattat att du inte skulle bli en bra pappa."

Då brister det, ilskan går inte att stoppa. Den bara väller fram och tar över allting annat.

"Håll käften!"

Han skriker orden samtidigt som han lyfter tallriken och slungar den i väggen med all sin kraft.

Smällen ekar i köket. Som i slowmotion splittras fatet i tusen delar. Det vita porslinet regnar över köksgolvet, det ligger skärvor överallt.

Ida stirrar på honom med gapande mun.

"Är du helt galen?" viskar hon.

Daniel kan inte förklara vad som hände. Det blev bara svart.

I sovrummet vaknar Alice och börjar skrika.

Han går ut i hallen, rycker åt sig jackan och försvinner ut i natten.

Fredagen den 20 december

98

I gryningen ger Harald upp. Det går inte att sova. Tankarna på Fredrik håller honom vaken.

Han måste vara den skyldige.

Han borde ha förstått det tidigare. Mira har berättat att Fredrik kan vara svartsjuk och hämndlysten. Han är inte en person man vill ha som ovän. Hon beskrev själv hur vansinnig Fredrik blev när han upptäckte deras relation.

Harald minns en morgon några månader tidigare, då de låg i sängen efter en natt tillsammans i en fjällstuga han fått låna. Det var en sällsynt förmån att få vakna med henne bredvid sig. De hade älskat långsamt och försiktigt i gryningsljuset. Hon vilade huvudet mot hans arm och värmen från hennes kropp spred sig till hans.

På något sätt kom de in på Fredrik. Miras rädsla för att han skulle få reda på hur det låg till.

"Fredrik förlåter inte en oförrätt", sa hon med en rysning som antydde något annat och mörkare än vanlig långsinthet. "Han glömmer den aldrig."

Harald sätter sig upp i gästsängen. Kroppen är tung och det värker i lederna. En blandning av sömnbrist och huvudvärk dunkar i bakhuvudet. Alkoholen han tog till igår gör inte saken bättre.

Hans gamla skjorta luktar unket när han ska klä på sig. Han går bort till sängkammaren för att hämta en ny. När han öppnar dörren till det mörka rummet går det knappt att uppfatta Lenas tysta gestalt under täcket. Efter några sekunder har ögonen vant sig vid dunklet, han ser att hon ligger på sidan i sängen med slutna ögon.

Hon har fullkomligt checkat ut från tillvaron.

Han borde se till henne, få henne att äta och tvätta sig, men han orkar inte. Istället hämtar han fräscha kläder och går till badrummet.

Han står i duschen när den emotionella reaktionen kommer i fatt. Hans dotter är död och det är hans fel. Om han inte inlett affären med Mira hade Fredrik aldrig kommit på tanken att hämnas.

Tårarna bryter fram och blandar sig med de varma strålarna.

Han gråter med tysta hulkande ljud som får kroppen att skaka. Till slut måste han gripa tag om duschvredet för att kunna stå upp.

Det hjälper inte. Han sjunker ner på huk medan snyftningarna tar över.

Så småningom ebbar de ut.

Han vrider upp temperaturen och låter vattnet skölja över ansiktet. Det bränner i huden och badrummet fylls av het ånga.

Fredrik får inte gå fri.

Han klamrar sig fast vid den tanken.

Vad som än händer måste Fredrik straffas.

99

Daniel står i omklädningsrummet på polisstationen och borstar tänderna. Han har sovit några timmar under en filt i vilorummet. Nyss försökte han skaka av sig tröttheten genom att tvätta ansiktet med iskallt vatten.

Skuldkänslorna går inte lika lätt att tvätta bort.

Han skäms djupt över sitt utbrott igår, men vet varken hur han ska förklara sig eller göra det bra igen. Han har skickat ett sms till Ida och bett om ursäkt men det känns både futtigt och otillräckligt. Ringa klarar han inte, det är för snart.

Kanske ska han bara hålla sig undan ett tag, ge henne lite tid att komma över händelsen?

Han gurglar och spottar, gör sig redo att börja dagen. Hjärtat är tungt, det är ett helt dygn sedan han träffade Alice och det är hans eget fel.

Om han bara kunde kontrollera sitt temperament. Vredesutbrotten i ungdomen var en sak, nu är han vuxen och borde veta bättre.

Alice ska aldrig behöva vara rädd för bråk hemma.

Det lovade Daniel sig själv när hon föddes och ändå gick det som det gick igår. Hans dotter är bara tre månader och han har redan fått ett ordentligt raserianfall, precis som hans morfar brukade få.

Han undrar om morfadern kände samma djupa skam varje gång han förlorade kontrollen?

Ibland har Daniel hört folk säga att det måste vara skönt att kunna bli riktigt arg, att bara släppa fram alla känslor så att man kan gå vidare efteråt.

De har ingen aning.

Det är djupt skrämmande att bli så ursinnig att man inte kommer ihåg vad man har sagt till någon. Särskilt när det handlar om en person som man älskar.

Ilskan bara kom, fast han förmanade sig själv att inte brusa upp. Normalt är han en lugn person, till och med behärskad. Det går inte att jobba som polis om man inte kan styra sitt humör. Det kan gå månader utan att han blir så upprörd att det slår över. Men när det sedan händer ser han svart. Han blir en annan person, en som han varken känner igen eller tycker om.

Daniel vrider av kranen och torkar munnen med några pappersservetter, tar i så hårt att överläppen svider till.

Han minns knappt vad han skrek till Ida. Bara den överväldigande känslan av att inte stå ut med att vara i samma rum som henne. Inte en sekund till.

Det och insikten om att han måste ta sig därifrån innan han gjorde något ännu värre.

Det skrämmer honom att han kan uppföra sig på det viset. Han vill inte vara en man som kastar saker omkring sig och skrämmer slag på sin sambo eller sitt barn.

Daniel lutar sig fram över handfatet och stirrar med avsky mot sin spegelbild.

Han tänker inte bli som sin morfar.

Inte som sin pappa heller.

Dörren öppnas och Anton kommer in med träningsväskan i ena handen och saxofonfodralet i den andra. Han är en timme för tidig och uppfattar situationen omedelbart. Gårdagens kläder i en skrynklig hög på bänken, tandborsten som ligger på handfatskanten.

Han har tillräckligt mycket taktkänsla för att inte kommentera Daniels luggslitna utseende.

"Är allting okej på hemmaplan?" frågar Anton.

Daniel kommer bra överens med sin arbetskamrat, ibland

går de ut och tar en öl tillsammans. Men situationen med Ida
är alltför privat.

Utbrottet igår kan han knappt förklara för sig själv, än
mindre för en kollega.

Han rycker på axlarna, skrapar ihop ett leende.

"Vi ses till morgonmötet", säger han och försvinner in på
muggen.

100

Kalle sitter vid köksbordet och tuggar håglöst på sin smörgås. Mimi har ett glas orörd mjölk framför sig.

"När kommer Ludde hem?" säger hon.

Harald sväljer. Han har fortfarande inte kunnat förmå sig att berätta om hundens död.

"Snart", säger han bara och häller upp kaffe i en mugg.

"Varför äter inte mamma frukost med oss?" frågar Kalle.

Han vickar lite på stolen så det skrapar mot köksgolvet, hamnar i en farlig vinkel så att den nästan välter.

"Gör inte så där", ryter Harald.

Kalles ansikte drar ihop sig.

"Förlåt", mumlar han.

Han har nära till tårarna.

"Förlåt", säger Harald i sin tur. "Det var inte meningen att skrika åt dig. Jag blev bara rädd för att du skulle trilla omkull."

Han ställer bort kaffemuggen och sätter sig på huk bredvid sonen.

"Mamma sover", säger han i mildare tonfall.

"Hon sover hela tiden", säger Mimi.

Ungarna har rätt. Lena har inte synts till på flera dagar. Hon har abdikerat från alla förpliktelser. Harald känner irritationen välla fram, orkar inte ensam bära den här familjen på sina axlar.

"Vet ni vad", säger han. "Vad sägs om att ni går upp och väcker henne?"

Kanske kan Lena förmås att stiga upp om tvillingarna kramar om henne? Som en påminnelse om att hon har ytterligare två barn som behöver henne.

Han gör en gest åt trappan.

"Gå upp och fråga om mamma vill ha frukost."

Barnen försvinner blixtsnabbt ut ur köket. Han hör deras steg i trappan, gångjärnen som gnäller när dörren till sovrummet öppnas.

Harald reser sig och dricker upp kaffet. Öppnar diskmaskinen för att röja undan det värsta i köket.

Kalle står i dörröppningen.

"Mamma vaknar inte", säger han.

Harald hejdar sig med en tallrik i handen.

"Vad menar du?"

"Hon bara ligger stilla."

Det har inte gått en timme sedan han själv var inne i sovrummet där Lena låg och sov. Förmodligen verkar sömntabletterna fortfarande.

"Du får ta i lite", avfärdar han sonen.

Han vill inte nämna medicinerna. Barnen behöver inte känna till dem.

Kalle försvinner igen. Harald stuvar in mer disk.

Någonting får honom att stanna upp. En misstanke som han knappt vill erkänna för sig själv.

Han lämnar köket och tar trappan i stora steg. Fortsätter in till sovrummet där Mimi och Kalle står vid huvudändan av sängen och rycker i Lena.

Han ser hur de skakar hennes livlösa kropp.

Hon reagerar inte alls, är helt slapp i musklerna.

Ansiktet är så blekt.

Mimi stirrar på honom med rädda ögon.

"Är mamma också död?"

101

Det känns som om det har blåst och snöat i evigheter.

Daniel längtar intensivt efter en solig dag. Några timmar uppe på Skutan, när snön gnistrar av liv och fjällandskapet breder ut sig som sockertoppar i alla väderstreck. Istället sitter han i konferensrummet där frosten klänger vid fönsterrutorna. Skymningen har börjat falla, förmiddagen försvann i ett töcken av olika förhör och videomöten.

Dessutom har Grip planerat en ny presskonferens i eftermiddag som Daniel måste delta i. Hon vägrade lyssna på hans invändningar, trots att han nästan svor åt henne.

Bilderna av den döda Amanda på väggen stirrar mot honom med anklagande min.

Daniel lutar huvudet i händerna.

Hur ska de få fram identiteten på den som mördade henne? Det har gått över fem dygn sedan Amanda hittades död. Det känns som om de springer på tusen bollar utan att veta vilken som är den rätta.

Raffe och Anton har identifierat ett dussin husägare i Ullådalen som kan vara intressanta. Daniel skulle vilja undersöka samtliga stugor men de kan inte få till en husrannsakan i en enda utan skälig misstanke om brott. För det krävs att utredningen pekar ut en enskild person. Det är ett moment tjugotvå.

De har fortsatt granska Fredrik Bergfors men har inte lyckats etablera en länk mellan honom och Ullådalen. Dessutom har han alibi eftersom Mira fortsatt hävdar att maken låg bredvid henne i sängen den aktuella natten.

Daniel höll ett nytt förhör med Amandas pojkvän på förmiddagen utan att något nytt kom fram. Den här gången hade Viktor en advokat med sig. Daniel blev inte förvånad.

Anton har kollat upp mentorn, Lasse Sandahls, bakgrund. Han förekommer inte i några av polisens register och äger ingen snöskoter. Sandahl svär på att han inte har rört Amanda efter incidenten på Valborg. De har pratat med rektorn som blev mycket förvånad över upplysningen att Sandahl hade kladdat på en av eleverna. Hon sa att det aldrig förekommit några klagomål mot honom tidigare.

Daniel önskar att de hade bättre teknisk bevisning. Han har precis mejlat NFC och bett dem skynda på undersökningen av hudresterna som fanns under Amandas naglar. Det skulle vara mycket lättare att komma vidare om DNA-analysen var klar.

Hanna kliver över tröskeln med en kopp kaffe i handen. De har varit på olika håll sedan i morse. Hanna har bland annat försökt få tag i Ebba för att förmå henne att släppa garden och berätta om Amandas extrajobb, medan Daniel hållit förhör och haft videokonferenser.

"Tuff förmiddag?" säger hon.

"Syns det så tydligt?" svarar han.

"Du ser lite sliten ut."

"Jag är nog bara frustrerad över att det går så långsamt. Plus att Grip vill att jag kör ner till Östersund i eftermiddag för att hålla en ny presskonferens."

Daniel suckar. Olusten bubblar upp bara han uttalar det sista ordet.

Han säger ingenting om situationen på hemmaplan. De känner knappt varandra. Han försöker fokusera på jobbet fast det dåliga samvetet inte lämnar honom ifred.

"Beskriv händelseförloppet en gång till", säger Hanna och sätter sig mittemot. "Ibland är det bra att formulera saker högt."

Ännu en gång går Daniel igenom deras hypotes.

Amanda lämnar festen, hon går utmed E14 där någon plockar upp henne i en mörk bil. Det bör vara en person hon känner, annars skulle hon knappast välja att åka med.

Ett bråk utbryter, mannen tar strypgrepp på Amanda och hon blir medvetslös. Han tar med henne, förmodligen fortfarande medvetslös, och gömmer henne i en stuga i Ullådalen. Där blir hon kvar i två dygn och hinner under den tiden frysa ihjäl. Gärningsmannen får panik och beslutar sig för att återlämna Amandas kropp. Han lägger den i VM6:an där den hittas på söndagsmorgonen av liftskötaren.

"Var hon bekant med Fredrik Bergfors?" frågar Hanna. "Om vi antar att det är han som är skyldig och inte pojkvännen eller mentorn."

"Vet inte. Men hon kanske kände igen honom och var trygg med det."

"Jag önskar verkligen att vi hade tillgång till Amandas telefon", säger Hanna och dricker det sista i koppen. "Det skulle vara till stor hjälp om vi kunde läsa hennes sms. Ungdomar messar hela tiden, hon kanske hann skicka ett meddelande innan hon blev bortförd?"

En tanke slår Daniel. De har inte Amandas telefon men det kan finnas ett annat sätt att komma åt sms:en. Var det inte en Mac de hämtade från hennes rum? Han har en likadan hemma och den är kopplad till telefonen, alla hans privata mess kommer in både på den och mobilen. Om Amanda gjort likadant skulle de kunna se vem hon har messat med och få tillgång till hennes kontakter.

IT-forensikerna borde vara klara med datorn snart. Om han ändå ska ner till Östersund kan han kolla upp det. Daniel tänker passa på att prata med åklagaren också, ansikte mot ansikte. Det kliar i honom att genomföra en husrannsakan hos Bergfors.

Han ser på klockan och inser att han måste sticka.

"Jag behöver dra", säger han och ställer sig upp. "Vi får höras senare."

102

Just när Daniel svänger in på parkeringen vid Trygghetens hus i Östersund kommer ett oväntat sms. Presskonferensen är inställd, Grip har fått ett brådskande möte i Stockholm som måste gå före.

Lättnaden är monumental, han blir sittande bakom ratten medan spänningen släpper. Han behövde något som gick hans väg idag.

Allt annat känns som skit just nu.

Han styr stegen mot den IT-forensiska avdelningen, har bestämt sig för att kolla hur det ligger till med Amandas dator innan han fortsätter till åklagarens kontor.

Markus Larsson, ansvarig tekniker, sitter en våning upp från Daniels egen arbetsplats de dagar han jobbar i Östersund.

Markus har hörlurarna på sig och märker inte att Daniel är där förrän han knackar honom på axeln. Han sitter med tre stora bildskärmar på skrivbordet och fingrarna rör sig oavbrutet över tangenterna. En härva av svarta sladdar ligger på golvet.

"Tjenare", säger han till Daniel. "Är du här?"

"Hur går det med Amanda Halvorssens dator?"

Markus nickar åt en Mac med silvrigt hölje på bordet bredvid.

"Jag är i stort sett klar, hade faktiskt tänkt höra av mig i eftermiddag. Beklagar dröjsmålet."

"Kan vi ta oss en titt?" säger Daniel och drar fram en stol.

Markus sträcker sig efter datorn och slår upp skärmen. Han motsvarar inte alls Daniels fördomar om en datanörd, är varken introvert, överviktig eller bär svarta hoodies. Markus ser ut som vem som helst, han är en smal kille i trettioårsåldern med svartbågade glasögon och vit skjorta.

"Vad vill du kika på först?" frågar han.

"Jag vill veta om hon har kopplat samman mobilen och datorn så att vi kan läsa hennes sms."

Markus öppnar datorns meddelandeprogram.

"Ja, det verkar hon ha gjort."

Daniel betraktar messen som radar upp sig framför honom. Ingenting verkar särskilt misstänkt.

"Hur är det med mejlen?" säger han.

Markus går in i mejlkorgen men den ger inte mycket mer information.

"Kan du komma åt andra kommunikationsformer genom datorn?" frågar Daniel. "Hur är det med Facebook eller Instagram? Snapchat?"

Markus går in på Facebook och loggas in med hjälp av ett sparat lösenord.

Amanda har inte varit en särskilt flitig användare, inläggen är få och förekommer med flera veckors, ibland månaders, mellanrum. Den senaste aktiviteten är från när hon ändrade sin profilbild, till en där hon står i solnedgången vid Åresjön.

Hon ser glad och lycklig ut, blicken är fäst vid horisonten. Det milda augustiljuset ger henne ett gyllene skimmer.

Det är hjärtskärande att hon inte finns mer, att hon aldrig kommer att bli äldre än arton år.

Daniel kan inte hjälpa att han ser Alice framför sig.

"Ska vi pröva Messenger?" säger Markus. "Det är Facebooks meddelandefunktion. Många lärosäten använder Messenger så att studenterna kan kommunicera med varandra. En del arbetsgivare gör likadant eftersom ungdomarna inte orkar hålla på med e-post."

Att döma av Amandas många oöppnade mejl tillhörde hon den kategorin.

"Kolla vad du kan hitta", svarar Daniel.

Markus får upp ett nytt fönster med ett antal meddelanden. En av avsändarna fångar Daniels uppmärksamhet. En kvinna som heter Linda har kommunicerat med Amanda.

Han minns ingen Linda från kontakterna runt Amanda som de har försökt kartlägga.

"Kan vi gå in på den där?" frågar han och pekar.

Markus klickar fram konversationen.

Amanda verkar ha arbetat för en städfirma vid sidan av skolarbetet. Hon har fått adresser dit hon ska gå vid vissa tidpunkter, Linda har skickat henne instruktioner. Några gånger nämns även Ebbas namn.

Daniel kliar sig i nacken. Föräldrarna kände inte till Amandas extraknäck. Ebba låtsades som ingenting.

Det är något som inte stämmer.

"Går det att spåra den här Linda?" frågar han.

Markus går in på avsändaren och kommer till en profilsida som är märkligt anonym. Fotot är taget i motljus, det går inte att uppfatta vem bilden föreställer. Det finns inga personliga uppgifter eller foton.

"Skumt", säger Markus.

Han rynkar ögonbrynen, klickar några gånger till, men rycker till slut på axlarna.

"Det där är ingen vanlig profil", säger han. "Den är bara upplagd för att komma åt meddelandefunktionen."

"Är det vanligt?"

"Det förekommer, men det säger en del om den här Linda. Hon vill varken synas eller kunna spåras."

"Tror du att det är hennes riktiga namn?" frågar Daniel.

"Ingen aning."

Varför vill en arbetsledare inte förekomma på bild? Kanske för att det handlar om jobb med svarta pengar. Vad det än är behöver det definitivt kollas upp.

Om det finns en person som känner till Amandas extrajobb så är det Ebba.

Det är dags att få ur henne sanningen.

103

Hanna sitter i sitt nya arbetsrum och försöker läsa i kapp olika rapporter inom ramen för utredningen.

Gång på gång kommer tankarna in på Zuhra, fast hon försöker koncentrera sig på Amanda.

Nu har hon bevis för att Fjäll-städ är inblandat i något märkligt. Varför skulle den där kvinnan på kontoret annars ha förnekat Zuhras existens medan Kristina Risberg kör runt henne till olika hus för att städa?

Eftersom Kristina Risberg hade dokument hemma med Fjäll-städs logotype finns det en koppling.

Hon ångrar inte att hon tog sig in i Risbergs hus men är obehagligt medveten om riskerna. Om det kom ut skulle det kosta henne jobbet i Åre.

Klockan är nästan fyra när Daniel ringer. Ingen annan är kvar på stationen. Det är fredag eftermiddag och Anton stack precis.

"Hur går det i Östersund?" frågar hon så fort hon hör Daniels röst.

"Jag tror att vi kan ha funnit en intressant sak."

"Berätta."

"Vi hittade några meddelanden på Messenger som rör Amandas jobb. Hon hade mycket riktigt ett extraknäck som ingen kände till. Det finns indikationer på att hon jobbade svart för en städfirma."

Hanna sätter sig rakare i stolen.

"Vet du vad städfirman heter?" frågar hon.

"Nej, det framgick inte. Däremot fanns namnet på den kvinna som verkar ha varit Amandas kontaktperson. Hon kallar sig Linda, fast det kan vara påhittat."

Kvinnan på Fjäll-städs kontor hette Linda. Är det en tillfällighet? Kan det till och med hänga ihop med Zuhras utsatta situation?

Innan hon hinner nämna det fortsätter Daniel.

"Skulle inte du kunna ta ett snack med Ebba om det här, kolla vad hon känner till?"

Hanna har ringt Ebba flera gånger under dagen och lämnat meddelanden, men hon har inte svarat.

"Inga problem", svarar hon. "Jag sticker över till henne med en gång."

Medan hon talar med Daniel googlar hon "Linda" och "Fjäll-städ" men ingenting dyker upp på skärmen.

"Utmärkt", säger Daniel. "Jag vet inte riktigt när jag är tillbaka i Åre. Jag ska träffa åklagaren, Tobias Ahlqvist, men han har blivit försenad i rätten så jag sitter och väntar just nu."

Hanna blir osäker. Ska hon berätta om sina egna efterforskningar?

Problemet är att hon har så lite konkret att komma med. Det enda hon kan styrka är att en ung invandrare uppvisar tecken på att vara både misshandlad och utnyttjad.

Magkänsla och polisinstinkt kan inte ersätta konkreta bevis.

Hon har granskat dokumenten från Kristina Risbergs arbetsrum men kan omöjligt avslöja hur hon fått tag i dem, att hon gått in i hennes hus utan tillstånd.

Hon vill inte riskera att Daniel förlorar förtroendet för henne nu när allting känns så bra.

"Vi hörs senare", säger hon och avslutar samtalet.

Hanna tar sin jacka för att åka till Ebba. När hon går ut genom polisstationens entré inser hon att det gått alldeles för lång tid utan att hon hört av sig till Christian. Hon har lovat dyrt och heligt att ringa Lydia ikväll, vid sju, så att de kan få en ordentlig pratstund. Systern kommer att fråga om situationen med Christian det första hon gör.

Hanna gör upp med sig själv att hon ska ringa honom direkt efter besöket hos Ebba.

Kärlekssorgen är inte lika smärtsam längre men förödmjukelsen, bara tanken på att be om ursäkt, gör henne sjuk.

Jävla förbannade Christian, mumlar hon och går mot bilen.

104

Den här gången är det Ebbas mamma, Sanna Nyrén, som öppnar dörren när Hanna ringer på. Hon liknar sin dotter, är liten och slank med ljusbrunt kortklippt hår. Med bedrövad min låter hon Hanna stiga in.

"Det är verkligen förfärligt med Lena", säger hon.

"Förlåt?"

"Har du inte hört vad som hänt?"

När Hanna oförstående skakar på huvudet sänker Sanna rösten, som om hon inte vill prata om den tragiska verkligheten.

"Lena ligger på intensiven. Hon försökte ta livet av sig i natt. Det är så synd om Harald och tvillingarna."

Hanna sväljer. Hon hade ingen aning om det. Ännu ett slag för familjen i spåren av Amandas död.

Harald och de arma småsyskonen måste vara tillintetgjorda.

Hanna följer med Sanna till vardagsrummet. Ebba sitter i hörnsoffan med benen uppdragna under sig och en grå filt över kroppen. Hon ser tunn och olycklig ut.

Sanna slår sig ner bredvid och erbjuder Hanna fåtöljen.

"Hej Ebba", säger Hanna. "Jag har försökt få tag i dig hela dagen. Jag har några fler frågor om Amandas extrajobb som vi talade om igår."

Hon gör sitt bästa för att låta mjuk och försiktig.

"Det betyder mycket om du berättar allt du vet om det."

Ebba ser ut som om hon önskar sig långt därifrån.

"Vi har fått reda på att Amanda jobbade för en kvinna som heter Linda", fortsätter Hanna. "Känner du till det? Arbetade du också för henne?"

Sanna stryker Ebba över det ljusbruna håret.

"Om du vet något måste du säga det", uppmuntrar hon. "Det viktigaste just nu är att polisen hittar den som mördade Amanda."

Ebba flätar in fingrarna i varandra. När hon till slut svarar sviktar rösten.

"Vi jobbade för Linda båda två", säger hon till Hanna.

"Vad innebar det?"

"Vi städade uppe i Björnen och Sadeln. Vi gjorde det i hemlighet, det var därför jag inte vågade berätta det förut."

Ebba kastar en olycklig blick på sin mamma.

"Förlåt att jag inte sa det. Jag visste att om jag berättade det för polisen så skulle ni också få reda på det. Du och pappa skulle bli arga."

"Det är ingen fara", säger Sanna och tar Ebbas hand. "Det är bra att du är ärlig nu."

Hon vänder sig till Hanna.

"Vi ville inte att Ebba skulle jobba under terminen. Det var bättre att hon koncentrerade sig på skolarbetet och betygen inför studenten."

Hanna uppskattar mammans support, det är fel tillfälle att gräla på dottern.

"Dessutom var det ... svartjobb", säger Ebba.

Hon blinkar några gånger.

"Vi kunde inte säga något. Amandas pappa är politiker, han var så noga med att allt skulle vara perfekt. Amanda sa att han jämt tjatade på hennes mamma om det, att de inte fick hamna i tidningen för skattefusk eller sådant som kunde skada hans politiska karriär."

"Jag förstår", säger Hanna.

Hon är inte förvånad över att både Ebba och Amanda är inblandade. Inte heller att de gjorde det i smyg utan föräldrarnas vetskap.

"Skulle du kunna berätta för mig hur det gick till?"

"Vi hoppade in då och då, tog några pass varannan vecka för att tjäna extra pengar."

"Den här kvinnan, Linda", säger Hanna. "Vet du vad hon heter i efternamn?"

"Jag har aldrig träffat henne", säger Ebba. "Vi pratade bara med varandra på Messenger."

Hon lyfter vänsterhanden och gnider bort en droppe snor under näsan.

"Hur skötte ni det praktiska i så fall?" säger Hanna. "Betalning och adresser, nycklar till husen?"

De måste ju ha träffat den mystiska Linda åtminstone ett par gånger.

"Amanda brukade hämta nycklarna och städgrejerna eftersom hon har … hade … körkort."

Den ofrivilliga felsägningen får Ebbas röst att brista. Det tar några sekunder innan hon fortsätter.

"Jag har inte tagit det än men Amanda brukade låna sin mammas bil eftersom Lena promenerar till jobbet. Lindas arbetsplats låg i byn så Amanda åkte dit innan hon hämtade mig."

"Vet du vad städfirman heter?" säger Hanna.

Ebba skakar på huvudet.

Det är en besvikelse. Men uppgiften om att Lindas kontor fanns i byn pekar också mot Fjäll-städ.

"Kan du berätta hur det kom sig att ni började jobba för Linda?" frågar Hanna.

Hon korsar det ena benet över det andra för att sitta mer bekvämt i den låga fåtöljen.

"Det var en kompis som gjorde det innan oss, Alva."

Ebba har fått lite mer färg i ansiktet, som om det känns skönt att äntligen få lätta hjärtat.

"Hon gick ut gymnasiet förra året och flyttade till Umeå för att plugga. Hon frågade om vi ville ta över. Det var ett jättebra sätt att tjäna pengar."

Hon kastar en skygg blick på Sanna, som för att försäkra sig om att mamman inte blir upprörd.

"Skulle du kunna visa oss några av husen där du har städat?" säger Hanna. "Så att vi kan prata med husägarna och ta reda på vad firman heter."

"Jag tror det", viskar Ebba. "Det var många som låg i Sadeln."

Det *måste* handla om Fjäll-städ.

Sanna ger Ebba en mjuk klapp på kinden.

"Har du berättat allting nu?"

Ebba pressar ihop läpparna. Hon har ett begynnande munsår i ena mungipan, en vitaktig blåsa som breder ut sig.

"Det är en sak till", viskar hon.

Hanna väntar tålmodigt. Hon vill inte att flickan ska sluta sig igen.

"Det hände en grej veckan innan Amanda ... försvann", säger Ebba.

Hon nyper i ärmen på sin ljusrosa collegetröja som går ner över knogarna.

"Det är inte bråttom", försäkrar Hanna. "Försök minnas så mycket som möjligt bara."

Ebba stryker undan det ljusbruna håret från pannan.

"Amanda skulle städa ett hus i Sadeln", säger hon. "Jag skulle också ha varit med, men jag hade mensvärk så jag stannade hemma."

Hon flyttar sig några centimeter närmare sin mamma.

"När Amanda kom dit var det redan en annan tjej där. En utlänning. Amanda trodde att hon kom från Uzbekistan. Hon pratade jättedålig engelska. Det hade blivit ett missförstånd om vem som skulle jobba var den dagen."

Hanna håller andan. Ebba fortsätter.

"Amanda fattade att något var fel. Tjejen var så ledsen och hon hade flera blåmärken, som om hon blivit slagen. Till slut fick Amanda henne att berätta hur det låg till."

Ebba drar filten högre upp över sig, som om hon fryser.

"Amanda var en sådan person, en som folk fick förtroende för. Man vågade säga saker till henne."

"Vad hette den andra flickan?"

"Jag minns inte riktigt. Det lät nästan som Zara."

Det måste ha varit Zuhra.

"Vet du vad hon sa till Amanda?" säger Hanna och försöker dölja sin upphetsning.

"Att hon var … som en slav. Hon jobbade jämt men fick nästan inte betalt. De var tydligen tre tjejer i vår ålder som hade det så. De ville bara åka hem igen men kunde inte för de var skyldiga så mycket för resan till Sverige."

"Vem stod hon i skuld till?"

"Jag vet inte."

"Var det Linda som tvingade henne att arbeta så mycket?"

Ebba nickar. Sedan får hon ett osäkert uttryck i ögonen.

"Det var fler inblandade, en man också. Amanda sa att hon sagt till Linda att de inte kunde behandla den där tjejen så illa. Men då sa Linda att det inte var hennes idé, att det var hennes chefs och han blev jättearg om man bråkade."

Hannas hjärna går igång. Det här är riktigt allvarligt. En fullfjädrad traffickinghärva i Åre. Amanda kan ha blivit inblandad i grov och farlig brottslighet.

"Känner du till om den här unga kvinnan även tvingades till prostitution?" frågar hon.

Både Ebba och hennes mamma ser förskräckta ut.

"Jag vet inte", säger Ebba. "Det var bara Amanda som träffade henne."

"Visste hon vem det var som låg bakom? Var det en person från trakten?"

"Jag tror inte det."

Hanna antecknar febrilt.

"Sa hon något mer? Jag är tacksam för allt du kommer ihåg, även små detaljer."

Ebba gnager på sin tumnagel, munnen darrar.

"Alltså …", säger hon och tvekar. "Amanda pratade om att hon måste hjälpa den där tjejen och hennes kompisar. Hon kunde inte släppa det, hon pratade om det hela tiden. Ett tag var hon inne på att lämna ett anonymt tips till polisen."

Ebba slår hjälplöst ut med händerna.

"Men jag vet inte om hon hann det …"

105

Korridoren på Östersunds sjukhus, där Harald sitter på en bänk, är målad i en brunrosa nyans. Han har väntat i timmar medan sjukvårdspersonalen har tagit hand om Lena.

Hon är fortfarande medvetslös.

Ljuset från lysrören i taket blänker i linoleummattan. Det piper från ett av de bortre rummen medan en röd lampa över dörren blinkar efter uppmärksamhet.

Folk kommer och går från Lenas rum hela tiden. Han har sett maskiner som rullats dit, droppställningar som förts ut, men ingen har satt sig ner med honom för att berätta vad som händer.

Barnen är kvar i Åre. Haralds mamma hämtade dem ungefär samtidigt som ambulansen tog med sig Lena. Han själv följde efter i egen bil.

Han stirrar på väggen mittemot utan att egentligen se tavlan med färgglada blomstertryck. Mobilen ringer men han svarar inte. Han är fortfarande så chockad att han inte kan bläddra i en tidning, än mindre föra ett samtal på telefon.

Harald begraver ansiktet i händerna.

Om han bara hade ansträngt sig mer för att se efter hur Lena mådde. Varför gick han inte in i sovrummet och försökte prata med henne? Varför lät han henne bara ligga där, timme efter timme, utan att åtminstone tala med husläkaren som skrev ut sömntabletterna?

Vad ska hända med Mimi och Kalle om hon också går bort?

Dörren öppnas och en kvinna kommer ut. Hon ser sig omkring som om hon letar efter någon, upptäcker Harald och går fram till honom. Det står "överläkare" med prydliga bokstäver på namnskylten på bröstet.

"Hur är det med dig?" säger hon.

Harald ser uppgivet på henne. Vad ska han säga? Hela situationen är overklig.

"Din hustru har inte vaknat än", förklarar läkaren. "Hon har fått en magsköljning, eller magpumpning som det ofta kallas, och vi har gett henne kol för att försöka neutralisera medicinerna hon fick i sig. Problemet är att vi inte vet vid vilken tidpunkt hon tog tabletterna, därför kan jag inte säga hur hon kommer att svara på det."

Hon stoppar ner händerna i fickorna på läkarrocken.

"Det var bra att du tog med medicinerna", fortsätter hon. "Då vet vi i alla fall vad hon har fått i sig."

"Hur är det med henne?"

Harald känner inte igen sin egen röst. Den låter sprucken och ansträngd, stämbanden vill inte samarbeta. Han harklar sig och gör ett nytt försök.

"Kan jag gå in till henne?"

"Du kan gå dit men du måste vara beredd på att det kan upplevas som ... skrämmande. Hon har ett flertal elektroder på kroppen eftersom vi behöver övervaka andningen. Hon får syrgas och vi har satt ett dropp."

Hon avvaktar.

"Men läget är stabilt", säger hon sedan.

Harald försöker översätta den medicinska termen. Vad betyder det, egentligen?

Kan man vara stabil även om man är döende?

"Kommer hon att bli bra igen?" får han ur sig.

"Det är för tidigt att säga."

"Finns det risk för hjärnskador?"

Han snubblar lite på det sista ordet.

"Jag beklagar, men jag kan inte riktigt svara på det heller. Hon måste vakna först."

En stor trötthet väller fram i Harald. Han lutar bakhuvudet mot väggen, blundar i några sekunder. Ögonlocken är omöjligt tunga.

"Du kanske ska åka hem och försöka vila lite", säger läkaren.

"Jag bor i Åre."

"Jag förstår. Det är långt att köra."

Hon ser på klockan, verkar behöva gå till nästa patient. Det har stänkt på den gröna rocken, tyget har fått roströda fläckar nertill.

"Vi kan säkert ordna ett vilorum till dig", säger hon. "Om du vill bli kvar på sjukhuset i natt. Jag tror att det kan dröja ett tag innan din hustru vaknar."

Harald läser mellan raderna, hör det hon inte vill uttala högt.

Om hon vaknar.

Han ser Mimi och Kalle för sin inre syn igen. De har precis förlorat sin älskade storasyster. Ska de förlora sin mamma också?

Lena ligger medvetslös där inne och han har svikit henne på värsta tänkbara sätt. Hon som är mor till hans barn, som har stått vid hans sida sedan de gick ut skolan.

Om han bara hade förstått vad affären med Mira skulle föra med sig ...

Det bränner till innanför pannbenet, en ensam punkt av destillerat hat mot mannen som orsakat hans familj så mycket smärta. Han avskyr sig själv för det han gjort men han hatar Fredrik ännu mer.

Även detta har Fredrik på sitt samvete.

Tanken på att han rör sig fritt där ute gör Harald kräkfärdig.

Den kvinnliga läkaren betraktar honom med deltagande min. Små nålfina rynkor framträder kring ögonen i det skarpa lysrörsljuset.

"Vill du att jag hör efter om vilorummet?" upprepar hon och rör lätt vid hans axel.

Harald skakar av sig handen.

Han reser sig så plötsligt att hon tar några steg bakåt.

"Jag måste åka hem", mumlar han.

Han vet att han låter brysk men orkar inte be om ursäkt. Istället tar han hissen ner och går raka vägen till parkeringen.

Han håller så hårt i bilnycklarna att de skär in i huden, men smärtan får honom att fokusera.

Tvillingarna får sova kvar hos hans mamma i natt.

Fredrik har inte bara mördat hans äldsta dotter och deras älskade hund. Han har även drivit Lena till dödens rand.

Hur många fler måste offras innan Fredrik blir stoppad?

106

Det lyser i fönstren när Hanna parkerar sin bil några hundra meter från Albins väg 11. Klockan är halv sex, hon var redan på väg hem efter mötet med Ebba när hon ändrade sig. Istället för att svänga av mot Björnen körde hon vidare mot Undersåker och tillbaka till Kristina Risbergs hem.

Det är kanske vansinnigt att fortsätta spana på egen hand men hon känner på sig att hon är något på spåren.

På vägen har hon talat med Daniel och redogjort för samtalet med Ebba. Hon har nämnt att det finns en kvinna som heter Linda på Fjäll-städs kontor, det står klart att företaget måste utredas närmare. De har enats om att ses på stationen i morgon bitti.

Hon har fortfarande inte berättat för honom om Kristina Risberg och Zuhra men hoppas upptäcka något de närmaste timmarna som kan koppla dem till utredningen.

Vad som helst som inte går att härleda till hennes olovliga intrång i Risbergs hem.

Hanna tar en tugga av äpplet hon har med sig. Tanken snuddar vid Christian, hon skulle ju ringa honom nu. Det tar emot för mycket. Hon får ta det senare, innan hon och Lydia ska pratas vid.

Istället börjar hon gå igenom sina anteckningar om Fjäll-städ.

På ytan ser det ut som ett legitimt företag. Årsredovisningen skulle inte vara tillgänglig via webben om de inte lämnat in den i enlighet med bokföringslagen. Men Ebba har bekräftat att det förekom svartstädning och Hanna har med egna ögon sett hur Zuhra skickas runt mellan olika hus för att städa.

Rädslan Hanna såg i hennes ögon var verklig, hon var vett-skrämd.

Ebba sa att Amanda hade vänt sig till Linda för att protestera och Linda hade skyllt på sin manliga chef. Alltså finns det en man högre upp i organisationen som vet att Zuhra har avslöjat sin utsatta situation för Amanda.

Det ökar bara Hannas beslutsamhet. Alla dessa jävla män som exploaterar utsatta kvinnor.

Förmodligen blev Zuhra straffad för att hon talade med Amanda. Det var därför hon inte vågade berätta sanningen när Hanna erbjöd sig att hjälpa henne.

Hanna stirrar ut i snöyran och fogar samman pusselbitarna. Det är redan så kallt i bilen att andedräkten blir till rök. Hon startar motorn, riktar fläkten mot fötterna och drar upp den till max. Hon får inte bli för nerkyld, då kan hon inte sitta kvar.

Risken för att Fjäll-städs illegala verksamhet skulle avslöjas är förmodligen mycket liten. Systemet med många fritidshus och ständigt uthyrda lägenheter skapar en god marknad för den som har tillgång till svart arbetskraft. Kontrollen blir obefintlig med ett ständigt flöde av nya hyresgäster eller stugägare som bara använder sina boenden några veckor per säsong.

Skulle någon ändå komma hem är det ingen fara. Hanna har själv sett att Zuhra inte tordes prata med henne. Papperslösa flyktingar kan varken protestera eller skvallra för myndigheterna.

Det är cyniskt men raffinerat.

Den vita delen av företaget visas upp för skattemyndigheterna och tjänar samtidigt som front mot klienterna. Parallellt pågår en verksamhet där underbetalda och utnyttjade anställda används för att tjäna mer pengar. Dessutom har de då och då använt sig av tonårsflickor, förmodligen vid arbetstoppar när den vanliga styrkan inte hunnit med.

Hanna kan inte låta bli att undra om hela styrelsen är med på upplägget eller om det är folk i bakgrunden som är ansvariga. Många ledamöter i mindre bolagsstyrelser har dålig koll, ofta tar man in kompisar och bekanta mot ett hyggligt arvode. Varför ska man då bråka om räkenskaperna?

Det är vattentätt.

Tills en person som Hanna råkar dyka upp och ställa fel frågor.

107

När Kristina Risberg kommer ut och startar den mörkgrå Golfen är klockan fem över halv sju. Hanna hade nästan gett upp hoppet, var precis på väg hem för att ringa Lydia som de bestämt.

Nu vaknar adrenalinet.

Tänk om hon har sådan tur att Risberg leder henne vidare i härvan, kanske till huvudmannen? Hon vill så gärna hjälpa Zuhra och sätta dit de där kräken. Enligt Ebba fanns det två tjejer till från Uzbekistan som befann sig i samma utsatta situation.

Det måste bli ett stopp på det här.

Hon följer efter Risberg, försöker hålla avstånd så att den andra kvinnan inte ska förstå att hon är skuggad. Golfen kör mot Björnen, igenom centrum och svänger av mot Copperhill-området, högre upp på berget.

Risberg stannar utanför ett mörkbrunt hus med stora glaspartier. Det är tänt där inne och plötsligt dyker Zuhra upp i det stora panoramafönstret.

Även på avstånd går det att uppfatta hur trött hon är. Ryggen är böjd och rörelserna långsamma. Om hon började lika tidigt som hon gjorde igår så har hon arbetat sedan sju i morse, det är nästan tolv timmar.

Helst skulle Hanna vilja rusa in och ta med sig Zuhra därifrån, men det går inte, då förlorar hon möjligheten att ta reda på vem som bär ansvaret. Hon tvingar sig att sitta stilla och tar fram mobilen för att fotografera.

Zuhra bär ut städutrustningen och sätter sig i bilen. Hanna

följer efter. Golfen blinkar vänster när de närmar sig E14 och svänger ut på motorleden.

Är Risberg på väg tillbaka till sitt eget hus i Undersåker? Nej, hon fortsätter förbi avtagsvägen och kör vidare mot Järpen.

Hanna är tacksam för mörkret. Det gör det svårare för Risberg att avgöra om det hela tiden är samma bil som ligger bakom.

Efter tjugo minuter närmar de sig Järpen, är det slutmålet?

Golfen saktar in och tar vänster på Skansvägen, sedan höger på Skogsvägen.

Det blir allt svårare för Hanna att hålla avståndet.

Stressen gör henne svettig i den varma dunjackan.

De passerar en rad mindre enplanshus i trä. Till slut svänger Golfen in på något som heter Hjortronstigen. Det är en återvändsgata, Hanna ser skylten i sista stund och lyckas bromsa precis före gathörnet.

Hon stänger snabbt av motorn så att inte strålkastarna ska synas och krånglar sig över till passagerarsidan för att försöka se vad som händer.

Golfen har stannat framför ett grått hyreshus med tre våningar. Det ser slitet ut, det är klotter på fasaden och portlampan är trasig. Flera av fönstren är fördragna som om ingen längre bor där.

Zuhra kliver ur men den här gången har hon ingen städutrustning med sig. Den stannar tydligen i bilen.

Hanna kastar en snabb blick på klockan. Kvart över sju.

Zuhra försvinner in i porten och dörren går igen bakom henne.

Golfen backar ut och passerar Hanna precis som den gjort förut under dagen. Måtte nu Risberg inte lägga märke till henne.

Hanna väntar i några minuter. När hon är säker på att Risberg verkligen åkt sin väg lämnar hon sin bil och går hukande mot trevåningshuset och känner på porten.

Den är inte låst.

Hon öppnar och kommer in i en gråmålad entré som är lika sliten som utsidan. Även här har man klottrat på väggarna och det ligger flera cigarettfimpar på golvet. Hon ser sig förgäves om efter en anslagstavla med namn på de som bor i byggnaden.

Det finns två lägenheter på bottenvåningen, då bör det rimligtvis finnas lika många på varje plan. Det betyder åtta lägenheter. Zuhra kan vara i vilken som helst av dem.

Hur ska hon hitta henne?

Hanna granskar namnskyltarna. Inget av efternamnen ser ut att tillhöra en person från Uzbekistan. Men det är knappast troligt att den som ligger bakom upplägget har låtit Zuhra hyra lägenheten i sitt eget namn.

Hon lägger örat mot den första dörren och försöker lyssna efter ljud som kan ge vägledning. Tv:n är på, det låter som nyheterna. Bakom den andra dörren är det knäpptyst, kanske är det ingen som bor där med tanke på de fördragna gardinerna.

Hanna fortsätter upp till första våningen och gör om samma sak. Barnskrik hörs från en av dörrarna och i den andra lägenheten grälar man högljutt.

När hon kommer till andra våningen tycker hon sig höra en mansröst som pratar med en som svarar lågt på engelska.

Hon smyger fram och pressar örat mot dörren.

Visst är det en kvinna som gråter?

Mansrösten blir mer högljudd och kommer närmare.

Hanna backar och tar några steg upp i trappan. Plötsligt öppnas dörren och Hanna hinner precis dra sig undan så mycket att hon inte syns från dörröppningen.

Hon ser en skymt av en medelålders vit man som försvinner ner mot porten medan lägenhetsdörren smäller igen med ett brak.

Snyftningarna innanför hörs tydligare nu.

Hanna är nästan säker på att hon känner igen Zuhras röst.

Ska hon försöka ta kontakt eller följa efter mannen som just stormade ut?

Nu vet hon var hon kan hitta Zuhra.

Mannens steg ekar fortfarande i trapphuset.

Hanna rusar efter.

108

Det dröjer ett bra tag innan Daniel kan börja köra tillbaka till Åre. Diskussionen med åklagaren Tobias Ahlqvist tog lång tid utan att det resulterade i ett konkret beslut. Han vill ha ett bättre bevisläge innan han är redo att gå vidare med en husrannsakan hos Fredrik Bergfors.

Samtidigt är de nya uppgifterna om Amandas och Ebbas svartjobb som Hanna fick fram intressanta. De pekar i en ny riktning och måste följas upp.

Hanna gjorde ett bra jobb när hon fick Ebba att öppna sig.

Han har precis passerat Åre chokladfabrik och är på väg till Amandas föräldrar trots att klockan snart är halv åtta. Kanske kommer de på något mer om den mystiska Linda när de får höra den nya informationen om Amandas extraknäck.

Daniel parkerar på gatan utanför familjens hus. Det är släckt överallt, det enda som lyser är en stor adventsstjärna i köksfönstret. Han ringer på och väntar. Och ringer på igen.

Just som han ska gå därifrån öppnas dörren av Harald.

"Är det du?" säger han.

Daniel känner knappt igen honom. Det har bara gått några dagar sedan de sågs senast men Harald har åldrats många år. Ansiktet är grått, kinderna ihåliga och orakade.

"Vad vill du?" mumlar han.

"Jag skulle behöva tala med er om en sak", förklarar Daniel. "Får jag stiga på?"

Harald ser oändligt trött ut men nickar och tar ett steg tillbaka for att slappa in honom.

Daniel kliver in, de yngre barnen verkar inte vara hemma.

När han kikar in i köket står en spritflaska på köksbordet tillsammans med ett halvfullt glas.

"Är Lena hemma?" säger han. "Det vore bra att få prata med er båda två."

Harald ser frågande på Daniel.

"Hon ligger på sjukhuset i Östersund. Hon ... tog en överdos sömntabletter i natt."

Nu förstår han varför Harald verkar så trasig.

"Hur är det med henne?"

"Hon ligger i koma. De kan inte säga om hon kommer att vakna igen ..."

Rösten svajar till, blicken slocknar.

"... eller om hon har fått hjärnskador."

Han kan knappt avsluta meningen.

"Jag beklagar", säger Daniel. "Det måste vara ohyggligt svårt för dig. Jag hoppas verkligen att Lena klarar sig."

Han tvekar, orkar Harald med frågor i sitt nuvarande skick?

"Det här tar inte lång stund", säger han. "Du ska veta att vi gör allt för att hitta Amandas mördare."

Snabbt berättar han om hennes meddelanden på Messenger. Att hon verkar ha städat för en kvinna som heter Linda och fått betalt under bordet.

Vet Harald vem det kan vara?

Han skakar på huvudet.

"Varför skulle Amanda ha jobbat svart?" säger han. "Hon vet precis vad jag tycker om den sortens saker. Jag är heltidspolitiker, det är otänkbart i vår familj."

Med de orden förklarar han varför Amanda höll det hemligt. Daniel avstår från att påpeka det. Istället tackar han för sig och ska just gå när Harald ställer sig i vägen.

"Hur går det med Bergfors?" säger han.

Daniel blir förvånad över det hätska tonfallet.

"Är han anhållen?" fortsätter Harald.

"Utredningen är inte klar", svarar Daniel undvikande. "Det är mycket som behöver kontrolleras först."

"Det måste vara han!"

"Det är alldeles för tidigt att dra den slutsatsen."

"Det var Fredrik som förgiftade Ludde."

Harald nästan skriker ut orden.

Daniel tvekar, han vet inte vad han ska tro.

"Är du säker på det?"

"Mira berättade det för mig igår."

Det var märkligt, de frågade henne om just den saken. Då förnekade hon det med stor kraft.

Om hon ljög om det kanske hon har ljugit om Fredriks alibi också?

Det vill han inte nämna för Harald. Han är redan tillräckligt upprörd.

"Låt oss göra vårt jobb", säger han istället. "Vi kommer att undersöka det. Så snart vi vet mer hör vi av oss."

Daniel är på vippen att lägga en lugnande hand på Haralds arm men avstår när han ser honom i ögonen. Han är både full och arg, det kan misstolkas.

"Har du någon du kan ringa till", säger han. "Så du slipper vara ensam?"

Haralds blick hårdnar. Han vänder Daniel ryggen.

"Gå din väg och lämna mig ifred", muttrar han över axeln.

109

Genom rutan i porten ser Hanna två baklyktor som försvinner ut från Hjortronstigen. Hon springer mot sin egen bil och riv-startar motorn, gör en U-sväng som nästan får henne att glida ner i diket, och fortsätter så fort hon vågar på Skogsvägen.

Vart tog han vägen?

Hon vrider huvudet åt alla håll för att få syn på det andra fordonet. Långt fram skymtar hon en mörk bil. Är det han?

Hon gasar på den snöiga vägbanan och följer efter.

Tankarna rusar. Hon fick inte mer än en glimt av man-nen som lämnade lägenheten men det var något bekant över honom. Hon letar i minnet men inser att hon måste koncen-trera sig på bilkörningen. Snöyran har tilltagit. Vädret har blivit mycket sämre den senaste timmen. Vindrutetorkarna arbetar för fullt men det är ändå svårt att se ordentligt.

Hon kommer till gathörnet där Skogsvägen korsar Skans-vägen och ser sig desperat omkring.

Visst vek han in på Skansvägen? Kan det betyda att han är på väg tillbaka till Åre?

Hon svär till, vet att hon inte har många sekunder på sig. Hon måste fatta ett beslut innan han försvinner och hon missar chansen att komma i fatt.

Hastigt vrider hon om ratten och kör in på Skansvägen. Ljusen på bron över Järpströmmen avslöjar en ensam bil som försvinner i riktning mot Åre.

Det måste vara han.

Hanna svänger ut på bron och hoppas att hon fattat rätt beslut. Sikten är usel, snön yr framför strålkastarna och skapar ett dis som döljer vägbanan. När vägen kröks förlorar hon den andra bilen ur sikte men sedan dyker det åter upp ett par baklyktor längre fram i mörkret.

Hanna ber en stilla bön att det är samma bil.

Han kör alldeles för fort, hon har svårt att hänga med. Spänningen får det att krypa i kroppen.

Vägbelysningen upphör.

Det enda som visar vägbanans sträckning är hennes egna strålkastare som förgäves kämpar mot den virvlande snön.

Vägen kröker sig igen och en långtradare dyker upp i ett moln av snörök. Hans strålkastare är så kraftiga att hon bländas. Det är nätt och jämnt hon ser var vägen tar slut och vägrenen börjar.

Hon borde sakta in men vågar inte av rädsla för att tappa bort den andra bilen.

När långtradaren sveper förbi henne skakar hela bilen till av vinddraget. För ett kort ögonblick släpper bakhjulen, hon förlorar fästet och skriker rätt ut.

Sedan tar däcken i igen och hon återfår kontrollen.

Händerna skakar av adrenalin, svetten samlas i pannan och rinner nerför tinningarna. Hanna kan höra sina egna flämtande andetag medan hon försöker komma i kapp.

Den andra förarens baklyktor syns fortfarande som två svaga prickar längre fram. Hon får inte, kan inte, förlora honom ur sikte.

De befinner sig på en raksträcka.

Hanna ligger i åttio kilometer i timmen, som är hastighetsbegränsningen, men ljusen från lyktorna blir svagare, bilen där framme är på väg att dra ifrån.

Hon kramar ratten så hårt att det gör ont, försöker köra fortare men är livrädd för att förlora kontrollen igen.

De har passerat Hålland, vägen är slingrigare här. Plötsligt blir hon medveten om ett starkt ljus i backspegeln.

Det ligger alldeles för nära.

Hon har fullt upp med att inte tappa bilen framför sig ur sikte men den som ligger bakom verkar accelerera.

Den kommer närmare fast väglaget är så dåligt att föraren borde hålla avstånd.

Hanna måste öka farten ännu mer.

Ljusen i backspegeln bländar henne, vad håller bilen bakom på med? Det är livsfarligt att ligga så nära i den här sortens väder, om den inte saktar ner kommer den att köra in i henne bakifrån.

Hon har inget annat val än att gasa ytterligare.

Pilen på hastighetsmätaren rör sig, från åttio till nittio och sedan är den uppe i hundra och hundratio.

Bilen svajar oroväckande på körbanan. Vindbyarna får snön att virvla allt snabbare framför vindrutan.

Ljuset i backspegeln är så starkt att hon måste kisa. Hennes blick irrar fram och tillbaka mellan spegeln och vägen.

Stressen får pulsen att explodera.

En kurva dyker upp från ingenstans.

Samtidigt skakar hela karossen när någonting smäller in i den bakre stötfångaren.

Ljusen i backspegeln syns inte längre.

Vad gör den där galningen? hinner hon tänka en mikrosekund innan hennes egen bil studsar till. Som i slowmotion ser hon hur motorhuven plöjer fram åt ett helt annat håll än vägbanan.

Sedan kommer träden rusande och hon försöker styra undan i panik.

110

Fredrik måste betala för det han gjort.

Harald sitter kvar i det mörka köket när Daniel har gått sin väg.

Bitterheten mot Fredrik utplånar allt annat. Hur kan han gå fri, som om ingenting har hänt? Ska han fortsätta leva som vanligt medan Haralds eget liv ligger i spillror? Polisen gör ingenting, det bekräftade Daniel innan han gick.

Harald ser den röda byggnaden där Mira och Fredrik bor för sin inre syn. Det stora fina trähuset som de lagt ner sin själ i. Hemmet där de sover gott och tryggt om natten med lilla Leah.

Deras dotter lever medan hans egen är död. Han hatar dem båda två.

Fredrik borde brinna i helvetet för sina handlingar.

Harald blinkar, plötsligt förstår han vad han måste göra.

Allting blir med ens enkelt.

Trä brinner fort, med några liter bensin och ett par tändstickor skulle deras hus stå i brand på några sekunder. Särskilt så här års, när kylan gör släckningsarbetet svårare och snön är i vägen för brandbilarna.

Harald börjar räkna på hur mycket bensin som skulle gå åt. Han tröstar sig med siffermetodiken, kan redan föreställa sig den kaotiska scenen med eldsflammor och knastret från hungriga lågor.

Alla känslor han försökt hålla inne väller fram.

Varför ska han vara ensam om sitt lidande?

Efter några minuter reser han sig och hämtar kängorna. Utan att bry sig om jacka går han ut och öppnar garageporten.

Där, på bänken i ena hörnet, hittar han reservdunken som alltid brukar vara fylld med bensin.

Han lyfter upp den och känner tyngden.

Den är full, precis som den ska vara. För säkerhets skull skruvar han av det gröna locket och kontrollerar innehållet. När han stänger igen råkar han spilla några droppar på byxorna.

Lukten skänker honom ett märkligt lugn. Den ger honom ny styrka och får honom att se dansande gnistor framför sig. Eldstungor som slickar väggarna på Fredriks och Miras hem tills ingenting återstår och allt har blivit aska.

Harald skruvar omsorgsfullt på locket igen och ställer in dunken i bilens baklucka.

Klockan är snart halv nio, han ska vänta några timmar tills alla sover. Han kan parkera nere vid E14 och gå den sista biten. Ingen kommer att lägga märke till honom. Det är nästan minus tjugofem grader utomhus och alla håller sig inne i sådan kyla.

Dessutom snöar det ordentligt, det gör honom ännu mer osynlig.

Det kommer att vara en enkel sak att hälla bensin på de torra träväggarna och tända några tändstickor.

Bilden av lilla Leah fladdrar förbi men han skjuter undan den. Det enda som håller honom uppe just nu är hoppet om att Fredrik ska sona sitt brott.

Han kan inte låta tanken på Miras barn hindra honom.

Det är han skyldig sin egen dotter.

111

Det är beckmörkt när Hanna vaknar till. Krockkudden är utlöst, hon fryser och pannan bultar intensivt av smärta.

Det tar några sekunder innan hon förstår var hon befinner sig.

Sedan minns hon, vansinnesjakten på E14, bilen bakom som kom för nära. Smällen som fick henne att förlora kontrollen över sitt eget fordon.

Hon vrider försiktigt på nacken, försöker känna efter om hon är skadad. Musklerna lyder, allting verkar vara helt förutom att det värker fruktansvärt vid tinningen.

När hon försiktigt rör vid huden gör det ännu ondare. Hon för fingret till munnen och känner smaken av blod.

Paniken sköljer över henne. Hon sitter fast i bilen och det är kolsvart överallt. Inga hus skymtar i mörkret, inte en människa syns till.

Var är hon?

Hon körde på en raksträcka genom skogen precis innan hon tvingades av vägen. Allt gick så fort, hon minns inte var hon befann sig, bara att den andra bilen låg alldeles för nära och körde på henne bakifrån.

Om föraren ville skada henne måste det ha varit någon som förföljt henne hela vägen från Zuhras hus.

Misstanken skrämmer, fast hon borde ha förstått att människorna som utnyttjar Zuhra är hänsynslösa.

Det är fruktansvärt kallt och hon är så nerkyld att hon hackar tänder. Kylan går igenom märg och ben, hennes flämtande andedräkt blir till vit rök. Hon måste ha varit avsvimmad ett bra tag eftersom all värme gått ur kroppen.

Hon behöver ta sig härifrån.

Hanna prövar att vrida om nyckeln, motorn startar tack och lov, men hjulen bara spinner. Hon kommer inte en millimeter varken när hon lägger i backen eller försöker gasa.

I skenet från strålkastarna blir hon medveten om sin omgivning. De höga granarna bildar en mörk vägg i varje riktning, längre bort syns en stor sten. Träden växer tätt men på något sätt har hon lyckats styra mellan stammarna och fått stopp på farten precis framför en gran.

Den står bara en meter framför kofångaren och ser olycksbådande tjock ut i strålkastarljuset.

Hon har haft mirakulös tur som överlevt bilolyckan.

Insikten om hur nära döden hon varit får henne att darra.

Hade hon frontalkrockat med granen skulle hon med all sannolikhet dött av smällen. Nu har hon bara slagit upp ett sår i pannan. Förmodligen har hon fått en hjärnskakning också. Hon känner sig yr och lite illamående, har svårt att fokusera.

Tänderna skallrar, fingrarna är iskalla och hon har nästan ingen känsel i fötterna.

Hon måste ringa Daniel och kalla på hjälp.

Men när hon börjar fumlar i fickan efter mobiltelefonen hittar hon den inte. Hade hon den framme när hon satte sig i bilen? Hon lägger den ofta på passagerarsätet eftersom det är förbjudet att hålla i mobilen under körning.

Hanna försöker minnas men allting flyter samman. Det enda hon vill göra är att luta sig tillbaka och sova.

Ögonlocken är tunga men illamåendet ökar ändå. Hon mår så dåligt att hon måste öppna dörren för att kräkas. Magen vänds ut och in, hon spyr rätt ner i snön så att det ångar.

Det får henne att vakna till.

Hon får absolut inte somna i bilen. Om hon inte kommer härifrån kan hon frysa ihjäl under natten.

Precis som Amanda gjorde.

Hanna tvingar sig att leta systematiskt efter mobilen medan

motorn går. Hon tänder taklampan och försöker söka på golvet runt pedalerna för att se om den kan ha kastats ner vid den häftiga inbromsningen.

Den måste vara i bilen, hon kan inte ha tappat den när hon sprang från huset. Sådan otur kan hon inte ha.

Hon hukar sig så gott det går och känner med fingrarna överallt.

Om den inte är på golvet har den kanske halkat ner på sidan av förarsätet. Hon trevar, sträcker fingrarna så långt hon förmår mellan de två främre sätena, utan att få tag i den.

Tårar av frustration väller fram. Hur kunde hon vara så dum att hon inte berättade för Daniel vad hon tänkte göra?

Ingen vet var hon befinner sig.

Om hon åtminstone hade skickat ett sms.

Illamåendet växer igen, hon är så trött och behovet att få sova blir allt starkare. Hon nyper sig i handflatan för att fokusera.

Kan mobilen ha kastats bakåt av smällen så att den hamnat under baksätet?

Hon vill inte gå ut i den bitande kylan utan klättrar bak istället. Där lägger hon sig på knä och drar långsamt med fingertopparna över gummimattan, viskar *snälla*.

Då känner hon något hårt mot huden. Det måste vara telefonen.

Lättnaden sköljer genom kroppen. Försiktigt lirkar hon fram mobilen under passagerarsätet där den ligger inklämd.

Den får inte vara sönder nu.

Hanna trycker på skärmen och ser den lysa upp.

Sedan slocknar den.

Hon trycker igen men den förblir mörk.

Hon vet att batteriet inte var urladdat när hon åkte hemifrån. Hon borde ha minst hälften kvar.

Sedan förstår hon. Det är en Iphone, deras batterier klarar inte sträng kyla. Vid det här laget är bilen så utkyld att mobilen stänger ner. För att den ska vakna igen måste den bli varm.

Hon tar mobilen och stoppar den innanför tröjan, inuti bh:n. Metallen är iskall men hon intalar sig att det är bra. Hon behöver hålla sig vaken tills hon får hjälp. Det går att ha motorn på för att bli varm en stund men hon vet inte hur länge hon kan köra den utan att batteriet tar slut. Klockan är tjugo i nio på kvällen.

Hanna klättrar mödosamt tillbaka till förarsätet och sätter sig till rätta igen. Försöker ignorera den pulserande värken som sluter tätt om huvudet, som en stålhjälm med invändiga piggar.

Just när hon ska sträcka ut handen för att stänga av taklyset blir det svart.

Hanna kippar efter andan.

Hon vrider om nyckeln gång på gång utan att någonting händer, till slut tvingas hon acceptera att bilen inte kommer att starta igen.

Hur långt kan hon vara från landsvägen?

Inte alltför långt, även om hon tycks ha kanat en bit in i skogen. Kanske kan hon gå tillbaka till vägen och försöka stoppa en bil som kan hjälpa henne?

Tanken på att ge sig ut i kylan utan mobil eller ficklampa gör henne kallsvettig. Hon förstår inte hur hon ska hitta till E14 i det kompakta mörkret, även om det inte kan vara mer än några hundra meter. Inte heller hur hon ska få en passerande bil att upptäcka henne. Risken att bli påkörd är överhängande.

Alternativet, att sitta kvar i en allt mer utkyld bil, är inte mycket bättre.

Kan det finnas en ficklampa i bilen?

Hanna öppnar handskfacket för att rota runt. När hon böjer sig fram skjuter en sådan pil av smärta genom pannan att hon skriker till.

Det ligger bara papper och en extra isskrapa i handskfacket.

Om hon stannar i bilen är risken stor att hon somnar. Armar och ben har redan blivit tyngre, hon måste kämpa för att inte låta tröttheten övermanna henne. Hon vill inte frysa ihjäl ensam i skogen.

Om hon går ut i kylan riskerar hon också livet, hon skulle kunna gå åt fel håll och bara vandra längre och längre in bland träden.

Hon drar fram mobilen från bh:n, försöker sätta på den men möts bara av den svarta skärmen.

Ännu en gång förebrår hon sig själv för att hon inte meddelade Daniel vad hon tänkte göra.

Varför ska hon alltid hantera saker på sitt eget sätt? Hon kunde bara ha berättat om sina misstankar mot Kristina Risberg och sagt att hon tänkte spana på henne i några timmar.

Nu är det alldeles för sent. Ingen vet vart hon har tagit vägen.

Hon behöver fatta ett beslut. Det måste vara bättre att leta efter vägen än att stanna här där det kan gå timmar utan att hon hittas.

Mörkret slår emot henne när hon öppnar bildörren och ger sig iväg.

112

Servitören har precis ställt fram den nygräddade pizzan framför Daniel. Han har tagit sin tillflykt till en av Åres mer populära pastarestauranger, Prima Pasta, för att få en stunds andrum efter dagens många och olika besked.

Efter maten ska han åka hem och göra allting bra med Ida. Han längtar efter henne och Alice, har ett nästan fysiskt behov av att känna sin dotters lilla varma kind mot sin.

Han behöver bara samla sig en stund. Beskedet att Lena Halvorssen försökt ta livet av sig är tungt. Rent logiskt förstår Daniel att det inte är hans fel. Men Haralds förtvivlade blick plågar honom. Tragedin tycks aldrig ta slut.

Han skär en bit pizza. Doften av tomatsås, mozzarella och salami tröstar på något primitivt plan. Det får honom att tänka på sin mamma. Hon skulle ha förstått hur misslyckad han känner sig just nu.

Tankarna återvänder till Amanda. Hennes okända extrajobb på Fjäll-städ har något att göra med hennes död, det blir han mer och mer övertygad om.

Kan det finnas en koppling mellan Fredrik Bergfors och Fjäll-städ? Vad Daniel vet skulle det kunna vara så. Bergfors är ansvarig för många av de nybyggda husen. Så snart de är uppförda behöver ägarna köpa städtjänster.

Det går att tjäna pengar i alla led.

Harald sa att det var Bergfors som låg bakom hundens död, det hade Mira förklarat.

Mer och mer pekar mot Fredrik Bergfors även om Daniel

inte är beredd att avskriva alla misstankar mot Viktor och Sandahl riktigt än.

Daniel minns listan över styrelseledamöter i Fjäll-städ som Hanna visade häromkvällen. Visst stod Fredrik Bergfors namn med på den?

Han ska precis ta fram mobilen för att kontrollera saken när den piper till i bakfickan. För en kort sekund är han frestad att äta klart innan han läser. Sedan tar pliktkänslan över och han drar fram telefonen ur bakfickan.

Meddelandet kommer från ett okänt nummer.

Förlåt att jag stör, men jag förstår att du har börjat jobba med min lillasyster Hanna Ahlander. Vi skulle pratas vid runt sjutiden idag och hon svarar inte fast jag har ringt många gånger. Det är inte likt henne att gå upp i rök. Jag vill bara kolla att allting är OK.

Det är undertecknat av en person som heter Lydia.

Daniel ser på klockan. Hon är tio över nio.

Han försöker ringa Hanna men hamnar bara hos telefonsvararen. Han ringer igen med samma resultat.

När han senast talade med Hanna var klockan runt halv sex. Hon hade precis kommit ut från Ebbas hus och det lät som om hon var på väg hem till Sadeln.

Det har gått fyra timmar sedan dess.

Vart har hon tagit vägen om hon inte åkt hem?

Systern skulle knappast ha letat upp hans nummer och messat honom om hon inte var bekymrad.

Daniel ser ut genom fönstret. Vädret är fortfarande uselt, snön yr i luften och vinden har ökat. Flaggorna på torget står i givakt i den hårda blåsten.

Han vill åka hem till Ida och Alice men blir själv orolig av Hannas systers sms.

Han slänger iväg ett snabbt svar till Lydia att han ska försöka få tag i Hanna. Sedan reser han sig med en längtansfull blick på den varma pizzan, skär en stor bit som han tar med sig och går för att betala.

113

Vinden piskar Hanna i ansiktet och det är tungt att ta sig fram i terrängen. När hon sätter ner fötterna ger snön vika och hon får pulsa fram. Nu förstår hon varför bilen inte kom någon vart, det är alldeles för mycket lös snö för att hjulen skulle ta ordentligt.

Hon kryper ihop mot den iskalla blåsten och försöker gå i samma spår som bilen lämnat. Om hon följer dem borde hon komma till vägen, det är logiskt.

Problemet är att hon knappt ser något.

Omgivningen är obegripligt svart, hon har aldrig förstått hur skrämmande det är att inte ens se handen framför sig. Det är svårt att behålla lugnet när det inte går att orientera sig.

Rädslan för att gå vilse växer med varje steg.

Så länge hon har koll på bilen känns det bättre. Då kan hon åtminstone återvända dit om hon inte skulle hitta fram till motorleden. Men Mitsubishin försvinner ur sikte alldeles för snabbt. Ju mer hon anstränger ögonen, desto mer osäker blir hon på riktningen.

Hon har varit tillräckligt mycket i fjällen för att veta hur svårt det är att behålla fattningen i mörker och snöstorm. Det är lätt att hamna fel, det är därför människor kommer bort sig och avlider vid oväder.

Läpparna har blivit stela, kölden biter smärtsamt i kinderna.

Hanna drar upp halsduken ännu mer utan att det hjälper. Den är redan täckt av tunn is och fukten från hennes egen andedräkt.

Hon tycker att ögonen borde vänja sig men det blir inte

lättare att se. Eftersom hon inte har ett armbandsur utan brukar lita på mobilen vet hon inte hur länge hon har befunnit sig utomhus.

För varje minut blir hon räddare och räddare för att hon går åt fel håll, djupare in bland granarna.

Det borde komma en bil, tänker hon för att hålla modet uppe. E14 är en landsväg, då och då kommer det bilar även om det är sent på kvällen.

Det behövs bara ett enda fordon för att hon ska se ljuset från strålkastarna och hitta rätt.

Tårarna som tränger fram klibbar fast i ögonlocken av kylan.

Hon böjer sig ner på knä, försöker kontrollera om hon fortfarande håller sig till spåren efter bilen. Fast ansiktet bara är en meter över marken är det svårt att avgöra. Hon får sätta sig på huk och känna efter med handen för att undersöka om snön är tillplattad. Trots att hon fryser så hon skakar är det underbart att slippa vara i rörelse.

Hon sjunker ner lite djupare, makar sig till rätta på ena sidan. Någon minut kan hon unna sig, sedan måste hon fortsätta.

Hon gör ett försök att ställa sig upp men det går inte.

Hon orkar inte, hon måste få ta igen sig lite till.

Smärtan i pannan lindras när hon sluter ögonen. Snön är mjuk och behaglig under hennes ben. Den bäddar in henne och sluter sig kring kroppen som sköna kuddar, lockar henne att lägga sig ner ordentligt.

Den delen av hennes hjärna som fortfarande fungerar varnar för frestelsen.

Hon får inte bli kvar här ute i skogen och absolut inte ligga ner. Hon måste ta sig till E14 och skaffa hjälp. Snart kommer hon att förfrysa både ansiktet och fingrarna.

Eller, ännu värre, somna i snön.

Då kommer hon inte att vakna igen.

"Jag ska fortsätta", mumlar hon för sig själv. "Alldeles strax. Jag ska bara vila lite först."

114

Det är tomt på E14 när Harald kör mot familjen Bergfors hus med händerna hårt knutna om ratten.

När han kommit halvvägs slår hjärtat så intensivt att han måste stanna till vid en parkeringsficka.

Luft, han behöver få luft.

Svetten rinner och adrenalinet pumpar när han trycker på knappen för att veva ner rutan. En iskall pust strömmar in genom det öppna fönstret. Trycket över bröstet lättar när han drar några djupa andetag.

Ett plötsligt sug efter en cigarett kommer över honom fast han inte har rökt på mer än tio år.

Strålkastarna från en långtradare lyser upp vägbanan. Han ser sitt eget ansikte i backspegeln. Den avgrundsdjupa sorgen som sipprar fram ur ögonen. Han har fattat sitt beslut och vet att det är det enda rätta. Polisen kommer inte att ingripa mot hans dotters mördare, det förstod han efter Daniels besök tidigare på kvällen.

Det var då han bestämde sig.

Harald lägger i en växel och fortsätter bort mot Fredriks och Miras hus.

När han svängt av från stora vägen parkerar han några hundra meter nedanför tomten. Blåsten träffar honom i ansiktet så fort han går ut. Snöstormen håller i sig och vinden är kraftig.

Han är tacksam för det, den kommer att ta tag i lågorna och få elden att flamma upp.

Vädret är på hans sida.

Innan han tar fram bensindunken ur bakluckan ser han sig

omkring. Ingen människa går att upptäcka, han är alldeles ensam i mörkret.

Vägen som leder till huset ligger öde och övergiven när Harald börjar gå uppför backen.

Han är fullkomligt tom inombords, alla känslor har stängts av. Förut var han rasande, nu är han lugn och fokuserad.

Han har bara ett mål i sikte och det är att straffa mannen som har förstört hans liv.

115

En stormby kommer farande precis när Daniel kliver ut från restaurangen. Den hårda vinden får träden att jämra sig. Han skyndar mot bilen och kör mot Sadeln för att se efter om Hanna är hemma i huset.

Förmodligen är hon det. Hon kanske har somnat med mobilen satt på ljudlöst. Det behöver inte ha hänt något.

Samtidigt skaver messet från systern. Hon lät ordentligt bekymrad och hennes oro smittar av sig.

När han svänger in på Hannas väg är det stora huset mörkt och nersläckt. Daniel kör in på baksidan och konstaterar att Mitsubishin han såg förra gången inte är där. För säkerhets skull går han ut ur sin bil och knackar på.

Här uppe blåser det ännu mer. Det smattrar om linorna på flaggstången hos grannen, det låter som om de är på väg att slitas av. Kylan isar mot nacken och det är så kallt att ögonbrynen drar ihop sig.

Han knackar länge på ytterdörren utan att få svar. Sedan går han runt huset och försöker se genom fönstren till sovrummen. Ligger Hanna i sängen där inne?

När han lyser med mobilen är rummen tomma.

Han går tillbaka till bilen och sätter sig igen. Vart kan hon ha tagit vägen? Om hon bara sitter på en bar med en kompis borde hon väl ha ringt systern eller åtminstone svarat i telefon?

När mobilen ringer sliter Daniel fram den i hopp om att det ska vara Hanna. Men det är Länskommunikationscentralen som söker honom.

"Ja?"

"Jag har precis fått veta att en av dina kollegor har varit med om en bilolycka", säger den okända rösten. "Hon heter Hanna Ahlander, visst hör hon hemma i Åre?"

Det brinner till i Daniel.

"Vad är det som har hänt?"

"Det verkar som om hon kört av E14 mellan Järpen och Åre. En privatperson larmade och när patrullen kom till platsen hittade de henne i snön en bit från vägen."

Daniel sätter sig omedelbart i bilen och startar motorn. Han pratar med telefonen inklämd mellan hakan och axeln för att inte förlora tid.

"Är hon allvarligt skadad?"

"Jag kan inte svara på det, men en ambulans har skickats dit. Hon mumlade ditt namn."

"Var är hon nu?"

Oron får rösten att låta barsk.

"Jag kan inte svara på det heller."

Daniel kör mot E14. Rädslan får honom att ignorera den rödvita stoppskylten, han gasar och kör ut så fort att bakhjulen sladdar.

Han hade lovat sig själv att åka hem till Ida och Alice men styr mot Östersund. Hannas bilolycka måste gå före hans privata problem, det kan inte hjälpas.

Snöflingorna i skenet från strålkastarna virvlar lika snabbt som hans egna tankar. Hanna är utbildad polis, hon ska veta hur man kör bil på ett säkert sätt.

Vad gjorde hon på vägen mellan Järpen och Åre så sent på kvällen?

De mörka granarna susar förbi medan han ökar farten. Om det var en allvarlig krock kan hon vara svårt skadad.

Olusten ökar för varje minut.

Daniel biter ihop bakom ratten och kör så fort han kan.

116

Huset är mörkt och stilla när Harald kommer fram till gärds-
gårdsstaketet som omgärdar tomten.

Han ställer ifrån sig bensindunken och ser upp mot den
mörka fasaden. Det är släckt överallt, familjen sover.

Där inne ligger hans dotters mördare och orsaken till hans
hustrus självmordsförsök.

Till och med deras hund var Fredrik tvungen att ge sig på.
Luddes döda kropp ligger fortfarande i garaget insvept i en
säck.

Hur lågt kan en människa sjunka?

Harald sluter handen om tändaren som ligger i hans ficka.

Fredrik ska aldrig få chansen att skada hans familj igen.

Allt ska brinna.

Harald ser sig omkring, konstaterar att han fortfarande är
ensam på platsen och tar med dunken till husets baksida. Lång-
samt och metodiskt skruvar han av plastkorken och börjar stänka
bensin på de rödmålade träväggarna. Det luktar så starkt att
ögonen tåras. Han blinkar och blinkar, till slut vet han inte om
han gråter av bensinångorna eller om det är sorgen som tar över.

När han är klar är en bra bit av fasaden indränkt, inklusive
de fyra balkongstolparna.

Han tar ett steg tillbaka och ser upp mot övervåningen.

En inre röst säger att han borde väcka Mira och lilla Leah,
ge dem en chans att ta sig ut innan det börjar brinna på allvar.

Men så tänker han på Amanda.

Hans dotter fick ingen sådan chans. Hennes döda och halv-
nakna kropp slängdes i en liftstol till allmän beskådan.

Hon lämnades att frysa ihjäl, alldeles ensam i vinternatten.

Ändå står han kvar, med tändaren i fickan, och kan inte förmå sig att ta fram den.

Han är inte sådan, han är ingen mördare.

Sedan ser han Fredrik framför sig igen, hans dotters mördare, och fingrarna sluter sig i kramp.

117

Platsen där trafikolyckan ägt rum går inte att missa när Daniel kommer körande på E14. Flera polisbilar står parkerade på vägbanan och en bärgningsbil är också på plats. Blåljusen blinkar olycksbådande.

Han kan se hjulspåren som försvinner in i den mörka skogen. Tanken på att Hanna krockat med ett träd får magen att knyta sig.

Daniel kastar sig ur bilen och skyndar fram till en av poliserna som han känner igen.

"Jag hörde om olyckan", säger han. "Hur gick det med föraren?"

"De har tagit henne till Östersund. Ambulansen har redan åkt sin väg."

"Hur var tillståndet?"

Kollegan skakar på huvudet.

"Svårt att säga. Hon var nerkyld och medvetslös, ansiktet var alldeles nerblodat."

"Hon lever i alla fall?"

"Än så länge."

Östersunds gator ligger tomma och övergivna när Daniel kommer dit efter en timme i bilen. Han kör genom staden i alldeles för hög fart, parkerar slarvigt utanför sjukhuset och springer mot ingången till akuten.

Det är kö till mottagningsdisken. Han sliter fram polislegitimationen och tränger sig före utan att bry sig om de undrande blickarna.

"Hanna Ahlander", flåsar han till en sköterska som sitter bakom en glasruta. "Hon ska ha kommit in med ambulans efter en bilolycka på E14."

"Låt mig se här."

Daniel har svårt att stå still.

"Var är hon?" utbrister han. "Hur är det med henne?"

Sköterskan ser på honom.

"Kan du lugna dig lite?" säger hon skarpt. "Du är inte ensam om att söka dig hit ikväll."

Hon stirrar på sin skärm i en evighet.

Daniel räknar sekunderna.

"Läkaren är hos henne nu", säger hon till sist.

"Vad betyder det?"

Daniel har sett tillräckligt många sargade kroppar efter allvarliga olyckor för att ana det värsta.

"Måste hon opereras?"

"Du får sätta dig och vänta så länge, tills vi har ett besked."

"Kan du åtminstone säga hur hon mår?" ryter han.

"Jag kan tyvärr inte svara på det."

Daniel är så frustrerad att han vill vråla rätt ut.

"Berätta åtminstone om hon är allvarligt skadad!"

"Du får vänta lite, som jag sa."

Hon fäster blicken på personen bakom Daniels rygg.

"Nästa."

118

Harald sitter hopsjunken i förarsätet med pannan lutad mot ratten och kinderna våta av tårar.

Inte ens detta klarade han av. Att straffa sin dotters mördare. När det kom till kritan förmådde han inte tända på huset, trots att väggarna stank av uthälld bensin.

Han är så innesluten i sin egen förtvivlan att det tar en stund innan han reagerar på mobiltelefonen som vibrerar i fickan.

Till slut drar han fram den och svarar med en röst som knappt vill bära.

"Är det Harald Halvorssen?" säger en kvinna. "Jag ringer från Östersunds sjukhus. Jag har tyvärr dåliga nyheter."

"Vad då?" mumlar Harald.

"Jag är verkligen ledsen men din fru gick bort för några minuter sedan. Allting såg bra ut men sedan fick hon hjärtstopp. Vi gjorde vad vi kunde, men det räckte inte hela vägen. Jag beklagar."

Harald stirrar på telefonen i några sekunder innan han knäpper bort samtalet.

När han stoppar tillbaka den i fickan snuddar fingertopparna vid braständaren. Med skakande händer lyfter han upp den framför ansiktet och tänder den i några sekunder.

Sedan öppnar han bildörren och går långsamt tillbaka uppför backen mot Fredriks hus.

Snöfallet har lagt sig fast vinden fortfarande är stark. Efter många veckor håller molntäcket äntligen på att spricka upp. Den mörka himlen välver sig över Åre.

Harald sjunker ner på knä i snön framför huset och samlar

kraft. Det luktar fortfarande starkt av bensin från fasaden.

Sedan drar han fram den stormsäkra braständaren ur fickan och trycker på knappen.

En kraftig eldslåga flammar upp med en orangeröd gloria omkring sig. Den brinner med ett tröstande sken, är rentav vacker mot den vita snön i den svarta natten.

Ett öga för ett öga, en tand för en tand.

Det är ett primitivt talesätt som Harald aldrig har trott på. Inte förrän i den här stunden.

Nu är det fullständigt självklart.

119

Det känns som om Daniel har suttit och väntat i evigheter när en manlig sköterska kommer fram och knackar på hans axel.

"Är det du som väntar på Hanna Ahlander?"

"Ja."

"Hon är klar på akuten och har flyttats till hus 15."

Är det bra eller dåligt?

Daniel bryr sig inte om att fråga.

Han skyndar genom tomma korridorer med kala väggar och vitt elljus. Aldrig förut har han varit medveten om hur stort sjukhuset är. Han hamnar fel och ser sig förgäves om efter någon att fråga. Till slut rusar han tillbaka samma väg och inser att han borde ha svängt vänster tidigare.

Äntligen kommer han fram till den medicinska avdelningen och sliter upp dörren. Där står en gråhårig sjuksköterska i femtioårsåldern.

"Jag söker Hanna Ahlander", får han fram.

"Är du nära anhörig?"

Daniel ljuger och svarar ja. För säkerhets skull drar han fram polislegitimationen och håller upp den.

"Hon ligger i sal sju."

"Hur är det med henne?"

Sköterskan sticker ner ena handen i fickan. Ansiktshyn är slät, trots det silvriga håret.

"Hon har en ordentlig hjärnskakning och flera köldskador, men läkarna tror inte att hon ska få några bestående men. Hon har också ett otäckt krossår i pannan som har behövts sys. Det kan nog bli ett ärr, tyvärr."

Lättnaden sköljer genom Daniel.

"Är hon vaken?" frågar han.

"Hon har fått smärtstillande så hon sover nog. Men du kan gå in till henne om du vill."

Daniel tackar för informationen och går mot Hannas rum. Han skjuter försiktigt upp dörren och kikar in i halvdunklet.

En ensam lampa lyser vid huvudändan av sängen, en dropp-ställning står bredvid.

Hanna ligger på rygg med slutna ögon. I pannan har hon ett brett vitt förband. Hon är mycket blek och kinderna bär spår av förfrysningsskador.

Daniel slår sig ner på stolen bredvid. Han vill ta hennes hand i sin men vågar inte.

Plötsligt slår hon upp ögonen och ser honom. Han hinner uppfatta förvåningen som övergår i glädje.

"Hej", viskar hon matt. "Är det du?"

Det är underbart att hon mår så pass bra att hon kan tala.

"Hur är det med dig?"

Hon försöker pressa fram ett leende men lyckas inte riktigt.

"Jag trodde inte att jag skulle klara mig ..."

Rösten dör bort.

"Vad hände?" frågar Daniel. "Orkar du prata om det?"

Hanna blinkar till som om hon försöker återkalla händelse-förloppet. En glimt av rädsla dyker upp i blicken.

"Någon tvingade mig av vägen", viskar hon.

"Var det avsiktligt, menar du?"

Hanna nickar.

"Bilen kom bakifrån, den låg alldeles för nära och körde in i mig. Jag tappade kontrollen."

Bit för bit får Daniel ur henne hela historien. Allt om Ris-berg och Zuhra. När Hanna är klar är hon grå i ansiktet av utmattning.

"Den där mannen som lämnade Zuhras lägenhet", viskar hon. "Jag tror att det var ..."

Hon pratar så lågt att det inte går att höra ordentligt.

Han lutar sig fram, håller örat nära hennes mun.

"Bosse Lundh", får hon fram.

Daniel har svårt att tro det han just fått höra. Menar hon Bosse Lundh från Missing People?

Hannas ögonlock glider igen.

"Vila nu", säger han mjukt.

Det tar bara ett par minuter innan hon har somnat.

Daniel sitter kvar och försöker smälta berättelsen. Zuhra och Amanda har båda arbetat för Fjäll-städ. Av en slump dök Zuhra upp hemma hos Hanna, vars polisinstinkt sa henne att någonting inte var som det skulle.

Hanna kom för nära, precis som Amanda.

Allting hänger ihop.

Daniel känner plötsligt hur trött han är. Det har blivit mycket sent, han behöver köra hem till Åre. Klockan kommer vara över tre innan han är tillbaka.

Han kastar en sista blick på Hannas sovande gestalt. De svarta ögonfransarna avtecknar sig mot den bleka huden, håret är trassligt mot kudden.

Han böjer sig fram och stryker varsamt hennes arm.

Sedan går han ljudlöst därifrån.

Lördagen den 21 december

120

Kroppen är matt av sömnbrist men full av adrenalin när Daniel vaknar i vilorummet på stationen vid åttatiden. Han har bara sovit i några timmar. När han kom tillbaka till Åre var klockan över tre, han kunde omöjligt åka hem till Ida så dags fast han hade tänkt komma hem på kvällen och be om ursäkt.

Tillvaron är upp och ner just nu.

Efter en snabb dusch drar han på sig samma kläder som dagen innan och ringer till Östersunds sjukhus.

Hanna mår bra, i alla fall efter omständigheterna. Hon har sovit hela natten. Hon kommer att bli kvar ytterligare en dag för att säkerställa att köldskadorna inte blir värre.

Han ber dem hälsa att han har ringt och loggar in på datorn för att ta fram uppgifterna om styrelsen i Fjäll-städ AB.

Listan med ledamöter stirrar på honom och han ser hela bilden.

Daniel skyndar sig bort till konferensrummet och letar rätt på kartan över Ullådalen och namnen på de olika fastighets-ägarna. Sedan messar han Anton, ber honom ta fram ett antal uppgifter och möta honom på stationen om ett par timmar.

När han är klar går han ner till garaget där de två snö-skotrarna står parkerade på varsin släpvagn. Han kopplar det ena skotersläpet till en av de civila polisbilarna och kör ut i den bistra vintermorgonen.

Det är fortfarande mörkt när Daniel kommer fram till Ullå-dalens parkering nedanför kaffestugan. Inga andra bilar syns till, det är fullkomligt öde.

Han kopplar loss snöskotern och tar ner den från släpet innan han drar på sig hjälmen och startar motorn.

Strålkastarens ljus skär genom mörkret när han styr ut i det vita landskapet.

Medarna glider lätt över den frusna ytan. Han kör över Ullsjön och vidare västerut mot fjället innan han viker av i riktning mot Holmtjärn.

Det enda som stör den karga stillheten är hans egen motor, den skrämmer upp en hare som nyss fått sin vinterpäls. Det vita djuret skuttar förskräckt iväg åt andra hållet och försvinner nerför en låg slänt.

Daniel stannar för att orientera sig.

Luften är klar och himlen molnfri. Det är en lättnad att slippa yrsnön och den iskalla vind som plågat dem hela december.

Han tar fram kartan från Lantmäteriet och studerar markernas indelning och husens placering. Det ska finnas femton till tjugo mindre stugor, om man räknar bort Prins Carls jaktvilla.

Himlen börjar klarna borta vid Rödkullen i öster.

Daniel vänder ansiktet mot ljuset och tänker på Hanna. Det var hon som upptäckte kopplingen till Kristina Risberg, arbetsledaren som fraktade runt kvinnorna mellan de olika husen som skulle städas.

När de gick igenom markägarna i Ullådalen fanns det en annan person med samma efternamn på listan, Annika Risberg. Enligt Anton är familjen Risberg en av de största markägarna i Ullådalen.

Bosse Lundh är sambo med Annika Risberg, som är syster till Kristina Risberg.

Det kan inte vara en slump.

Mördaren kom på skoter från Ullådalen, om man ska tro pistskötaren.

Daniel hittar familjen Risbergs hus på kartan och startar snöskotern igen. Det tar omkring tio minuter att köra dit.

Solen stiger över bergskanten när han ger sig av. De första strålarna glittrar i snön.

Den bruna timmerstugan med rostigt plåttak sticker upp ur snötäcket omgiven av låga fjällbjörkar. En smal skorsten sitter på ena sidan, två solpaneler är utplacerade på taket.

Byggnaden är inte stor, högst tre gånger fyra meter.

Daniel stannar utanför dörren och kliver av skotern. Han går runt stugan och kikar in genom ett halvt igenbommat fönster. Konturerna av ett spartanskt möblemang möter honom: en våningssäng med två fläckiga madrasser i underslafen, ett litet bord med två bänkar och en kamin för uppvärmning.

Det har visserligen snöat i stora mängder sedan natten då Amanda försvann, men det går ändå att se att någon har varit här den senaste veckan.

För säkerhets skull har Daniel stannat vid stugorna han passerat och där har det varit helt igensnöat.

Han granskar omgivningen utan att jäkta. Det är ingen tvekan på nära håll. Vägen till dörren har nyligen skottats fram, de översnöade konturerna syns tydligt.

Daniel drar fram mobilen och fotograferar allting.

Han går fram till fönstret igen och tittar på kaminen. Lite aska framför öppningen antyder att den nyligen använts. All ved är borta.

Ingen van stugägare skulle lämna stället så.

På fönsterkarmen, precis intill rutan, står något skrivet. Han kisar och pressar näsan mot glaset. Ser till slut att någon med möda ristat in ett enda ord:

Amanda

Daniel har sett det han behöver. Det här måste vara platsen där Amanda mötte döden.

Slutsatsen är lika sorglig som förlösande.

Han sätter sig på skotern igen, startar motorn och vänder för att köra tillbaka över det skimrande vita fjället.

121

Anton väntar i konferensrummet och höjer på ögonbrynen när Daniel kommer in i skoteroverall, med hjälmen under armen.

"Hur har det gått?" frågar han och börjar ta av sig overallen.

"Jag har fixat utskrifterna du bad om."

Anton radar upp ett antal papper bredvid varandra på bordet.

"Här är utdraget från Skatteregistret", säger Anton och pekar på ett dokument.

Överst står Annika Risbergs namn, personuppgifter och adress. Bredvid står namnet på den person som är hennes sambo: Bosse Lundh.

Anton drar fram ett annat papper. Det är ett utdrag ur skoterregistret som anger att Bosse Lundh är ägare till en svart Yamaha-snöskoter.

Det sista dokumentet kommer från bilregistret. Det visar att Bosse Lundh också äger en svart SUV av märket Volkswagen.

"Jag tror att vi har honom", säger Daniel långsamt.

Han berättar om stugan i Ullådalen.

"Om Lundhs DNA matchar det som rättsläkaren hittade under Amandas naglar så är han rökt. Det lär också finnas DNA i hans bil och i stugan, förmodligen även i skoterkälken som han använde för att transportera henne."

"Det var som fan", säger Anton och kliar sig i nacken. "Vem hade trott det? Han som varit med och letat efter henne. Vilken skithög."

Daniel drar ut en stol och sätter sig.

Det återstår fortfarande mycket polisarbete innan de kan styrka bortom allt rimligt tvivel att Bosse Lundh är mannen som mördade Amanda. De kan inte formellt avföra de andra misstänkta, Fredrik Bergfors, Lasse Sandahl och pojkvännen Viktor, förrän den kriminaltekniska undersökningen är klar.

Men Daniel känner på sig att det är Lundh som är gärningsmannen.

Förmodligen var det även Lundh som låg bakom Hannas bilolycka. Hon uppfattade en mörk bil som körde på henne.

Det är alltför många som har fallit offer för Bosse Lundh.

Daniel börjar lista de åtgärder som behöver genomföras under de närmaste tjugofyra timmarna. Paret Lundh och Risberg ska gripas, precis som systern Kristina och den ännu okända Linda som måste identifieras. De behöver beslagta Lundhs bil och skoter och skicka kriminaltekniker till stugan i Ullådalen.

Förhoppningsvis kommer de även att hitta färg från Hannas bil på Lundhs SUV där han körde på henne bakifrån.

Daniel bockar av punkt för punkt.

De ska göra tillslag på Fjäll-städs kontor, liksom i lägenheten på Hjortronstigen där ytterligare två uzbekiska kvinnor troligen är inkvarterade. Socialtjänsten måste kopplas in för att ta hand om dem tillsammans med Migrationsverket. Så småningom ska också den dubbla bokföringen granskas av experter på skattebrott.

Den här gången tvivlar Daniel inte på att åklagaren Tobias Ahlqvist kommer att vara beredd att fatta alla nödvändiga beslut.

"Har du hört om branden, förresten?" säger Anton.

"Vad då?"

"Det brann i natt hos Fredrik Bergfors."

Daniel stirrar på honom.

"Vad hände?"

"Det började vid midnatt. Det gick tydligen explosivt fort, enligt brandteknikernas utlåtande nu på morgonen. Hela huset är borta. De tror att den var anlagd."

"Mordbrand, menar du?" säger Daniel.

Han kommer omedelbart att tänka på besöket hos Harald Halvorssen.

Har den förtvivlade mannen tagit saken i egna händer?

Ångesten över att han borde ha kunnat förutse detta kommer direkt. Det var Daniel som berättade för Harald att de misstänkte Bergfors på grund av affären med Mira.

"Hur gick det med familjen?" säger han.

"Inga personskador, men det var mest en lycklig slump. Tydligen hade makarna haft ett stort gräl samma kväll. Kvinnan hade tagit med sig dottern och åkt hem till föräldrarna och mannen sov över på kontoret. Annars hade alla strukit med."

Daniel andas ut.

Om det är Harald som ligger bakom branden är det ytterligare en tragedi, men åtminstone blev det inga fler dödsoffer.

"Någon borde åka hem till Harald Halvorssen", säger han.

Anton ser forskande på Daniel.

"Jag träffade honom igår", fortsätter Daniel. "Han var obalanserad och onykter och uttalade sig hatiskt om Fredrik Bergfors. Ingen har lika starkt motiv som han."

Anton nickar tankfullt.

"Jag tar hand om det", säger han och plockar upp mobilen.

Daniel hör hur han ringer ett kort telefonsamtal för att lämna instruktioner om att leta rätt på Halvorssen.

Daniel blundar och försöker hitta ny energi.

Han vill ringa Ida men det måste vänta. Det får bli ännu ett sms eftersom det är dags för videokonferensen med Tobias Ahlqvist och Birgitta Grip. De ska lägga upp en plan för resten av dagen och hur de ska gå vidare.

Blicken fastnar vid Amandas foto på väggen. Det är första gången sedan hon hittades som han kan se på henne utan att känna skuld.

Han trycker på knappen för att öppna videomötet.

Det är dags att sätta bollen i rullning.

122

Två figurer skymtar i köket när Daniel kommer fram till Bosse Lundhs och Annika Risbergs hus tillsammans med polispatrullerna.

Paret äter middag i lugn och ro. En vinflaska står framme och båda har fyllda glas framför sig. Tre ljus är tända i adventsljusstaken på bordet och röda julgardiner ramar in fönstret.

Det ser ut som hos vilken svensk familj som helst en lördagskväll i december.

Daniel önskar att det var han som satt hemma vid köksbordet med Ida och Alice.

Han rättar till säkerhetsvästen, den skaver i armhålan. Alla bär en sådan, så ser reglementet ut. För säkerhets skull kontrollerar han att tjänstevapnet sitter där det ska.

Klockan är snart halv sju.

Just nu håller andra kollegor på att förbereda liknande tillslag mot de andra inblandade, Kristina Risberg och Linda Edén, som kvinnan på kontoret visade sig heta.

Snön fjädrar under fotsulorna när de hukande närmar sig huset.

Daniel gör ett tecken till Anton och nickar åt de andra att det är dags.

Medan han och Anton väntar utanför kastas dörren upp och två man går in med höjda vapen.

Han uppfattar en kvinna som skriker gällt, sedan hörs ljudet av krossat glas.

Allting blir tyst.

När Daniel kommer in står Lundh upp och stirrar på dem

medan han får handklovar på sig. Annika Risberg sitter fortfarande ner, hon är vit i ansiktet.

Daniel går fram till Lundh.

"Du är gripen för mordet på Amanda Halvorssen, mordförsök på Hanna Ahlander och grov människoexploatering", säger han.

Anton tar hand om Annika Risberg.

Bosse Lundh blinkar förvirrat, som om han inte förstår vad det är som pågår. Munnen öppnas och stängs utan att det kommer några ljud.

Daniel kan inte hejda sig. Han tar Risberg hårt i armen, spottar nästan fram orden.

"Hur fan kunde du låtsas leta efter Amanda när det var du hela tiden? Du lät henne frysa ihjäl alldeles ensam i stugan. Hon var bara arton."

Annika Risberg drar hörbart efter andan.

"Vad har du gjort?" ropar hon.

"Det var inte meningen", säger Lundh hest. "Jag behövde bara få tid att tänka. När jag kom tillbaka var det för sent att rädda henne. Jag trodde inte att hon skulle få slut på ved så fort."

Daniel ger honom en föraktfull blick samtidigt som två kriminaltekniker kommer in i huset. Han tar ett steg åt sidan och låter en uniformerad kollega leda ut Lundh och Risberg till de väntande polisbilarna.

Blåljusen har redan fått grannarna att nyfiket kika fram bakom gardinerna.

Daniel känner ingen triumf. Amandas död är en tragedi. Konsekvenserna för alla inblandade är fruktansvärda. Han borde vara jublande glad över Lundhs erkännande, men han är för trött. Anspänningen har varit svår de senaste dagarna, sömnbristen dunkar i kroppen och var hans egen relation befinner sig går inte att säga.

Trots allt har han misslyckats.

Amandas liv gick inte att rädda.

123

Det susar i huvudet av trötthet när Daniel står utanför sin egen lägenhet med nyckelknippan i handen.

Efter gripandet av Bosse Lundh och hans sambo har man påbörjat en husrannsakan i deras hem och i stugan i Ullådalen. Socialtjänsten har tagit hand om de tre flickorna från Uzbekistan. Kristina Risberg har redan erkänt att det var Lundh som körde på Hanna. De hade sett Hannas bil och började misstänka att någon bevakade dem. Sedan lyckades de förleda Hanna så att Bosse kunde lägga sig bakom och tvinga henne av vägen.

Kristina påstår att de bara ville skrämma Hanna.

Det får bli en senare fråga att reda ut om avsikten var att mörda även henne.

Daniel betraktar buketten han håller i handen. Han har stannat vid en bensinstation och köpt röda rosor med plastöverdrag. Det är något patetiskt över en man som kommer hem med halvvissna blommor från macken, men han kunde inte komma på något bättre.

Han längtar så mycket efter sina flickor.

Han låser upp och kikar in i hemmet. Det är alldeles tyst, ingen tv står på och ingen musik spelar. Det är släckt i köket, han ser bara ett svagt ljus från lägenhetens inre.

"Hallå?"

Daniel tar av sig ytterkläderna och smyger in i vardagsrummet. Ida sitter i soffan och ammar Alice. Den lilla kroppen vilar tätt mot Ida som stöttar hennes huvud med högerarmen. Det enda som sticker fram är en fjunig hjässa.

Synen av Alice och Ida som sitter tillsammans i soffhörnet vrider om kniven i Daniels dåliga samvete.

Han är en skitstövel.

Vem rusar ut och överger sin familj i flera dagar på det sätt han just gjort? Ida är så gott som nyförlöst, Alice bara tre månader.

En våg av skam sköljer över honom.

Det här är hans familj. Det är hans uppgift att ta hand om dem.

Daniel går fram till soffan, sjunker ner på knä framför sin flickvän och dotter och viskar:

"Förlåt."

Amanda ångrar sig nästan genast när hon kommer ut från Ebbas hus. Det är skitkallt, hon börjar frysa med en gång när hon går mot E14.

Jävla Viktor. Varför måste han bli så full? Hon hade verkligen sett fram emot den här kvällen och han förstörde allting.

Hon kommer ner till stora vägen och börjar promenera österut. Det är inte så smart att gå på E14 men det är få bilar ute så här dags. Hon hoppas att någon ska stanna och erbjuda henne lift, det är så jäkla kallt.

En mörk SUV kommer körande och Amanda viftar så att föraren ska förstå att hon vill ha skjuts. Den saktar ner vid parkeringsfickan en bit längre bort och hon springer i kapp. Bilrutan rullas ner.

”Vill du följa med?”

Amanda ler tacksamt och öppnar dörren för att klättra in. Hon känner genast igen mannen bakom ratten, han heter Bosse. Hennes pappa är bekant med honom.

Han tittar på henne och verkar överraskad.

”Amanda Halvorssen?” säger han. ”Är det du?”

Hon nickar.

”Tack för att du stannade”, säger hon. ”Det är superkallt ute.”

Efter en liten paus lägger hon till:

”Jag bor på Pilgrimsvägen.”

I bilen upptäcker hon att hon tappat sin halsduk, men vill inte be honom vända om. Hon får gå tillbaka i morgon och försöka leta rätt på den.

”Har du varit på fest?” säger Bosse.

Amanda nickar.

"Hos min kompis Ebba."

Hon börjar bli sömnig, det är varmt i bilen och hon har druckit för mycket.

Bosse fortsätter köra, svänger inte av där Amanda bor.

"Ursäkta", säger hon och pekar. "Jag bor där borta."

"Jag vet", säger Bosse. "Men jag skulle behöva tala med dig om en sak."

Amanda blinkar. Varför då?

"Det är nästan som om ödet har ordnat så att du och jag kan få en liten pratstund", säger Bosse.

Amanda förstår fortfarande inte vad han menar.

"Kan du inte bara släppa av mig så kan jag gå sista biten?" försöker hon.

Bosse svänger av från E14 och kör in på en smal skogsväg.

Amanda säger åt sig själv att inte bli rädd.

"Jag måste faktiskt hem nu", säger hon och försöker verka oberörd.

Bosse tycks inte höra. Han stannar bilen först när de har kommit in en bra bit i skogen. Ljudet när han lossar säkerhetsbältet gör henne illa till mods.

Han vänder sig mot henne. Det tidigare så vänliga ansiktsuttrycket har ersatts av ett annat, mörkare.

"Du har tydligen pratat med en av mina tjejer", säger han.

Först fattar Amanda inte vad han pratar om. Sedan begriper hon och får lite svårare att andas.

"Menar du Zuhra?"

"Hon snackar en massa skit, du ska inte lyssna på allt hon hittar på."

Sanningen går upp för Amanda.

Hon har föreställt sig att mannen som utnyttjat Zuhra är ett riktigt svin, en gangster, men hon har aldrig kunnat tro att det är en person som Bosse. Han är en vanlig gubbe, bara lite äldre än hennes pappa, med samma ölmage och trista kläder. Hon har sett honom många gånger i mataffären.

Amanda minns hur skräckslagen Zuhra var när hon till slut berättade för Amanda hur hennes liv såg ut. Hon hade stora blåmärken på armarna, tårarna rann nerför kinderna.

Amanda har lovat att hon ska hjälpa henne. Hon har grubblat hela veckan över vad hon borde göra.

Hon stirrar chockat på Bosse.

"Var det du som slog henne?"

Bosses mun blir till ett streck.

"Hon var jävligt uppkäftig."

När Amanda ser Bosses kalla ögon förstår hon varför Zuhra är så skrämd.

Hon sneglar mot bildörren, men Bosse följer hennes blick.

"Jag har låst den", säger han och fortsätter: "Nu ska du lyssna ordentligt på mig. Du säger inte ett ord om Zuhra, inte till en enda människa. Fattar du det?"

Amanda försöker svälja ner rädslan. Hon nickar.

"Om du så mycket som nämner för en enda person att hon ens existerar så kommer jag att straffa henne. Hör du vad jag säger? Det är inte du som kommer att få betala priset för att du glappar. Det är hon, och det kommer att göra bra mycket ondare än det hon varit med om hittills."

Amanda nickar igen.

Tårarna tränger fram men hon vågar inte höja handen för att torka bort dem. Samtidigt avskyr hon att han gör henne så rädd.

Hon vill inte ge efter.

Hon vill inte bli ett offer precis som Zuhra.

Bosse ser lugnare ut.

"Då så", säger han med ett leende som får håren att resa sig på Amandas armar. "Det var bra att vi fick prata. Vilken tur att jag hittade dig där på vägen."

Han vänder sig om för att spänna fast säkerhetsbältet igen, tydligt belåten.

Amanda hatar honom för det nästan lika mycket som hon hatar det han gör mot Zuhra.

Hur kan Bosse ge sig på en person som är så utlämnad? Hon är papperslös i ett främmande land där hon knappt kan språket. Zuhra är bara arton, hon borde gå i skolan precis som Amanda, inte tvingas städa tolv timmar om dagen.

Ilskan väller fram och får henne att glömma allt annat.

Alkoholen hon druckit bidrar med extra mod.

Bosse är ett asshole.

Han bestämmer inte över henne. Hon tänker inte låta honom få som han vill, aldrig i livet. Hon ska ut härifrån och han kan inte hindra henne.

Amanda börjar rycka i bildörren medan hon vrålar åt honom.

"Släpp ut mig, din jävla idiot."

När dörren inte går upp smäller hon till honom på axeln så hårt hon orkar.

"Jag säger till pappa", skriker hon. "Jag ska berätta allting."

Bosse reagerar mycket fortare än hon trodde var möjligt. Ändå hinner hon bli förvånad innan han vräker sig över henne och hugger tag i hennes överarmar.

Först kan hon inte röra sig men sedan får hon loss ena handen och river honom vid hårfästet.

Plötsligt sluter sig hans händer om hennes hals.

Bosse trycker till, det blir svårt att få luft.

"Du ska göra som jag säger", väser han.

Amanda kämpar för att få bort fingrarna. Hon kränger och ålar med kroppen för att komma loss, men Bosse är alldeles för stark.

Hon har inte en chans.

Han är så nära att hon ser hans uppspärrade ögon, lite spott som samlats i ena mungipan.

Sedan tar syret slut och allt blir svart.

Söndagen den 22 december

124

Solreflexerna dansar över isen på Åresjön när Hannas sjuktransport kommer fram till avtagsvägen mot Björnen. Ovanför byn skymtar Stjärnbacken och Hummelbranten, två tydliga pister som följer bergets sluttning. Alla liftar är öppna och små skidåkare svischar entusiastiskt nerför backarna.

Åreskutan reser sig majestätiskt, toppstationen syns tydligt mot den klarblå himlen.

Hanna sitter i baksätet. Hon är fortfarande matt och medtagen, men glad över att slippa stanna på sjukhuset.

Bilen påbörjar klättringen uppför backen mot Björnen. I den skarpaste kurvan hänger en frusen fors mot klippväggen. Ett överflöd av gröngrå vattenkaskader har hejdats av kylan, som om tiden har stannat för ett ögonblick. Lager på lager av is skimrar i solen och blänker välkomnande.

De snötyngda granarna bildar ett sagolandskap när de fortsätter mot Sadeln.

Hanna drar jackan tätare om sig.

Gjorde hon rätt som inledde en egen undersökning mot Kristina Risberg? Hon kan inte låta bli att grubbla. Hon hade lovat sig själv att hålla låg profil på sitt nya jobb. Istället gjorde hon tvärtom.

Kommer de att vilja ha kvar henne?

Det lät så på Daniel. Han har berättat om gripandena och Lundhs erkännande. Han ringde i morse för att höra hur hon mådde innan hon skrevs ut.

Utan Hannas efterforskningar hade de aldrig förstått sambandet. Det har han försäkrat flera gånger och hon vill så gärna tro honom, vill inte förlora chansen att fortsätta jobba tillsammans.

Hon minns känslan av trygghet när han kom till sjukhuset på natten och satt bredvid hennes säng.

Allting verkar ordna sig med Christian också.

Lydia ringde på förmiddagen och berättade att hon talat om för honom vad som hänt och varför Hanna inte hört av sig. När han fick höra om trafikolyckan försvann ilskan. Christian kommer inte att göra någon polisanmälan.

Hon kan andas ut.

När bilen svänger in i Sadeln och stannar framför huset ser hon Lydia i dörren. Hon insisterade på att flyga upp för att ta emot Hanna, fast hon snart ska åka iväg på kryssning med sin familj. Som vanligt gick det inte att säga emot.

Lydia ansåg att Hanna inte skulle behöva komma tillbaka till ett tomt hus efter bilkraschen. Hon ska stanna till i morgon och har handlat julmat och allt annat som Hanna kan behöva.

När Hanna ser sin syster tjocknar det i halsen.

Det är som det är med föräldrarna, men Lydia finns där för henne.

Om två dagar är det julafton. Hanna hade nästan glömt bort det.

ÖSTERSUNDS-POSTEN, 7 JULI 2020

Idag avkunnades domarna i den traffickinghärva som rullades upp i Åre under vintern. Ett sambopar hade tillsammans med kvinnans syster och en anställd grovt utnyttjat tre unga kvinnor från Uzbekistan som lockats till Sverige under falska premisser.

Historien avslöjades när en artonårig flicka från Åre, Amanda Halvorssen, försvann under mystiska omständigheter natten till lucia förra året.

Efter en omfattande utredning åtalades mannen, Bo Lundh, för en rad grova brott. Han var även åtalad för mordförsök på en kvinnlig polis efter att i hög fart ha förföljt och tvingat henne av vägen.

Bo Lundh dömdes av tingsrätten till sexton års fängelse för dråp, grov människoexploatering och mordförsök. Hans sambo Annika Risberg dömdes till fyra års fängelse och de övriga kvinnorna, Kristina Risberg och Linda Edén, fick fängelse i åtta år respektive två år och sex månader.

Amanda Halvorssens far, före detta kommunalrådet Harald Halvorssen, har avböjt att kommentera domarna. Han dömdes nyligen till villkorlig dom för mordbrand i ett tragiskt efterspel till händelsen.

Samtliga domar kommer att överklagas.

Författarens tack

Det finns en djup samhörighet mellan fjällen och skärgården. Det är något med naturens krafter, den obrutna horisonten och den storslagna skönheten som gör det lätt att känna sig hemma i båda landskapen.

När Coronakrisen slog till råkade jag befinna mig i Åre och blev kvar på grund av reserestriktionerna. Inspirationen växte i takt med att tiden gick, till slut hade jag skrivit en kriminalroman om de jämtländska fjällen som blev *Offermakaren*.

När man skriver en ny bok i en ny serie i en helt ny miljö är man som författare ytterst beroende av hjälp från vänliga människor från trakten.

Två personer som har varit ovärderliga under skrivprocessen är Ulrika Bauman Edblad och Anders Edblad. Tusen tack för att ni har läst, kommenterat och förmedlat olika kontakter för att möjliggöra min research. Jag vill även tacka Tuva Edblad som har hjälpt mig med bakgrundsfakta kring skolan och ungdomarnas liv och uttryckssätt i Åre och Järpen.

Jag vill tacka alla i Åre som så generöst delat med sig av sin expertis och sitt kunnande:

Fredrik Nyhlén, tidigare verksam vid Årepolisen och numera vid Tullmyndigheten, som berättade om polisverksamheten i distriktet de senaste tio åren.

Anders Aspholm, affärsområdeschef på Skistar, som hjälpte mig att förstå hur verksamheten och skidanläggningarna i Åre fungerar.

Markus Kristoffersson och Andreas Lundin, utredare vid Årepolisen, som beskrev Åre polisstation och det dagliga arbetet där.

Anders Berge, markägare i Ullådalen som tog med mig på en lång skoterfärd för att hitta ett bra ställe för att "gömma ett lik".

Inger Fritzon, lärare vid Jämtlands Gymnasium, som beskrev skolmiljön i Åre och Järpen.

Jag vill också tacka kriminalkommissarie Rolf Hansson, som än en gång har hjälpt mig med allehanda polisiära spörsmål, och lagman Cecilia Klerbro, min goda vän som kommit med värdefulla synpunkter kring straffutmätning och lagföringen av händelserna i boken. Mina kära vänner Anette Brifalk, Helen Duphorn och Madeleine Lyrvall har alla läst och kommenterat manuset under skrivprocessen. Tusen tack för det!

Några friheter har jag tagit mig som författare – det finns inga vägar i Åre och Järpen som heter Västra Sadelviksvägen eller Hjortronstigen. Lydias hus är inspirerat av många olika vackra hem och liftarna i Åre provkörs egentligen tidigare på morgonen.

Jag har också den största respekt för det viktiga arbete som Missing People bedriver, och hoppas att ingen tar illa upp för att jag blandat in organisationen i historien.

Om det förekommer andra fel i boken tar jag på mig det helt och fullt.

Ingen författare är en ö och *Offermakaren* är sannerligen resultatet av ett fantastiskt teamwork. Utan stödet från min starkt engagerade förläggare Ebba Östberg, min fina vän och manusutvecklare John Häggblom och min utomordentliga och oförtröttliga redaktör Lisa Jonasdotter Nilsson hade det blivit en helt annan och mycket sämre bok. Stort tack, det är ett privilegium att jobba tillsammans med er, precis som det är med superproffsiga Sofia Heurlin och alla andra på Ester Bonnier liksom gänget hos Micael Bindefeld AB.

Tack också till min hängivna assistent Madeleine Jonsson som styr upp tillvaron och ser till att det går att hålla näsan över vattenytan.

Anna Frankl, tack för att du alltid finns där!

Avslutningsvis – till min älskade man Lennart, som läste så noga, och mina kära barn Camilla, Alexander och Leo. Utan er skulle ingenting spela någon roll.

Åre, den 22 september 2020
Viveca Sten